D0310068

Suseanne

Colofon

ISBN: 978 90 8954 227 4
1e druk 2010

Exemplaren zijn te bestellen via de boekhandel
of rechtstreeks bij de uitgeverij:
Uitgeverij Elikser B.V.
Ossekop 4
8911 LE Leeuwarden
Postbus 2532
8901 AA Leeuwarden
Telefoon: 058-2894857
www.elikser.nl

Illustratie omslag door Saskia Berris
Vormgeving omslag en binnenwerk:
Evelien Veenstra

Suseanne

Saskia Berris

In opdracht

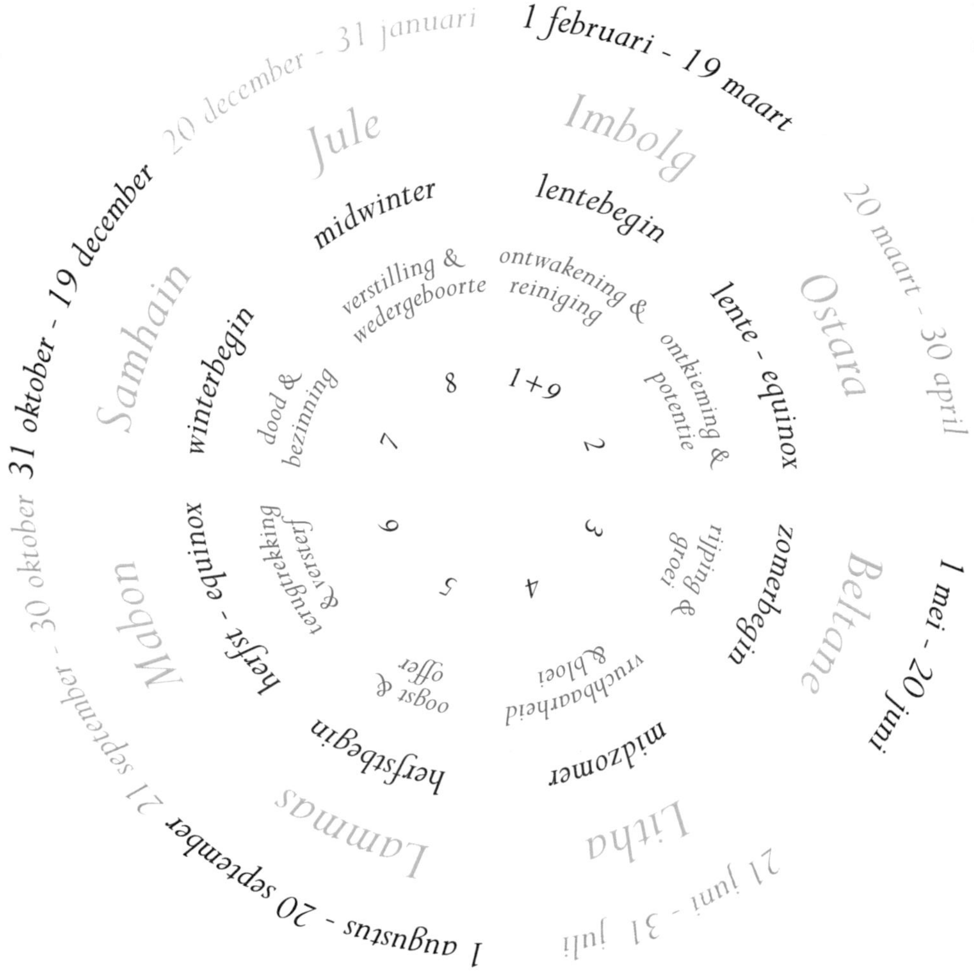

1 februari - 19 maart
Imbolg
lentebegin
ontwakening & reiniging
1+9

20 maart - 30 april
Ostara
lente - equinox
ontkieming & potentie
2

1 mei - 20 juni
Beltane
zomerbegin
rijping & groei
3

21 juni - 31 juli
Litha
midzomer
vruchtbaarheid & bloei
4

1 augustus - 20 september
Lammas
herfstbegin
oogst & offer
5

21 september - 30 oktober
Mabon
herfst - equinox
terugtrekking & versterf
6

31 oktober - 19 december
Samhain
winterbegin
dood & bezinning
7

20 december - 31 januari
Jule
midwinter
verstilling & wedergeboorte
8

INHOUDSOPGAVE

VOORWOORD

Mijn verhaal is geschreven in een bepaalde periode van mijn leven. Ik haal er thema's in aan die mij in deze levensfase opvielen en bezighielden. Achteraf kan ik zeggen dat alles wat ik opgeschreven heb, eigenlijk één grote wijze les was die ik zelf hard nodig had. En wat mij betreft mogen anderen daarvan meeprofiteren.

Heden vind ik het meest opvallend dat steeds meer mensen lijken te kampen met de druk van de maatschappij. Bij volwassenen uit zich dit in overspannenheid, depressies en vermoeidheidsziekten. En kinderen die niet in het keurslijf passen, krijgen hetzij een klinische diagnose zoals ADHD of autisme, hetzij een spirituelere benaming als nieuwetijds- of sterrenkinderen. Het feit dat deze personen "uitvallen" wordt geweten aan hun tekortkomingen en gebreken. Ik merk vaak dat wij in onze samenleving gewoon zijn onszelf en anderen met elkaar te vergelijken. Daardoor lijken wij in alle facetten van het leven – fysiek, emotioneel, rationeel en spiritueel – voortdurend in een concurrentiestrijd verwikkeld. Met onszelf en met anderen. Al in onze vroegste jeugd leren wij om onszelf en anderen te beoordelen in termen van tekortkomingen en gebreken. Hierdoor vormen zich *vooroordelen*, op grond waarvan *geoordeeld* wordt. En maar al te vaak leidt dit tot een *veroordeling* van onderlinge individuele verschillen.

Ik vind het jammer dat wij vaak niet, of te weinig leren om onszelf en anderen te zien zoals wij werkelijk zijn. Op het moment dat de behoefte om te concurreren vervalt, is men in staat zichzelf en een ander te beoordelen in termen van kwaliteiten en talenten. Dan kunnen individuele verschillen als complementair beschouwd worden. Wat de een niet kan of heeft, kan of heeft dan een ander wel.

Het valt mij ook op dat veel mensen erg ver van de natuur af zijn komen te staan. Van de natuur in zijn algemeenheid, maar ook van de eigen innerlijke natuur. Mensen (her)kennen hun eigen natuurlijke behoeften niet meer. Ik sluit niet uit dat het ontstaan van de nieuwetijdsziekten hiervan een gevolg is. Lange tijd hebben wij gedacht de natuur te kunnen beheersen en te exploiteren. Met behulp van allerlei kunstmatige ingrepen hebben wij een 24 uurseconomie weten te realiseren.
Maar de mens zelf is geen winkel die altijd open kan zijn, noch een broeikas waar het licht altijd brandt. De productiviteit van mensen is van nature niet constant. Het ligt in de natuurlijke behoefte van een mens om zich bij tijd en wijle terug te trekken en op te laden. Daarna kan dan weer gepresteerd worden. Het is een cyclus die zich telkens herhaalt. Net als de cyclus van de seizoenen die het verloop van versterving, ontkieming, groei, bloei en zaadvorming zo mooi illustreert. Ik geloof dat alles in het Leven bedoeld is cyclisch te zijn. En ik denk dat, in deze tijd waarin zo veel mensen de weg kwijt lijken te zijn, het nodig is dat de huidige mens weer dichter bij de natuur komt te staan. Om daardoor de weg terug, de weg naar zichzelf, weer te vinden.

Voor mij persoonlijk is het meer gaan leven naar het verloop van de seizoenen een goed middel geweest om tot mijzelf te komen. Er zijn veel vormen en manieren mogelijk waarmee je dichterbij een persoonlijker en natuurlijker ritme kunt komen. Het onderhouden van een moestuin kan een manier zijn, je wenden tot de wicca ook. Heden zijn er veel ver-

schillende groepen mensen die allen op hun eigen manier bezig zijn met (her)ontdekken van de natuur en de tradities van de aarde. Naast de wicca bestaat er bijvoorbeeld nog de heksenleer, de natuurmagie, het *paganism*, de natuurreligie. De exacte verschillen zijn mij nog steeds niet helemaal duidelijk en ook hun historische ontstaansgeschiedenis heb ik niet helder.
Maar wat mij betreft doen de verschillen er ook niet zo heel veel toe. Het gaat meer om de overeenkomstige filosofie achter deze bewegingen. Een mooie allesomvattende term daarvoor vind ik natuurfilosofie. Natuurfilosofie kan een zeer persoonlijke ontdekkingstocht zijn, waarbij steeds de relatie tot de natuur centraal staat. Natuurfilosofie bevordert niet alleen de bewustwording van processen die zich in de natuur om je heen voltrekken. Het laat zien dat er een relatie bestaat met de natuurlijke processen die zich in jezelf voltrekken. Natuurfilosofie is zoeken naar een zo groot mogelijke harmonie tussen jezelf en je omgeving op een manier die elk individu het beste past, zonder dat daarbij een ander geschaad wordt.

Er is geen absolute eenduidigheid in de natuurfilosofie. Er kan gebruik gemaakt worden van data betreffende jaarfeesten en rituelen. Voor sommige mensen is het leuk om eieren te verven in de lente. Maar het heeft weinig zin om bier te brouwen in augustus als je geen bierdrinker bent. Natuurfilosofie betekent dingen doen die op dat moment dicht bij je eigen natuur staan. Iedereen kan dat doen.
Mijn verhaal is ook niet absoluut. Het leven is geen statisch gegeven, maar verloopt dynamisch. Ieder mens maakt een ontwikkeling door en kan in verschillende levensfasen dezelfde zaken op een andere wijze beleven. Het is te hopen dat ik over bijvoorbeeld tien jaar in een andere levensfase ver-

keer. Wellicht zal ik daardoor anders denken over de dingen die ik nu heb opgeschreven. En hoogstwaarschijnlijk heb ik dan ook weer andere wijze lessen nodig.

Rest mij nog te vermelden dat de door mij beschreven personages fictief zijn. Hun karakters zijn veelal gebaseerd op meerdere verschillende personen. Zuivere overeenkomsten met bestaande personen berusten op toeval. En het is geenszins mijn bedoeling hiermee mensen aan te vallen, te bekritiseren of te veroordelen. Veel gedachten van Suseanne zijn gebaseerd op mijn eigen gedachten, sommige ook niet. Sommige gebeurtenissen in mijn verhaal heb ik zelf meegemaakt, vele zijn verzonnen. Het is een fictief verhaal en geen werkelijkheid.

INTRO

♫ *Sorry you can't define me, sorry I break the mold*
Sorry that I speak my mind, sorry that I don't do what I'm told ♫

(Christina Aquilera - Stripped Intro)

Woensdag 20 juni

Mijn naam is Suseanne Bakker. Meestal word ik Susan genoemd. Maar Suus heb ik zelf het meest lief. Anne vind ik ook wel aardig.

Op het moment dat ik met dit schrijven begin, ben ik een vrouw van 42, bijna 43 jaar. Getrouwd, reeds dertien jaar, zelfs bijna veertien. Ik heb twee kinderen, bijna waren het er drie. Mijn echtgenoot heeft een fulltime baan. Mijn zoon zit nog op de basisschool en mijn dochter bezoekt het middelbaar onderwijs. Ik werk één dag per week. Voor de vorm. Ik ben liever huisvrouw. Ook al ben ik hoogopgeleid.

Ik heb de leeftijd én de gezinssamenstelling voor een midlifecrisis. En waarschijnlijk heb ik die dan ook. Zeker is het in ieder geval dat ik in een hevige identiteitscrisis verkeer. Echter, ik kan mij niet heugen dat ik mij daar niet in bevond.

Bovendien ben ik een labiel persoon. Ik slik namelijk antidepressiva. Daar was geen ontkomen meer aan toen ik een aantal jaren geleden overspannen verklaard werd. Ik was blij toe. Eindelijk erkenning voor mijn reeds levenslange overlevingsstrijd in deze maatschappelijke jungle. Ik ben nogal prikkelgevoelig. Mijn zoon heeft een autistische stoornis en ADHD. Deze stoornissen schijnen genetisch bepaald te zijn. Vaak worden zij doorgegeven door de vader. Dat is bij ons niet het geval.

Ik ben met schrijven begonnen omdat ik voor mijzelf een aantal zaken op een rijtje probeerde te krijgen. Ik ben mij de afgelopen weken bewust geworden van het feit dat zich in

mijn gedachtewereld twee ingrijpende veranderingen hebben voorgedaan.
De eerste verandering is het directe gevolg van een beslissing die ik zelf genomen heb. Daar had ik invloed op. Dat zal iedereen met mij eens zijn.
De tweede verandering betreft een ontdekking die ik over mijzelf gedaan heb. Hierbij heb ik zelf de mate van mijn eigen invloed als zeer beperkt ervaren. Maar daarover kunnen de meningen verschillen.
Evenals dat er geredetwist mag worden over het feit of er een verband bestaat tussen beide veranderingen:

Ik word een heks.
En ik wil een minnaar.

HOOFDSTUK 1

Grote Godin, mijn
Ware Moeder,
geef mij uw zegen
en schenk mij verlichting.

Vrijdag 2 februari ○

De lente komt. Je zou het niet zeggen als je naar buiten kijkt. De aarde is bedekt met een dun laagje sneeuw. Maar ik weet het. Al mijn zintuigen vertellen mij dat het nu niet lang meer duren kan. Ik voel het in mijn botten. En gistermiddag toen ik even buiten was, voelde ik de warmte van de zon ook al door mijn jas heen. Ik kan het ruiken in de lucht. De geur van rottende vegetatie van de herfst en winter heeft plaats gemaakt voor de reuk van vruchtbare aarde. Ik kan het zien. Het licht is helderder en de dagen worden alweer wat langer. Aan sommige boomtakken zijn al heel tere knopjes te zien. Ik kan het horen. Er klinken geluiden in mijn tuin die ik een poos niet meer gehoord heb. En ik kan het proeven. Als ik van mijn zelfgezaaide tuinkers eet.
Maar bovenal weet ik het. Want de natuur, dat is een cyclisch gegeven. Zij herhaalt zichzelf steeds weer. Haar vermogen tot wedergeboorte is ongehoord en ongeëvenaard. En nu is zij opnieuw ontwaakt. De lente bevindt zich nog onder sneeuw en ijs, maar ik weet dat het niet lang meer duurt eer zij wederom ontluiken zal.
In mijn eigen zaaibakken zijn de zaden ook aan het ontkiemen. Eind januari heb ik de eerste zaadjes onder de aarde geduwd. Van de tuinkers heb ik reeds gegeten. Maar nu komen ook de eerste spinaziespruiten boven de grond. De komende maand kan ik rucola, kropsla en raapsteel gaan zaaien. Nog niet buiten, in de volle grond. Maar wel binnen, in kweekbakjes, boven de verwarming en achter het glas van mijn zolderraam. Daar zullen de zaadjes hun best doen alle licht en alle warmte van elk zonnestraaltje dat naar binnen valt te vangen, om uit te kunnen groeien tot kleine loten. Als het over een poosje dan ook buiten weer warmer wordt, zullen veel van deze loten sterk genoeg zijn om in mijn moestuin

uitgeplant te worden. Sommige loten zullen wat langer binnen moeten blijven. En sommige loten redden het niet. Zo is het leven.

Zondag 4 februari

Vandaag lijkt het voorjaar weer heel erg ver weg. Het ziet er grijs en grauw uit buiten. En grijs en grauw voel ik mij ook vanbinnen. Shit, het ging toch echt veel beter de laatste tijd. Tot eind december dacht ik met behulp van de medicatie zelfs de winterblues te kunnen ontlopen. Maar de serotonine in de "happy pills" lijkt haar uitwerking sinds een aantal weken te missen. Ik heb nergens zin in. 's Ochtends als ik wakker word, lijkt de dag nog zo oneindig lang. En leeg. Januari was leeg. En tegen februari is geen medicijn. Of het moet de zon zijn. Ik verlang naar de zon.

Misschien wil ik het wel te graag.
Misschien is de wens de vader van mijn gedachten.
Misschien is mijn hoop onevenredig groot.
Misschien moet ik nog wat langer wachten.
Misschien is het gewoon wat moeilijk, vandaag ...

Maandag 5 februari

Vannacht droomde ik over mijn oma. Ik zat bij haar aan de eettafel. Mijn zusje was er ook. En mijn neefje. We waren in haar oude huis, waar wij als kind vaak logeerden. Oma was in de keuken. Zij bakte pannenkoeken, zo lekker als niemand anders ze kon bakken. Wij waren er dol op en kwamen er iedere vakantie voor terug. We aten tot we misselijk waren. En melig. Dan moesten we erg lachen om mijn oma die ons eettempo niet kon bij houden. Om mijn neefje die, hoe vaak wij hem ook waarschuwden, consequent de appelmoeslepel aflikte voordat hij hem weer terugstopte in de pot. En ook om een ouderwetse wandtegel die boven de eettafel hing. Het was een zwart stuk nepboomschors met gouden letters. De tekst was in het Duits. Wij zaten nog op de lagere school en wisten niet wat er stond. Maar we vonden het reuze lollig om de tekst beurtelings hardop uit te spreken. Later ben ik de woorden vergeten. Althans dat dacht ik. Vannacht in mijn droom, herinnerde ik mij ze weer. En vanochtend toen ik wakker werd, drong voor het eerst in mijn leven hun betekenis pas tot mij door.

"Immer wenn du meinst es geht nicht mehr,
kommt von irgendwo ein Lichtlein her".

Toen ik vanochtend naar de buurtsuper fietste, zag ik hen weer. "De twee oude mensjes", zoals ik hen in mijn gedachten altijd noem. Wanneer je het korte straatje waarin ik woon uitfietst, kom je in een mooie lange lindebomenlaan. Helemaal aan het eind staat een klein oud en vervallen huisje. Daarin wonen twee oude mensjes, een opaatje en een omaatje.
Ze wonen daar al heel lang, in elk geval zolang ik mij herinneren kan. De kinderen van de twee oude mensjes moeten hen dáárvoor al verlaten hebben, want mijn geheugen kan zich hen helemaal niet meer voor de geest halen.
Het huisje ziet er al jaren hetzelfde uit. De tijd heeft er stilgestaan. In de koude periode van het jaar, zie ik de oude mensjes niet veel. Er is op het land rondom hun huisje dan

niet veel werk te doen. Ze blijven binnen. Opa maakt misschien zijn werktuigen schoon en oma breit wellicht een wintertrui.
Maar vandaag zag ik hen weer. Ze waren weer uit hun hol gekropen. Ze hadden hun tapijten in de sneeuw gelegd. Een ouderwetse, doch zeer doeltreffende, reinigingsmethode. De sneeuw zuigt alle vuil van de winter uit de weefsels. Opaatje en omaatje zwaaiden naar mij zoals zij deden voor hun winterslaap. Ik geloof dat iets in mij toen ook ontwaakte. Er gloort weer hoop aan de horizon. Aan het einde van deze grijze grauwheid zal het licht ook weer gaan branden. En ik kreeg zowaar zin om mijn eigen tapijten ook naar buiten te gooien.

Woensdag 7 februari

Gisteren ben ik begonnen met mijn voorjaarsschoonmaak. Met de moed der wanhoop. Ik klamp mij vast aan mijn laatste strohalm. Dat is de hoop dat het opruimen en schoonmaken helpt. Vaak namelijk wordt niet alleen mijn huis er schoner van, maar ook mijn gemoedstoestand enigszins opgeruimder.
De kosmopolitische carrièrevrouw verklaart mij vast voor hartstikke gek. Maar ik wist allang dat ik dat ben. Gek bedoel ik. Dus ga ik mijn eigen grondige gang door het huis. Kamer voor kamer zal ik aanpakken. Alles moet schoon. Tot in de kleinste hoekjes en gaatjes. Ik vertel de spinnen dat zij nu echt een onderkomen buiten mijn deur moeten gaan zoeken. Ik was de dekbedden. Ik zeem de ramen. Ik borstel de verwarmingen. Ik schrob de keukenvloer. Ik zwoeg en ik zweet. Bepaalde tradities moet je in ere houden. En aan een

schoon huis hecht ik waarde. Over een poosje zal ik het ook wel zat zijn. Ik schat zo ongeveer bij het doorbreken van mijn menstruatie.

Donderdag 8 februari ☾

Vandaag heb ik een duurloop gedaan. Het ging lekker. Mijn benen voelden sterk en mijn ademhaling was goed. Ik heb mij al vaak afgevraagd waarom ik hardlopen nou eigenlijk zo leuk vind. Een absoluut antwoord heb ik nog niet gekregen, maar het heeft iets te maken met vrij zijn. Hardlopen geeft mij een enorm gevoel van vrijheid. Zo gauw ik mijn hardloopschoenen aantrek en een looppas inzet, ben ik vrij. Vrij van zorgen, vrij van Het Dagelijks Leven, vrij van deze aardse dimensie.
Ik geloof in het bestaan van meer dan één dimensie. Veel mensen hebben slechts weet van de eerste dimensie. Zij nemen eenvoudig het leven van alledag waar. Zij zien, horen, ruiken, voelen en proeven alleen Het Dagelijks Leven. Maar er is meer. Meer leven. En ook meer zintuigen.
Sommige mensen hebben wel weet van een andere dimensie. Of van andere dimensies. Want wie zal zeggen hoeveel dimensies er zijn? Ik weet het niet.
Ik weet wel dat wanneer ik hardloop ik in tenminste één andere dimensie verkeer. Dan ben ik niet meer "moeder van", "vrouw van", of "dochter van". Dan ben ik niet eens meer Suseanne. Dan ben ik, ík. Dan volstaat te Zijn.
Ik heb mijzelf vaak afgevraagd wie ik eigenlijk ben. Vooral ten tijde van mijn burn-out, speelde deze vraag mij parten. °°°*(Wie ben ik eigenlijk écht zelf? Waarom ben ik zo overspannen geraakt? Wat is er mis met mij? Ben ik soms ook autistisch, net*

als mijn zoon? Het zit immers in de genen. Of ben ik wellicht een miskend hoogbegaafd genie? Ik voel mij ook zo vaak zo "anders" en "buiten de groep staan". Ben ik misschien dispraktisch? Ik ben toch van kinds af aan altijd heel onhandig geweest. Ben ik paranormaal begaafd? Hoogsensitief misschien? Of gewoon gek?)°°°
In de zeer vruchtbare periode van overspannenheid realiseerde ik mij dat het er eigenlijk op neer kwam dat ik helemaal niet wist wie ik zelf was. Dat was schokkend. Ik ontdekte dat ik een heleboel was. Vóór anderen en ván anderen was ik van alles: echtgenoot, moeder, (schoon)dochter, (schoon) zus, vriendin. Alles behalve mijzelf. Ik was een heleboel aangepaste versies van mijzelf. Aangepast aan elke rol die ik voor ieder ander moest spelen.
En daar was ik doodmoe van geworden. Het was niet dat ik er geen zin meer in had. Ik houd van mijn gezin en familie. En ik wilde hen graag goed doen. Maar ik kon het gewoonweg niet meer opbrengen om al die rollen te spelen. Mijn lichaam en geest weigerden nog langer de façade in stand te houden. Zij vonden dat de tijd gekomen was dat ik mijzelf maar eens moest worden. Maar na jaren van extreme aanpassing wist ik niet meer wie ik was. Ik was mijzelf helemaal kwijt.

♫ *In the mirror is where she comes face to face with her fears*
Her own reflection, now foreign to her after all these years
All of her life she has tried to be something besides herself ♫

(Christina Aquilera - Soar)

Zaterdag 10 februari

De overspannenheid en de daarmee gepaard gaande depressiviteit zijn nodig geweest om te mogen ontdekken wie ik eigenlijk zelf ben. Iemand die overspannen is, kan zich namelijk de luxe permitteren om veel minder rekening te houden met de buitenwereld. Het werd ineens totaal geaccepteerd dat ik meer tijd en ruimte nodig had voor mijzelf. En bovendien stond ik ook mijzelf nu toe om mij meer op mijn eigen innerlijke wereld te concentreren. Zo leerde ik steeds weer een stukje van mijzelf kennen. Of eigenlijk was er meer sprake van herkennen en erkennen. En zo herinnerde ik me mijzelf.

Ik kan mij dat moment waarop ik me mijzelf begon te herinneren nog precies voor de geest halen. Het was op een ochtend in het vroege voorjaar, nu ongeveer een jaar geleden. Ik ging een stukje wandelen. Liever was ik gaan hardlopen, maar dat lukte niet meer. Mijn geest kreeg de motor van mijn lichaam niet harder dan tot een slakkentempo aangezwengeld.

Ik bewoog mij zeer langzaam voort en ik moet een lege blik in mijn ogen gehad hebben. Want ik was ver van de wereld. Op foto's uit die tijd zie ik eruit als een uit een horrorfilm weggelopen zombie. En in ongeveer zo'n staat liep ik daar op straat. Ik zag niet veel.

Totdat er ineens iets op mijn mouw viel. Vogelstront. Een dikke klodder. Mijn ogen zochten naar de schijtlijster die dat had aangedurfd. En toen zag ik ze ineens. Jonge katjes. Ik bedoel van die nog niet ontloken knoppen op de takken van een wilgenboom. Dat had ik lang niet meer gezien. Tijdens het hardlopen was ik hier altijd letterlijk te snel aan voorbijgegaan.

Verwonderd zag ik ineens ook de andere bomen in de laan.

Ik keek langs de stam van een eikenboom omhoog en het viel mij op hoe enorm groot en krachtig die boom eigenlijk was. En hoe nietig ikzelf.°°°*(Wie ben ik, dat ik denk dat ik zo belangrijk ben?)*°°° Ik besefte ineens wat voor een pietepeuterig klein onderdeeltje van de grootsheid van de natuur ik in werkelijkheid maar voorstel. En hoe nederig ik zou moeten zijn. °°°*(Wie ben ik, dat ik denk dat mijn leven er iets toe doet?)*°°°
Ik zag, hoog boven mijn hoofd, hoe de takken van de bomen aan de ene kant van de weg de takken van de bomen aan de overkant aanraakten. Opeens kwam het bomenlaantje mij voor als een tunnel. In die tunnel liep ik. Met hun wederzijdse aanraking leken de bomentakken ook mij te omhelzen. En toen zag ik hun energie. Langs de stammen, langs de takken, langs de knoppen zinderde de levenskracht van de natuur. In de lichte trancetoestand waarin ik mij bevond drong eerst niet zo tot mij door wat het was dat ik zag. Daarbij kwam dat het beeld van die stromende energie mij ook heel bekend en vertrouwd was. Maar toen realiseerde ik mij dat het heel lang geleden was dat ik het gezien had. De laatste jaren van mijn leven was ik hieraan figuurlijk te snel voorbijgegaan. En ik was het vergeten. Bijna.

Ik liep.
De bomen
hebben weer met mij gepraat
(bij) zonder(e) woorden
en geen spraak.
Toch zagen wij elkaar,
en groetten
als voorheen.

Zondag 11 februari

Ik besef dat ik voer voor psychologen ben. Een heel multidisciplinair psychiatrisch team heeft een dagtaak aan mij gehad. En een jaarsalaris bovendien. Ongewoon verknipt ben ik. Ze kwamen er niet uit. En ze hebben mij weer losgelaten. Ik kreeg niet eens een leuk etiketje. Zonder diagnose, hup terug de maatschappij in.
De enige erkenning die ik voor mijn gebreken gekregen heb is dat het team van medisch specialisten dat zich over mij gebogen had, toegaf wat ik zelf allang wist: ik ben prikkelgevoeliger dan veel andere mensen op deze aardkloot. Ik ondervind hinder van prikkels die een ander ook wel waarneemt, maar waar de meesten onder ons verder geen last van hebben; een zoemende afzuigkap, een felle tl-lamp of een geurige parfum. Echter daarnaast heb ik ook last van beelden, geluiden en geuren die de meesten onder ons helemaal niet waarnemen, omdat ze er eenvoudigweg voor hen niet zijn. Uiteraard heb ik dat de huisarts, psycholoog en psychiater niet verteld. Zij zouden het wellicht omschrijven als "paranoia" of "rijp voor het gekkengesticht". Ik was allang blij dat ik volgens de psychiater niet bleek te voldoen aan alle criteria van een borderliner. Ook het etiket "stoornis uit het autistisch spectrum" verdiende ik niet. De psychologe wist er nog wel iets uit te persen. Volgens haar ben ik een typisch geval van het enneagramtype de romanticus. Maar daar kon ik helemaal niks mee. Net zo min als met de tegenwoordig zogenoemde nieuwetijdskinderen. Wellicht zou "hoogsensitiviteit" nog het beste mijn lading kunnen dekken, ware het niet dat deze term op mij overkomt als een eufemisme voor "overgevoeligheid". En dát °°°*('Reageer toch niet altijd zo overgevoelig!')*°°° heb ik mijn leven nét iets te vaak moeten horen.

Overigens maakt het volgens mij niet zo veel uit. Hoe het ook genoemd moge worden, de uitkomst blijft hetzelfde. Ik heb veel behoefte aan rust, reinheid en regelmaat, welhaast evenveel als een pasgeborene. Ik probeer te accepteren dat het mij veel tijd en moeite kost om de grote hoeveelheid prikkels die dagelijks op mij afkomt, te verwerken. Vóór mijn depressie nam ik die tijd en moeite zeker niet. Nu durf ik meer voor mijzelf te kiezen. Maar toch blijft het knap lastig om vaker stil te staan bij mijzelf en meer rust te nemen. Ik heb mijzelf aangeleerd om prikkels die niet goed voelen te vermijden. Daardoor ben ik wat losser komen te staan van de maatschappij waarin ik leef. Die maatschappij op haar beurt is mij almaar gejaagder, haastiger en onrustiger gaan lijken. En de mensen komen mij steeds drukker, chagrijniger en ontevredener voor. Velen vallen uit. Ik ben niet de enige. We zijn overspannen of worden burn-out verklaard. We hebben ADHD of krijgen een vermoeidheidssyndroom. We weten dat we moeten ontspannen. Maar we weten niet hoe we daar de tijd voor moeten vinden. Opgejaagd als wij zijn door de ratrace, kunnen we het contact met onszelf niet meer vinden.

Bij mij ging de knop om toen de psychologe mij het volgende dilemma voorlegde. Ze vroeg mij om in gedachten terug te gaan naar de bevalling van mijn eerstgeboren kind. °°°*(Mijn dochter als baby. Een heel lief, teer en klein mensje. Een mensje waarvan je meteen heel veel houdt. Een mensje dat mijn aandacht en zorg nodig heeft.)*°°°

De psychologe vroeg mij hoeveel tijd ik, op het moment dat ik mijn eerste baby op mijn buik had liggen, van plan was aan dat mensje te gaan besteden. Was dat één uur per dag? Was dat drie dagen in de week? Of was dat een paar jaar? Ik antwoordde dat ik waarschijnlijk voornemens was geweest de rest van mijn mensenleven iedere dag aandacht en zorg

aan mijn baby te besteden. Toen wilde de psychologe van mij weten hoeveel tijd ik eigenlijk wilde vrijmaken voor het kleine mensje in mijzelf. 'Hoeveel aandacht en zorg geef jij jou zelf, hoeveel liefde heb jij voor jouw eigen ziel?' vroeg zij mij. Ik kon niet anders dan constateren dat ik daar niet of nauwelijks de tijd voor nam. Ik was verbaasd en ik was geschokt.
Ja, verbazingwekkend schokkend vond ik het, dat ik kennelijk bereid was mijn kinderen alle liefde te geven waarvan ik dacht dat zij die nodig zouden hebben, maar dat ik mijzelf zó kon vergeten. Verbazingwekkend schokkend vind ik het dat miljoenen andere mensen het ook zo moeilijk vinden om zichzelf onverdeelde aandacht te geven. En dat zij blijven rennen. Rennen in de ratrace. Die nooit gewonnen kan worden.

Woensdag 14 februari Valentijnsdag

En vandaag rennen velen weer naar de winkel. Om een cadeautje te kopen voor hun geliefde. Zij zijn aardig en vol goede bedoelingen. En hun geliefden zullen vast ook blij zijn met het feit dat aan hen gedacht is. Dat is ook niet verkeerd. En daar is ook niets op tegen.
Het is alleen dat ik mij niet aan de indruk kan onttrekken dat iedereen maar weer doorrent. Zonder stil te staan. Zonder in zichzelf te kijken. Zonder liefde voor zichzelf.
En hoe denken wij een ander liefde te kunnen geven, als wij niet eerst leren onszelf lief te hebben?

Donderdag 15 februari

Écht van jezelf houden lijkt gemakkelijker dan het is. Om écht van jezelf te houden, moet je jezelf onvoorwaardelijk kunnen accepteren. Ook je eigen minder mooie kanten. Het is vaak behoorlijk confronterend om de minder leuke eigenschappen van jezelf onder ogen te zien. Nog moeilijker is het om je fouten of gebreken te accepteren. En het moeilijkst is het om deze minder goede eigenschappen niet langer als tekortkomingen te beschouwen, maar ze te gaan zien als kwaliteiten. Dat kost tijd. En tijd, dat is nou net datgene waar het ons in deze maatschappij chronisch aan ontbreekt.
Ik heb het contact met mijzelf kunnen hervinden door mijn "uitval" uit de maatschappij. Wat aanvankelijk een mislukking leek, bleek uiteindelijk mijn redding. Wat ik in het begin als falen beschouwde, zie ik nu als een verstandig besluit van mijn eigen beschermingsmechanismen.
Nu wíl ik niet meer mee in het tempo van de westerse maatschappij. Dat tempo ligt altijd gelijk, zomer en winter. En het gaat mij bijna altijd te snel. Want ik heb geleerd hoezeer ik een kind van de seizoenen ben.

•

Vrijdag 16 februari

Nog even. En dan is het lente.

Zaterdag 17 februari ●

Ik ben ongesteld geworden. Gek is dat. Ik menstrueer al ruim 27 jaren. Al meer dan 324 maanden voel ik telkens weer dat "het" eraan zit te komen en toch ben ik nog steeds elke keer verrast als ik de eerste druppel bloed in mijn onderbroek zie. Het is net zoiets als de aanvangsd(r)eun van het journaal. Ik weet dat het nieuws zo gaat beginnen, ik zit er immers zelf op te wachten en toch als dan die "boing!!" klinkt, rol ik iedere keer weer bijna van de bank van de schrik.
De eerste keer dat ik ongesteld werd, schrok ik ook. Ik was al bijna vijftien. Iedereen in mijn klas, de jongens uitgezonderd, menstrueerde al. Dus ik zat erop te wachten. En ik was goed voorgelicht en voorbereid. Mijn moeder had het hele verhaal in geuren en kleuren en uitentreuren verteld. Meestal op verzoek van Hannah, mijn zusje, dat dan met veel plezier in haar onderbroek met daarin een veel te groot maandverband door de kamer sprong.
Als Hannah het gevraagd zou hebben zou mijn moeder vast ook bereid zijn geweest om voor te doen hoe je een tampon moest inbrengen toen wij respectievelijk zes en vier jaar oud waren.
Ik wist dus van de hoed en de rand. Maar toen het eenmaal zover was, was het toch héél anders dan ik mij had voorgesteld en dan iemand mij vooraf had kunnen vertellen. Ik schrok omdat het maar een paar druppels bloed waren. En ze waren niet rood, maar meer donkerbruin. Eerst dacht ik aan een flink remspoor, maar toen in iedere nieuwe schone onderbroek die ik aantrok dezelfde vlekken weer terugkwamen, dacht ik dat ik misschien een enge ziekte onder de leden had. Met die vervelende gedachte heb ik dagen rondgelopen voordat ik mijn moeder inlichtte. Toen zij verheugd constateerde dat ik toch heus menstrueerde, vond ik dat een

enorme anticlimax. Ik had een en ander grootster voorgesteld. Plassen bloed, helderrood bloed. Heimelijk had ik best wel gevoel voor dramatiek. Maar nu had ik niet eens pijn in mijn buik gehad.
'S Avonds kwam mijn vader mij, toen ik al op bed lag, een klein glaasje advocaat brengen. Mijn vader leefde toen nog. Nog net. Niet lang daarna is hij doodgegaan. Maar dat had niks te maken met het feit dat zijn oudste dochter voor het eerst was gaan menstrueren.
Nu schrik ik natuurlijk niet meer als ik het bloed zie. Maar het verrassingseffect laat zich nog immer gelden. En dat uit zich in de vorm van opluchting. Ik ben altijd blij als het weer zover is. Dan weet ik dat ik mij spoedig weer beter zal voelen.

Zondag 18 februari

Ik ben benieuwd hoe de menstruatie zich bij mijn dochter zal aandienen. Ook zij is goed voorgelicht en voorbereid. Door mij, uiteraard. Ik heb de demonstraties achterwege gelaten, maar gelachen hebben wij wel. Menstrueren is niet alleen maar kommer en kwel. Menstrueren betekent ook vrouwelijkheid en vruchtbaarheid. Ik ben blij met mijn vrouw-zijn. En ik ben dankbaar voor mijn vruchtbaarheid. Mijn kinderen zijn de mooiste cadeautjes die ik ooit heb gekregen. Mijn dochter is twaalf. Over zes dagen wordt ze dertien. Dus heel lang zal haar eerste menstruatie niet meer op zich laten wachten. Ik ben benieuwd naar haar ervaringen. En naar de mijne. Welke invloed zal haar overgangsfase hebben op de mijne?
Mijn dochter heet Nonna. In het Maleis is Nona (spreek uit:

Nonna) een meisjesnaam en betekent het: “meisje”. Nonna is ook het Italiaanse woord voor “oma”. Voor mij symboliseert deze naam de weg die een vrouw in haar leven gaat. Van meisje naar oma. Van het onbevangen kind naar de wijze oude vrouw. Nona is ook de naam van de Romeinse godin van de zwangerschap. Dat is de fase tussen het jonge meisje en de oma. De fase van de vruchtbare vrouw. En dat ben ik. Nu. Nog ...

Maandag 19 februari

Mijn zoon heet Sem en is acht jaar. Hij is door zijn psychiater gediagnosticeerd als een kind met een stoornis uit het autistisch spectrum en een vleugje ADHD. Tja, je moet toch iets verzinnen, nietwaar? De omgeving van mijn zoon ervaart zijn vluchtige vleugje vaak meer als een overweldigende odeur. Het autisme is op de achtergrond aanwezig.
Het is iedere ochtend weer een verrassing met hem. Het verrassingseffect zit ’m niet in het feit dat wij te vroeg wakker gemaakt worden. Daar zijn we aan gewend. Dat doet hij iedere dag. Sinds hij kan lopen. Toen was hij negen maanden. De verrassing schuilt in de manier waarop hij binnenkomt. Soms is dat vervaarlijk zwaaiend met een zwaard. Dan springt hij als ridder op ons bed. En zien wij ons, uit angst voor een dodelijke nekslag, gedwongen direct ons kampement te verlaten.
Soms horen wij hem al van verre aankomen, struikelend over zijn eigen voeten en overal tegen aanbonkend. Dan is hij zeerover. Met twee lapjes op zijn ogen.
Soms komt hij koprollend binnen. Dat is de geheim agent. Als hij uitgekoprold is, blijft hij in hurkstand zitten, om met

zijn pistool in de aanslag onderzoekend om zich heen te kijken en de omgeving te scannen op potentiële vijanden. Het voordeel van de geheim agent is dat hij weinig geluid maakt. Mijn zoon praat namelijk altijd een paar decibel te hard.
Soms hebben we hem een poosje gedresseerd om áls hij onze slaapkamer opkomt, niet te praten. Maar zijn inventiviteit reikt verder dan onze censuur. Dan doet hij alle lampen aan. Of de wekkerradio.
Er zijn ook perioden geweest dat onze slaapkamer voor Sem een poosje tot verboden terrein was verklaard. Maar daar verzon hij ook wel weer wat op. Televisie kijken bijvoorbeeld. Met het geluid op zijn allerhardst. Of naar het toilet gaan en tien keer doorspoelen waardoor ook zuslief gewekt werd. En die heeft een ochtendhumeur. Net als mijn man overigens.
Ik kan de creativiteit van mijn zoon wel waarderen. Ik zie de potentie in zijn humor, een cabaretierachtige carrière wellicht. Per slot van rekening is Jochem Meijer ook heel ver gekomen met zijn moederdagsong. Die vond mijn man ook erg grappig. Om onze zoon lacht hij meestal minder hard.

♫ *Wakker worden,*
Wakker worden
opstaan, opstaan ♫

(Jochem Meyer - Wakker worden)

Dinsdag 20 februari

Niet dat mijn man geen gevoel voor humor heeft. Dat heeft hij wel. Hetgeen alleen al bewezen wordt door het feit dat

hij met mij getrouwd is! Tot op heden is hij behoorlijk bestand gebleken tegen mijn grillige grollen en/of mijn grollige grillen. Mijn man is behoorlijk nuchter. En dat maakt hem "Suusproof".
Ik heb Mark leren kennen aan het einde van onze studietijd. °°°*(Jee, dat is al bijna twintig jaar geleden!)*°°° Toen onze ogen op elkaar vielen, was het eigenlijk heel snel "aan". En het is ook nooit meer écht uitgegaan. We raakten aan de praat op een feestje van wederzijdse vrienden. Er was een klik. Dat voelde ik wel. En hij kennelijk ook. Want een paar dagen later had hij mijn telefoonnummer getraceerd en werd ik uitgenodigd voor een zelfgeprepareerde studentikoze maaltijd. Hier had ik graag willen kunnen vertellen hoe romantisch ons diner bij kaarslicht was. Maar dan zou ik moeten liegen. In de wijde omtrek van zijn benauwde studentenkamertje was nog geen waxinelichtje te bekennen.
Mark is niet romantisch. Wat dat betreft vullen wij elkaar goed aan. Eigenlijk doen we dat op heel veel andere vlakken ook. En waar we dat niet doen, zijn het de overeenkomsten die maken dat wij het heel goed hebben samen. Mark zegt dat hij na zijn werk nog steeds graag naar huis toe komt. En ik word nog altijd blij als ik hem aan het einde van de werkdag de straat in zie komen fietsen. Zo ongeveer tegen de tijd dat ik het avondeten klaar heb.
Meestal ben ik degene die kookt. En Mark is degene die het meest werkt. Buitenshuis dan. Zelf heb ik onze relatie altijd als zeer gelijkwaardig beschouwd. Maar ik weet dat er velen zijn die daar anders over denken. Wij hebben een behoorlijk traditioneel rollenpatroon. Ik kan niet zeggen dat Mark en ik daar heel bewust voor hebben gekozen. Maar ik heb ook niet echt heel erg moeilijk gedaan toen hij minder bereid was dan ik om een paar dagen in de week thuis te blijven voor de kinderen. En ik heb niet heel hard tegengesputterd toen

bleek dat ik het grootste deel van de zorg- en huishoudelijke taken op mij moest nemen.
Als je heel diep in mijn hart kijkt dan vind ik eigenlijk dat het ook zo hoort. Moeder thuis bij de kinderen en vader naar het werk. Persoonlijk heb ik daar helemaal niet zo'n moeite mee. Al doe ik soms alsof dat wel zo is. Dat wordt van mij verwacht.

Donderdag 22 februari

Gisteren moest ik weer naar mijn werk. Sinds een aantal maanden probeer ik dat weer. Eerst op therapeutische basis. Nu voor één dag per week. Ik zou liever thuis blijven. Ik heb geen beroerde baan, dat is het niet. Ik heb geen hekel aan mijn leidinggevende en ook met mijn collegae kan ik het goed vinden.
Ik werk bij een semi overheidszorginstelling en verricht daar met name secretariële werkzaamheden. Daar ben ik goed in. Maar het heeft niet mijn passie. Ik kan er mijn ei niet echt in kwijt. En ook het ei, dat van Columbus heet te zijn, heb ik nog niet gevonden. Want ik zou ook niet weten welke baan mij dan wel die voldoening en vervulling kan geven die ik zoek. Vooralsnog broed ik daar nog op.
Overigens heb ik wel fulltime gewerkt. Vóór er kinderen waren. Toen meende ik ook carrière te moeten maken. Ik heb een universitaire opleiding voltooid en dus voldoende potentieel. Ik heb de maatschappij geld gekost en hier geldt de wet van de reciprociteit. Ik weet niet of deze wet echt bestaat of dat ik hem zelf verzonnen heb. Maar in ieder geval bedoel ik ermee te refereren aan de wetmatigheden van de wederkerigheid binnen onze maatschappij. "Voor wat, hoort wat."

Vrijdag 23 februari

Vandaag kwam ik een oude bekende tegen. Een vriendin uit lang vervlogen tijden. We raakten in gesprek. Even maar, want ik had er al gauw genoeg van. Vol trots vertelde zij hoe ze haar eigen geld verdient. Ze heeft wel een relatie, maar is bewust niet getrouwd. En ze heeft geen kinderen. Zij zegt dat onze maatschappij door mannen gedomineerd wordt. °°°*(Dûh, dat heb je wel vaker in een patriarchale samenleving.)*°°° Maar door niet te trouwen met haar geliefde bewaart zij haar onafhankelijkheid. °°°*(Ik wist niet dat trouwen per definitie inherent is aan afhankelijkheid ...)*°°° En door geen kinderen te krijgen, laat zij zich niet in een ondergeschikte positie drukken. °°°*(Onderdruk jij nu niet jezelf door niet toe te geven aan een natuurlijke behoefte?)*°°° Mijn kennis voegde hier nog wel aan toe dat ze niet principieel tegen trouwen en kinderen krijgen was, maar wel tegen "financiële afhankelijkheid". En zoals zij het uitsprak, leek dat wel een heel vies woord.

> ⓘ **Patriarchaat:**
> Samenlevingsvorm waarbij de kinderen behoren tot de stam van hun vader en waarbij het gezag wordt uitgeoefend door de vader. In de sociologische wetenschap wordt deze term gebruikt om een maatschappijvorm aan te duiden waarin mannen een dominante rol innemen.

Zaterdag 24 februari ☽

Wat is dat toch met die financiële onafhankelijkheid die veel vrouwen tegenwoordig zo hoog in het vaandel hebben? Waarom zou je niet financieel afhankelijk mogen zijn? Wat is daar mis mee? Vroeger waren de vrouwen ook afhanke-

lijk van de jacht van hun mannen. En volgens mij piekerden zij er niet over om zelf de harpoen op te nemen en het bos in te gaan. Ze wachtten in het kamp, zorgend voor het kroost. Kroost van henzelf en van anderen. En als de mannen terugkwamen, bereidden zij het eten. Allen tezamen smulden in tevredenheid van de prooi.
Mannen en vrouwen verschillen biologisch gezien. Dat lijkt mij niet voor niets. Waarom mogen we niet langer gebruik maken van de kracht en het jagersinstinct van de man en de zachtheid en de zorgbehoefte van de vrouw? Waarom lijkt het alsof we tegenwoordig de verschillen tussen de seksen zoveel mogelijk moeten onderdrukken? Waarom zijn mannen en vrouwen zo veel op elkaar gaan lijken? Mannen worden toegejuicht wanneer zij meer zorgtaken op zich nemen, en vrouwen tellen pas mee als zij buitenshuis gaan werken. Het lijkt alsof een relatie volgens een traditioneler rollenpatroon heden ten dage als ongelijkwaardig wordt beschouwd. Ik zie niet in waarom ik minder gelijk zou zijn aan mijn echtgenoot als ik de dingen doe waar ík goed in ben en hij de dingen doet waar híj goed in is. Van nature. Maar ik voel dat men van mij verlangt dat ik mij anders voordoe dan ik in mijn diepste wezen ben. Want ik moet emanciperen.

> ⓘ **Emancipatie:**
> Volgens Van Dale betekent emancipatie in theorie: bevrijding van wettelijke, sociale, morele of intellectuele verplichtingen, het toekennen van gelijke rechten, gelijkstelling voor de wet, streven naar gelijkgerechtigdheid.

In mijn ogen wordt emancipatie in de praktijk door velen uitgelegd én nageleefd als het verwerven van meer mannelijke eigenschappen. Veel vrouwen lijken tegenwoordig te geloven dat gelijkwaardigheid alleen bereikt kan worden door massaal hetzelfde te gaan doen als hun man, te weten werken buitenshuis. Zij menen alleen gelijke rechten en plichten te kunnen verkrijgen door hetzelfde te worden als hun man. Maar vrouwen zullen nooit dezelfde wezens worden als mannen. *In wezen* is dat onmogelijk. Vrouwen zijn ook nog steeds niet gelijk aan mannen. Veel vrouwen dénken dat wel. Dat ze gelijk zijn aan mannen. Maar eigenlijk hebben zij de rol van de man er gewoon bij genomen. Ik vind dat deze vrouwen hierdoor aan zichzelf voorbij zijn gegaan. Zij zijn niet in hun eigen kracht blijven staan. In hun vrouwelijke kracht. Die hebben zij onderdrukt. En dat hebben zij zélf gedaan.

Maandag 26 februari

Ik ben een beelddenker. Bij het woord "feministen" komt automatisch het beeld van een manwijf in mij op. Wat een oenen waren dat om hun bustehouders en masse in de wilgen te hangen. Mijn eigen borsten, die zijn ook gaan hangen. Niet in de wilgen, maar door het geven van twee jaar borstvoeding. En ik ben niet blij met het resultaat. Ik zou wel gek zijn om een kledingstuk dat mijn vrouwelijkheid accentueert én dat bovendien de zwaartekracht camoufleert, niet te gebruiken.
Ik zie de brassière (ook een mooier woord voor beha) niet als een keurslijf waar ik mij van moet ontdoen. Ik zie de feministen als mijn keurslijf. En ik zie hen als hun eigen keurslijf. Zij hebben zich, in hun strijd tegen de traditionele rolpatronen, zélf van hun vrouwelijkheid beroofd. Hoe kun je vechten voor gelijkwaardigheid, als je je eigen diepste wezen niet accepteert? Ik vind dat de verschillen tussen de seksen er zijn om geëerd te worden.

ⓘ **Feminisme:**
Volgens Van Dale: vrouwenbeweging, groep mensen die streeft naar gelijkwaardige behandeling van vrouwen ten opzichte van mannen, m.n. op het maatschappelijke, economische en juridische vlak en naar de doorbreking van de traditionele rolpatronen.

Dinsdag 27 februari

Ik was vanochtend bij de kapper. Terwijl ik op mijn beurt wachtte, las ik een tijdschrift. Dat had ik niet moeten doen. Een bekende Nederlandse televisiemevrouw deelde haar mening over moeders die geen betaald werk verrichten. Zij beweerde dat veel thuisblijvende moeders weliswaar pretendeerden thuis te blijven voor hun kinderen, maar dat zij in wezen gewoon geen zin hadden om te werken. Volgens haar was het in onze maatschappij ook heel erg geaccepteerd dat je uit naam van de liefde voor een ander je eigen behoeften bevredigt.
Zó, was dat even tegen mijn zere been! Ik vind deze televisiemevrouw ineens een heel stuk minder sympathiek en intelligent uit de hoek komen. Normaliter zou ik over zo'n ongenuanceerde uitspraak waarschijnlijk mijn schouders ophalen. Maar vandaag niet. Vandaag kwam zíj op een verkeerd moment. En ik kom gewapend!
Waar haalt deze tv-mevrouw het vandaan dat het in onze maatschappij heel erg geaccepteerd is dat je uit naam van een ander je behoeften bevredigt? Ik merk daar niet veel van, hoor! Ik krijg juist altijd sterk het gevoel mijzelf te moeten verdedigen voor het feit dat ik geen betaald werk buitenshuis verricht. Op ieder feestje en bij elke eerste ontmoeting laat men mij vaak genoeg weten dat ik geen interessante gesprekspartner ben omdat ik niet kan meepraten over collegae en salaris. Op elke cursus en bij iedere vrijwilligersvergadering wordt mij verho-

len duidelijk gemaakt dat mijn mening niet telt omdat ik geen volwaardig lid van deze maatschappij ben. Volgens mij verwart de tv-mevrouw de woorden "geaccepteerd" en "ondergewaardeerd"!
Zij zegt dat het feit dat ik thuisblijf bij mijn kinderen (alsof die niet naar school zijn en ik werkelijk waar de hele dag niets te doen heb) eigenlijk een verkapte manier is om niet buitenshuis te hoeven werken omdat ik daar geen zin in heb. Inderdaad, ik heb geen zin om buitenshuis te werken, zoveel is waar. Maar ik kan haar en iedereen verzekeren, dat ik mij binnenshuis de pestpokken werk! Misschien verdien ik er geen geld mee, maar werken doe ik, hoor! Ik heb vanochtend de boterhammen van mijn echtgenoot en kinderen gesmeerd, ik heb de was opgehangen en gestreken, ik heb de tafel af- en de vaatwasser uitgeruimd, ik heb op mijn kop in de plees gestaan om de wekelijkse stront eruit te schrobben, ik heb de boodschappen gedaan om vanavond weer een verse maaltijd te kunnen bereiden. En het is pas halftien! Ik wil nog stoofpeertjes maken, ik moet de vloer beneden nog stofzuigen en dweilen, ik word op school verwacht om de klasgenoten van mijn dochter te luizen, ik moet nog een kantinedienst draaien op de voetbalclub van mijn zoon en vanmiddag komt er een autistisch jongetje bij mij spelen omdat zijn moeder het even allemaal niet meer aankan. Nee, ik word daar niet voor betaald. En ik doe het niet buitenshuis. Maar het is wel werk!!!!
Even verderop in het stukje lees ik dat de tv-mevrouw genoeg geld verdient om tijd te kopen. Zij zegt daarom de was niet te hoeven doen, niet zelf het huis te hoeven soppen, en ze kan een oppas inschakelen voor de kinderen ... Wat zegt dit eigenlijk over haar? Als ik heel vals zou zijn dan is dit mijn kans om de zaken volledig om te draaien. Het feit dat zij uit werken gaat, kan namelijk heel goed betekenen dat zij geen zin heeft om de was te doen, de plees te poetsen en bij haar kinderen te blijven!

Maar ach, ik vergeet, poetsen is immers geen werk. En wat de tv-mevrouw doet in haar dagelijks leven dat is wel werk. Want zij wordt daarvoor betaald. Zij verdient geld. Ik verdien geen geld. En als het aan haar ligt dan verdien ik niks! En al helemaal geen succes en bevestiging. Want volgens de tv-mevrouw is fulltime moederen ook een manier van bevestiging krijgen. En het middelpunt in het leven van je kinderen zijn kan je, naar zeggen van de tv-mevrouw, een bepaalde mate van succes geven. De tv-mevrouw zelf heeft ook succes, zegt zij, alleen zij heeft haar kinderen daar niet voor nodig.
Het zal misschien als een schok komen voor alle tv-mevrouwen onder ons, maar succes en bevestiging krijg ik bepaald niet door fulltime te moederen. Zoals ik al eerder opmerkte, mijn succes en bevestiging hoef ik niet te zoeken in de maatschappij waarin wij leven, want dan kom ik geregeld van een koude kermis thuis. En succes en bevestiging vind ik ook niet bij mijn kinderen. Zij vinden het maar heel normaal dat ik altijd thuis ben, ze zijn eraan gewend. Ze weten niet hoe het is om niet door hun eigen moeder uit school te worden gehaald en zelf een kopje thee te moeten zetten. Mijn kinderen waarderen mij misschien nog wel het allerminst!
Weet je, succes en bevestiging zijn naar mijn mening ook niet "iets dat je ergens anders uit kunt halen". Niet uit iets anders dan uit je eigen Zelf en niet op een andere wijze dan te Geloven. Ik ben blij voor de tv-mevrouw, die een goed gevoel en zelfvertrouwen krijgt van haar werk.
Maar ... psttt ... Ik zal een geheimpje verklappen ... Om een goed gevoel en zelfvertrouwen te verkrijgen, heb ik geen betaald werk buitenshuis nodig. Noch de maatschappij. En zeker niet mijn kinderen. Ik vind het door te Geloven in mijn ware Zelf. En ik Geloof het door het te vinden in mijn ware Zelf.

Woensdag 28 februari

Eigenlijk ben ik een kvv'er; een kortverbandvrijwilliger. Op school van de kinderen ben ik lees-, luis- en overblijfmoeder. Ik bied naschoolse opvang aan kinderen uit de buurt. Ik doe boodschappen voor de buurvrouw die chronisch ziek is. Ik draai een kantinedienst op mijn hardloopclub. Ik rijd mijn dochter en haar vriendinnen naar de volleybalcompetities. Ik beheer het PGB (persoonsgebonden budget) van mijn zoon. Ik help Jan en alleman aan informatie over hun autistische kind.

Wie dat wil kan van mijn diensten gebruik maken. En dat kan omdat ik zo veel thuis ben.

Ik draag wel degelijk mijn steentje bij aan deze maatschappij, ook al heb ik geen noemenswaardig betaalde baan en doe ik niet waarvoor ik gestudeerd heb.

Als ik meer zou werken buitenshuis dan waren de klasgenoten van mijn dochter niet luizenvrij!

Paradoxaal genoeg is mijn ervaring ook dat, wanneer ik meer buitenshuis zou werken, onze samenleving evenmin luizenvrij zou zijn. Want heden ten dage lijk ik, de thuisblijvende moeder, de luis in de pels. En als ik niet thuis blijf zitten, hebben alle werkende vrouwen niemand meer om naar te pikken.

Ach, zo voel ik het soms. En ik reageer dan slechts uit verdediging. Omdat ik mij aangevallen voel. Maar eigenlijk maakt het mij geen ene moer uit of een vrouw al dan niet buitenshuis werkt. Eigenlijk vind ik dat iedere vrouw moet kunnen doen waar zij zin in heeft, waar zij zich lekker bij voelt. Ik voel mij het lekkerst bij thuisblijven en veel alleen zijn. Vooral in de donkere maanden van het jaar. Gelijk de bomen en de dieren geef ik dan toe aan de behoefte mij naar binnen te keren. Het brengt mij meer rust en innerlijke vrede om te leven in harmonie met de getijden van de natuur. En daarover wissel ik regelmatig van gedachten met een persoonlijk raadsman. Hij heeft de geest van een Grote Goeroe. En het uiterlijk van Tita Tovenaar.

Tita Tovenaar is niet alleen mijn persoonlijk raadsman, hij was ook de voorganger van een "studiegroepje" waarvan ik deel uitmaakte. Wij noemden het weliswaar studiegroepje, maar eigenlijk dekte deze term de lading niet. Toch lieten we het maar zo. We wisten niet hoe we het anders moesten noemen en tevens verleende het ons een goede camouflage. Niet iedereen hoefde precies te weten wat wij uitspookten. Mijn kinderen, die weleens iets van onze bezigheden meekregen, is de gelijkenis tussen ons studiegroepje en hun favoriete tv-serie "the Winxclub" wel opgevallen. En mijn echtgenoot zei gekscherend dat wij heksen zijn. Ik sprak dat niet tegen, ik lachte erom. Temeer omdat zij niet beseften in het geheel niet ver bezijden de waarheid te zitten!

Het is de heksenleer die wij belijden, of zo u wil het paganism. Zelf noem ik het natuurfilosofie.

ⓘ **Paganism:**
De Engelse term paganism is afgeleid van het Latijnse "Pagus" hetgeen "landelijk gebied" of "platteland" betekent.
Veelgebruikte Nederlandse vertalingen van het woord paganism, zijn natuurmagie of natuurhekserij. Het is de oorspronkelijke religie van de Germaanse en Keltische volkeren. Zij eerden de aarde en haar elementen aarde, water, vuur, lucht en ether. De natuur werd gezien als heilig en spiritualiteit was verweven met het leven. Spiritualiteit kan een manier zijn om de cyclus van geboorte, groei, dood en wedergeboorte te beleven. In de natuurmagie verloopt alle leven cyclisch. Daarom wordt het verschil tussen de seizoenen herkend, erkend en gerespecteerd. En het tijdsverloop wordt meer bepaald door de standen van de maan en het verloop van de seizoenen, dan door de wijzers van de klok.

Vrijdag 2 maart

In tegenstelling tot wat de meeste mensen waarschijnlijk denken moet je, om natuurfilosofie te kunnen bedrijven, met beide benen stevig op de grond staan. Dat sta ik niet. Althans niet van nature. Ik zit altijd in mijn hoofd. Mijn hoofd is vaak heel zwaar van al dat denken. Veel zwaarder dan mijn voeten. Die voel ik meestal nauwelijks. Je duwt mij dan ook zo om. Om volledig deel te kunnen nemen aan de activiteiten van het studiegroepje heb ik veel oefeningen moeten doen om beter te "aarden". Zo noemen ze dat. En ik geef grif toe dat ik het eerst erg zweverig vond klinken.
Maar in de praktijk bleek het tegendeel. Door te aarden ging ik juist minder zweven en kwam daarentegen steeds meer tot mijn eigen kern. Ik besefte eens te meer dat het de ratrace van onze maatschappij is, die mij deed zweven. En het zijn de natuur en haar seizoenen die mij dichter bij mijzelf doen komen.

ⓘ Jaarfeesten:
Het paganism kent acht heilige feesten, die sabbat of jaarfeest genoemd worden. Een (neo)paganistisch jaar is visueel voor te stellen als een wiel met acht spaken, waardoor acht verschillende perioden ontstaan die telkens worden ingeluid door een jaarfeest. De exacte data van de jaarfeesten zijn afhankelijk van astrologische factoren die ieder jaar kunnen verschillen omdat zij worden bepaald door de stand van de zon ten opzichte van de aarde. Op het zuidelijk halfrond zullen de jaarfeesten dus ook op tegengestelde tijdstippen in het jaar ten opzichte van het noordelijk halfrond gevierd worden. Op het noordelijk halfrond vinden vier van de acht jaarfeesten plaats in tijden waarop er in de natuur heel herkenbare veranderingen plaatsvinden; te weten imbolg wanneer de eerste lammetjes geboren worden, beltane wanneer de meidoorn begint te bloeien, lammas wanneer de oogst van het land gehaald kan worden en samhain rond de tijd van de eerste nachtvorst.
De andere vier jaarfeesten worden rond de 21e dag (tussen de 20e en de 23e) van de maanden maart, juni, september en december gevierd. Tegenwoordig worden deze dagen gezien als het begin van de seizoenen, maar in het paganism viert men met ostara in de lente, litha in de zomer, mabon in de herfst en jule in de winter de hoogtepunten van de seizoenen. Traditioneel kennen wij voor

deze feesten ook nog de namen voorjaarsequinox, midzomer, herfstequinox en midwinter. Deze termen onderstrepen hetgeen ook daadwerkelijk in de natuur is waar te nemen, te weten het midden van een seizoen. Het exacte traditionele begin van de seizoenen is nog moeilijker te bepalen, zeker wanneer men niet astrologisch onderlegd is. Het begin van de lente valt dan ergens tussen 3 en 5 februari, het begin van de zomer op 5 mei, het begin van de herfst op 7 augustus en het begin van de winter op 7 of 8 november. Naast de astrologische moeilijkheid bestaat er ook nog een verschil in het bepalen van het begin van de dag. Tegenwoordig vinden wij dat een nieuwe dag begint op één seconde ná middernacht. Volgens de Kelten echter begon een nieuwe dag bij zonsondergang. Om dit alles gemakkelijker te maken worden vaak vaste data voor de jaarfeesten aangehouden. In mijn boek gebruik ik deze data, zie hiervoor de desbetreffende hoofdstukken.
Hierbij wil ik opmerken dat het paganism geen dogmatisch geloof is en iedereen dus vrij is zijn eigen gevoel te volgen en te vieren wanneer hij daaraan toe is. In het begin zal dat wellicht even zoeken zijn. Maar die zoektocht, dát is nou net waar het om gaat. Als gevolg van de heksenjachten, die in Europa vooral in de zestiende en zeventiende eeuw plaatsvonden, zijn veel tradities, gebruiken en gewoonten minder openbaar geworden. Het is betreurenswaardig dat uit angst voor marteling en dood veel van het gedachtegoed van de natuurreligies verloren is gegaan. Van de andere kant geeft het de hedendaagse mens de vrijheid om creatief om te gaan met spiritualiteit en hierin zijn eigen weg te zoeken.
De cyclus van de seizoenen dient niet alleen om de daadwerkelijke veranderingen in de natuur te vieren, het gaat ook om bewustwording van eigen innerlijke processen. Stilstaan bij seizoensveranderingen helpt uitwendige en inwendige veranderingen in het leven te integreren.

Zaterdag 3 maart

Hetgeen mij in de meeste natuurfilosofische stromingen vooral aanspreekt, is de erkenning van het bestaan van vrouwelijke goddelijke krachten. In de meeste godsdiensten gelooft men wel dat er een soort kracht bestaat die de wereld geschapen heeft en die nog steeds regelt wat er op aarde gebeurt. Maar in bijna alle godsdiensten gelooft men dat deze kracht mannelijk is. In veel natuurfilosofische stromingen echter wordt gedacht dat zowel een man als een vrouw nodig zijn geweest om de aarde te kunnen maken en dat beiden ook nodig zijn om de aarde te kunnen laten voortbestaan. Juist door de vereniging

van mannelijke én vrouwelijke krachten is het Leven geboren. Er is geloof in polariteit, en in verzoening van tegengestelden. Naast een God, gelooft men ook in het bestaan van de Godin. Dat is Moeder Aarde of Moeder Natuur.
De Heidense Moeder en Vader staan samen voor de geest van al het Leven. Wanneer hun krachten gebundeld worden zijn deze niet alleen scheppend, maar ook in stand houdend, transformerend en evoluerend. Zowel het vrouwelijke als in het mannelijke aspect.

ⓘ **De Godin**:
In natuurfilosofische stromingen wordt vaak gebeden tot de Godin. Zij is vrouwelijk en symboliseert Moeder Aarde, Moeder Natuur, de Oermoeder of de Grote Vrouwe. Zij is de kern van het Leven, het Wezen van het bestaan. Zij vertegenwoordigt de kringloop van het Leven die bestaat uit drie fasen; Leven, Dood en Wedergeboorte. Daarom wordt de Godin gezien als drieledig of drievoudig. Haar eerste fase is die van Jonkvrouw, het jonge meisje dat het ongetemde begin van alles symboliseert. De tweede fase is de Moeder, de vruchtbare vrouw, die symbool staat voor geboorte en voltooiing maar ook voor kracht en verzorging. De derde fase is de Crone, de oude wijze vrouw die met haar ervaring en intuïtie het leven tot een einde kan brengen om de weg vrij te maken voor nieuw leven. Er zijn geen drie Godinnen, er is er maar één. Dat is de drievoudige Godin, die bekoring, rijpheid en wijsheid in één is. Ze verschijnt sinds de prehistorie in bijna alle culturen in vele gedaanten, van grote heerseres tot onderdrukte moeder. Zij heeft vele verschillende namen zoals Aphrodite, Venus, Diana of Maria. In wezen echter is zij steeds dezelfde vrouw, dezelfde Godin.

ⓘ **De God:**
In de meeste natuurfilosofische stromingen wordt geloofd dat er geen Leven zou kunnen bestaan als er niet een vrouw én een man zouden zijn. De God is mannelijk en symboliseert Vader Natuur, Heer van Dag en Nacht of de Vader van Alle Leven. Vaak wordt hij afgebeeld als half mens en half beest. Zijn hoorns en staart illustreren zowel zijn sterke seksualiteit als zijn wijsheid. De Gehoornde God is geen duivel, hij is wel seksueel, hartstochtelijk, aards en wijs. De God is tweevoudig. Zijn twee aspecten lijken tegengestelden; Dood en Wedergeboorte, dag en nacht. Maar het een zou niet zonder het ander kunnen voortbestaan. Ook de God verschijnt in meerdere gedaanten en onder verschillende namen zoals de grote Gehoornde God, Pan en Cerrunnos.

Zondag 4 maart 2007 ○

Ons studieclubje is een paar weken geleden ter ziele gegaan. Daar ben ik debet aan. Ik had het gevoel dat we als groep al een poosje niet meer verder kwamen, niet meer leerden. Het voelde alsof we al een hele tijd bij een kruispunt aangekomen waren en we maar niet konden kiezen welke afslag we zouden gaan nemen. Dat wil zeggen, ík kon wel kiezen, maar de anderen leken het wel prettig te vinden nog een poosje op het kruispunt te blijven staan. Op bepaalde momenten in een mensenleven is het heel goed en waardevol om pas op de plaats te maken. Ik zal wel de laatste zijn die daar iets op aan te merken heeft. Maar nu merkte ik dat ik zelf wel veel zin had om verder te gaan, om een bepaalde kant op te gaan. En liefst in mijn up. Ik vond het wel jammer om de groep gedag te zeggen. Alle afscheid is moeilijk. Maar ieder einde heeft een nieuw begin. Elke dood kent een wedergeboorte. En ik heb besloten om de heksenkunsten van ons studiegroepje solitair te gaan beoefenen.
De laatste weken heb ik mijzelf hierop voorbereid met behulp van mijn eigen “Bijbel en Brahma”. Mijn bijbel bestaat in werkelijkheid uit een aantal instructieboeken geschreven door Marian Green, Rae Beth en Starhawk. En Brahma is natuurlijk Tita Tovenaar die mij in beginsel kennis heeft doen nemen van het paganism, of zo u wil de natuurmagie of hekserij. Welke noemer men er ook aan geeft, zij hebben mij doen begrijpen dat natuurfilosofie gezocht kan worden in ieders eigen hart. Iedereen die het wil kan het pad bewandelen. Ik ook. En ik wachtte tot de gelegenheid zich voor zou doen.
Vandaag is mijn echtgenoot, vanwege zakelijke aangelegenheden, voor een paar dagen van huis gegaan. Dat komt zelden voor. Vanavond ook, zal het volle maan zijn. Dan kan ik

van de gelegenheid gebruik maken om te doen wat ik slechts in afzondering én bij vollemaanskracht kan doen. Vannacht is mijn "geloofsbelijdenis".

Maandag 5 maart

Gisteravond heb ik gewacht tot de kinderen in diepe slaap waren. Toen heb ik in het licht van de maan onder de appelboom in onze achtertuin mijn inwijdingsplaats ingericht. Eerst heb ik mijn magische kleedje in het gras uitgespreid. Dat magische kleedje is een stukje mosgroene zijde dat ik de afgelopen winterweken met de hand bewerkt heb. Ik heb de stof afgezet met mosgroen fluweelband en versierd met zelfgeborduurde bloemetjes. Terwijl ik mijn handwerk verrichtte, heb ik voortdurend gevraagd om zuivere magische krachten en goddelijke leiding.
Blootsvoets ging ik op het midden van het kleedje staan. Zijn groene kleur deed het goed op het groene mos onder de appelboom. Ik plantte een wierookstokje op het oosten, zette een kaarsje op het zuiden, een schaaltje met water op het westen en legde een steen op het noorden. Deze attributen symboliseren voor mij respectievelijk de elementen lucht, vuur, water en aarde. Met mijn athame, mijn heksenmes, wees ik van element naar element en wist ik mijzelf in een cirkel waardoorheen geen kwaad kon dringen. Haar bescherming daalde op mij neer. Ik ging zitten op het kleedje en onmiddellijk had ik het gevoel alsof ik vastgezogen werd aan de grond. Het aarden gaat mij steeds gemakkelijker af. Nog onwennig reciteerde ik de gebeden die ik de voorgaande weken opgesteld en vanbuiten geleerd heb.

...Godin en God van al het Leven, ik roep u aan.
Ik vraag om uw zegen, bescherming en leiding.
Moge ik wijsheid, kennis, kunde en waarheid vinden.
Ik wil de Godin en de God van de natuurmagie gaan dienen.
Ik leg mijn lot in uw handen, maakt u mij heidens, wijs en vrij...

Na het opzeggen van de gebeden heb ik een stukje van mijn haren afgeknipt en met mijn handen een holletje gegraven tussen de wortels van de appelboom. Met het begraven van mijn eigen haarlok heb ik een stukje van mijzelf aan de aarde gegeven. Nu ben ik met haar verbonden. Ik ben nog een hele poos op mijn kleedje blijven zitten. In het donker. Maar ik voelde ik mij licht en opgelucht.

Dinsdag 6 maart

Er is iets gaande waarmee ik mij niet zo goed raad weet. Ik ben nog steeds alleen thuis. Mark komt pas aan het einde van de week terug. Sem speelt de laatste tijd veel met een vriendje dat aan de overkant van onze straat woont. Wij wonen in een klein straatje met vrijstaande woningen. Gerenoveerde boerenwoningen worden afgewisseld met vrijesectorhuizen. Het is een doorgaande weg in ons dorp. Maar ons dorp is niet groot, er komen alleen mensen die er echt moeten wezen. De kinderen kunnen nog gewoon voor het huis op straat spelen.
Vriendjes moeder is ook van huis, zij is naar een vriendin in een andere stad van het land. Vriendjes vader staat er dus ook een paar dagen alleen voor. Dat is toevallig. Is dat toevallig? Het schept in ieder geval een band.
Ik heb vriendjes vader altijd erg aantrekkelijk gevonden.

Maar nooit meer dan dat. Ik ben ook altijd overtuigd geweest van mijn eigen aantrekkelijkheid voor vriendjes vader. Maar ook nooit meer dan dat. Echter, nu zijn wij alleen thuis. En noodgedwongen, vanwege de vriendschap tussen onze zonen, hebben wij met elkaar te maken. Maar is het alleen daarom dat wij wat meer contact hebben gehad dan voorheen het geval was? Voelt het daarom anders? Alleen voor mij, of ook voor hem? Gisteren begon het. Mijn gedachten ontwaakten. °°°*(Vergis ik mij, of bekijkt hij mij met andere ogen?)*°°° Ik hem in ieder geval wel.
Vandaag wilde ik even een rondje hardlopen. Ik merkte dat, voordat ik Sem bij zijn vriendje gedag ging zeggen, ik er behoefte aan had mijn hipste en strakste hardlooppakje aan te trekken. En toen ik bij vriendjes vader voor de deur stond, was ik blij dat ik mijn oude, maar o zo lekker zittende joggingbroek met slobbertrui, thuisgelaten had. °°°*(Vergis ik mij of houdt vriendjes vader mij langer aan de praat dan strikt genomen nodig is?)*°°° De kiem is gelegd. En ik probeer hem niet eens te smoren.

Donderdag 8 maart

Toen ik gisteravond tussen mijn kinderen in ons grote tweepersoonsbed inkroop, bekroop mij de gedachte dat hij, vriendjes vader, een paar huizen verderop ook zonder zijn echtgenote in zijn bed lag. Wij beiden alleen. Alle twee zonder zonde. Zo'n zonde.
Maar ik fantaseerde.

°°°*(Wat zou er gebeuren als ik morgen bij zijn huis kom en vanwege de regen, die al dagen als pijpenstelen uit de hemel valt, zijn hal moet binnenstappen om niet nat te worden? Wat zou er gebeuren als er dan geen kinderen in die ruimte zijn? Zouden wij naar elkaar kijken? En aan elkaar kunnen zien wat wij beiden willen? Zouden wij ons kunnen bedwingen? Of willen wij dat niet? En zou hij dan in één stap bij mij zijn, waarna hij mij tegen de muur duwt, zich hard tegen mij aandrukt en zijn mond op de mijne perst? Wat zou ik doen? Wat ik wil is mijn mond dan hongerig openen, met mijn lippen zijn lippen voelen, met mijn tong zijn tong proeven.)*°°°

Vrijdag 9 maart

In de naam van de Godin, waar komen deze gedachten vandaan? Het kan niet. Het mág niet! Ik ben getrouwd, gelukkig. En ik ben gelukkig getrouwd. Ik wil bij mijn man blijven. Hij is mijn maatje. Samen met hem wil ik oud worden. Tot de dood ons scheidt.
Toegegeven, ook tijdens mijn relatie met Mark ben ik weleens verliefd geworden op een andere man. Maar toen ik dat doodleuk aan Mark vertelde, leerde ik dat hij daar echt niet om kon lachen. En zijn mening werd gedeeld door bijna iedereen uit onze omgeving. Mijn gevoelens werden bestempeld als iets héél gevaarlijks en bedreigends. En ik werd mij er pijnlijk van bewust dat andere mensen kennelijk minder openstaan voor de liefde in al zijn facetten. Daarna heb ik altijd alle latent verliefde gevoelens bangelijk in de kiem gesmoord. Ik ben altijd alle potentieel compromitterende situaties angstvallig uit de weg gegaan. En ik heb er altijd zorgvuldig voor gewaakt dat ik mijzelf niet in een hachelijke onderneming als "vreemdgaan" zou storten.
Waar komen deze fladderende vlinders, deze katterige kriebels nu dan toch ineens vandaan? Ik heb toch een afspraak

met mijn man? En met mijzelf? Hoe zit dat eigenlijk bij mijzelf? Geloof ik eigenlijk zelf wel in monogamie? Of was ik geïndoctrineerd? Ik ben nog geen week bekeerd tot het heksendom. Ben ik nu al "heidens" en "vrij"? Wat is eigenlijk heidens en wat is vrij? En hoe zit het dan met "wijs"?

ⓘ Heidens

De betekenis van "heidens", volgens Van Dale is "niet-christelijk" en "afgoden dienend".
Heiden is het bijvoeglijke naamwoord van heide, en het betekent iemand van de heide. Het is afgeleid uit het Latijnse Paganus, hetgeen iemand uit een Pagus (dorp) betekent. Paganism betekent dus heidendom.
Binnen de christelijke kerkgemeenschappen is een heiden een ongelovige, iemand die niet in de ware God gelooft en niet gedoopt is. Het heidendom is volgens het christendom een godsdienst die niet monotheïstisch is en niet op de Bijbel gebaseerd. De Godinnen en Goden van de natuurmagie werden door het christendom betiteld als duivels en slecht.
In het verleden zijn in Europa veel mensen voor hun natuurgeloof op de brandstapel gezet. De christelijk kerk wilde volledige alleenheerschappij verkrijgen. De vijand, de inheemse Europese spiritualiteit, moest vernietigd worden. Alle pagans, priesteressen, druïden, maar zelfs ook christelijke afvalligen (ketters) vormden een bedreiging voor het monopolie van het christendom. Zij werden heidenen genoemd en moesten worden bekeerd of omgebracht. Deze kerstening leidde tot het ontstaan van een enorm groot, heel machtig en zeer rijk instituut: de christelijke kerk.
Paradoxaal genoeg heeft het christendom vele heidense feesten en gebruiken in de christelijke cultuur geïntegreerd. Voorbeelden hiervan zijn het herdenken van de doden met Allerheiligen, de paaseieren tijdens Pasen en de kerstboom met Kerst. Een gestructureerde vorm van hedendaags heidendom is te vinden bij wiccabeoefenaars en andere moderne heksen. Er zijn enkele landen waar het heidendom als religie formeel erkend kan worden.

Zaterdag 10 maart

Gisterochtend, na nog een slapeloze maar fantasievolle nacht, kwam Mark weer thuis. Ik was blij hem weer te zien. En ik was blij dat ik daar blij om was. De kinderen waren naar school en Mark en ik hadden fijne seks. Daarna, echt waar pas erná, dacht ik nog even aan vriendjes vader. Hij is piloot. Hij is dus vaak van huis. Op reis. Als hij terugkomt van weggeweest dan heeft hij met zijn vrouw vast ook fijne seks. Dat hoop ik voor hem. Maar zijn vliegtuig kan niet te lang alleen gelaten worden. De piloot is weer gevlogen. Ík ben weer geland. En heb mijn draai in Het Dagelijks Leven weer hervonden.

♫ *It's just a little crush* ♫

(Jennifer paige - Just a little crush)

Maandag 12 maart ☾

Vandaag heb ik weer even lekker kunnen tekenen. Dat doe ik vaak op maandag. Als Mark naar zijn werk is en de kinderen naar school zijn, maak ik eerst het huis aan kant. Meestal heb ik dan na de lunch nog een paar uurtjes over om te tekenen. Dan zet ik een mooi muziekje op, brand wat wierook en werk aan mijn tekenopdracht. Die moet op woensdagavond af zijn, want ik volg een cursus. Mandalatekenen. Het tekenen van een mandala is een oefening in onthechting. Mandala, dat is de filosofie van eenheid en oneindigheid.

Ik maak mij los.
Ik kom los.
En word één.
Met mijzelf.
En de kosmos.

ⓘ **Mandala:**
Mandala is een oud woord uit het Sanskriet. Het betekent niet alleen (magische) cirkel, maar ook bewustzijn. De cirkel staat symbool voor de oneindigheid van het leven. Er is geen begin en geen einde. In het hindoeïsme en boeddhisme bestaat de mandala uit magische diagrammen waarin goden en andere symbolen afgebeeld worden. Deze mandala's worden gebruikt om te mediteren en inzicht te verkrijgen. In de westerse cultuur wordt de mandala veelal gebruikt als helend beeld. Een mandala kan door middel van allerlei kunstvormen gemaakt worden, schilderend, bordurend, dansend, architectonisch. De meest bekende kunstvorm is de mandalatekening. Een mandalatekening wordt meestal opgezet vanuit het middelpunt. Deze kern kan gezien worden als het zaad, het ei of de cel dat de kiem van het Leven bevat en van waaruit gegroeid kan worden. Het middelpunt is ook onze persoonlijke innerlijke kern. Het vertegenwoordigt onze eigen krachtplek die al onze kwaliteiten in potentie bevat en van waaruit wij onszelf kunnen ontwikkelen. Meestal wordt een mandalatekening binnen een afgebakende ruimte gemaakt, de cirkelrand. Deze grens geeft onze bewegingsruimte aan. Tegelijkertijd symboliseert de cirkelrand ook de oneindigheid. Er is immers geen duidelijk begin of einde. De cirkel is het grootste symbool dat er is, het symbool van het scheppende beginsel, het symbool van eenheid, rust, volmaaktheid en oneindigheid, allesomvattend.

Dinsdag 13 maart

Nog een oefening in het loslaten, maar dan van een heel andere orde, is de therapie die ik sinds vandaag onderga. In het kader van schoonmaken en opruimen, heb ik besloten mijn lichaam ook maar eens van een grondige reinigingsbeurt te voorzien. Ik heb altijd pijn in mijn buik. Spastische darm, noemt de huisarts dat. '*Niets aan te doen*', zegt hij. °°°*(Nou, misschien toch wel)*°°° Ik had gelezen over hydro colon therapie. In de volksmond ook wel hogedarmspoeling genoemd. Mooie eufemismen voor iets wat in de praktijk gewoon een vies poepverhaal is. Maar ik was gewaarschuwd.
De therapeute lichtte mij goed voor over hetgeen mij te wachten stond. Ze vertelde dat een canule in mijn anus zou worden ingebracht. Daaraan zat een slangetje dat weer

aangesloten was op een machine die warm water mijn buik kon inpompen. Dat water zou buikkrampen veroorzaken. Krampen? Rugweeën waren het! En weldra voelde het alsof ik persdrang kreeg! Op dat moment draaide de therapeute de waterkraandicht en begon op mijn buik te drukken. In een dikkere afvoerslang, die ook op de canule in mijn anus aangesloten was, werd het water afgevoerd. Maar dat bood niet veel soelaas. Ik moest zó ontzettend nodig poepen. En ik dacht niet dat dát ging lukken zolang dat ding in mijn aars zat. °°°*(Laat het los ... Mag ik het alsjeblieft loslaten?)*°°°
Er klonk een enorm geborrel in mijn buik. En toen een hoop gepruttel in de beurt van de canule. Ik ontlastte zonder mijn kringspier aan te spannen. Ik wist dat het gebeurde omdat de afvoerslang transparant was. Ik kon dus zien wat er allemaal uit mijn darmen kwam. En dat was geen fraai gezicht. Dat wil je niet weten. Maar ik vertel het toch. Hopen stront!
Een vreemde gewaarwording, die enigszins opluchtte. Maar toen de warmwaterkraan weer opengedraaid werd, begonnen de weeën opnieuw en kreeg ik al snel weer persdrang. Na drie kwartier had ik het echt helemaal gehad. Ik verlangde naar een gewone toiletpot. De canule werd verwijderd en ik wist niet hoe snel ik bij de wc moest komen. Daar drong de betekenis van het woord "ontlasten" pas ten volle tot mij door. Ik heb de hele pot onder gescheten. Wat een opluchting! Of liever gezegd ontluchting! Want al wat er op een gegeven moment nog maar kwam was lucht! En daar kon Slochteren nog een puntje aan zuigen. De therapeute, die met haar bureau praktisch naast de toiletpot zat, vroeg mij de luchtafzuiging even aan te zetten. Ik geneerde mij nergens meer voor. Ik grinnikte. Ontlasten en loslaten, ik word er steeds beter in!

Woensdag 14 maart

De piloot is terug. Zijn vlucht moet behouden geweest zijn. Ik zag hem vanmiddag. En hij zag er goed uit in zijn witte T-shirt en vaalblauwe, los om zijn heupen hangende spijkerbroek. Ik zwaaide vrolijk naar hem vanaf ons balkon. Hij zwaaide vrolijk terug. En ik ging de ramen zemen.

Donderdag 15 maart

Vandaag weer buitenshuis gewerkt. Ik had er helemaal geen zin in. Maar de dag ging gelukkig snel om. En toen ik naar huis toe fietste, scheen de zon. De vogeltjes floten en de temperatuur was heel aangenaam. De kinderen hadden het zelfs warm toen zij uit school kwamen. Op het bankje voor ons huis hebben we ons eerste ijsje gegeten. De piloot slenterde voorbij, op zoek naar zijn kinderen. We groetten.
Naarmate deze maand vordert, krijgt het leven weer meer schwung. Het gaat beter met me. Ik merk dat de momenten waarop mijn zwaarmoedigheid de overhand krijgt, afnemen.

Vrijdag 16 maart

Vanochtend toen ik met de kinderen naar school wandelde, kwam ik de piloot weer tegen. Mijn hart maakte een sprongetje, ik struikelde over mijn eigen voeten en viel bijna van het stoeprandje. Ik geef het toe, het is nog steeds leuk om hem zo nu en dan door de straat te zien wandelen. Maar ik heb mijn erotische fantasieën de wacht aangezegd. En de verontrustende gedachten naar mijn achterhoofd verbannen. Het kan toch niet bestaan dat ik naast Mark in ons bed lig te dromen over een andere man! Ontlasten en loslaten.

Zaterdag 17 maart

De sterfdag van mijn vader nadert. Bijna 27 jaar is hij al dood. Maar ik herinner mij elk detail van die dag. Mijn vader kreeg een hartaanval. Zomaar, terwijl hij naar zijn werk toe fietste. Wij waren er niet bij. Mijn moeder niet, mijn broer en zusje niet. Ik niet. Het is ons later verteld. Eerst aan mijn moeder door een paar politieagenten die aan onze voordeur kwamen. Later aan mij op mijn middelbare school. De conrector kwam mij uit de Franse les halen. Ik wist niet waarom. En de conrector vertelde mij dat ook niet. Hij zweeg de hele weg die wij door de lange gangen en de vele trappen van de school aflegden om bij zijn kamertje te komen. Maar zijn lichaamstaal verried dat mij iets afschuwelijks boven het hoofd hing. Ik vroeg mij af wat ik in godsnaam voor iets vreselijks gedaan zou kunnen hebben. Maar toen ik het kamertje van de conrector binnenkwam en mijn oom en tante zag zitten, wist ik wel dat het niemand om mijn kerfstok te doen was.

Zondag 18 maart

Ik vind het moeilijk om te zeggen of ik de dood van mijn vader helemaal verwerkt heb. Ik denk van wel, het is zó lang geleden. Toch kan de pijn nu rauwer zijn dan die was op de dag waarop het gebeurde. Soms hoor ik een liedje op de radio dat hij altijd floot. Dan lopen de tranen spontaan over mijn wangen zonder dat ik er erg in heb. Dan lijkt het nog maar sinds gisteren dat hij er niet meer is. Dan pakken donkere wolken zich weer samen. En regent het herfstbladeren.

♫ *I still cry, sometimes when I remember you.*
I still cry, sometimes when I hear your name.
I said goodbye and I know you're all right now.
But when the leaves start falling down, I still cry... ♫

(Ilse de Lange - I still cry)

Maandag 19 maart ●

In ieder geval ben ik de afgelopen tijd heel anders gaan kijken naar de dood. Door het lezen en leren over natuurfilosofie ben ik echt gaan voelen dat het leven een cirkel is. Er is geen begin en geen einde. Of anders gezegd: ieder einde is een nieuw begin. Er kan alleen nieuw leven geboren worden als het oude daarvoor plaats maakt. Dát is de kringloop van het leven. En dat is mijn geloof. Zonder dood zou er geen leven zijn.
De dag waarop mijn vader stierf, vandaag 27 jaar geleden, dat was de dag waarop ik niet langer kind kon zijn. Vlak voor zijn dood was ik voor het eerst gaan menstrueren, maar een jonge vrouw was ik bij lange na nog niet. De dag waarop mijn vader stierf, dát was de dag waarop de volwassen Suus geboren werd. Zijn sterfdag, dat was mijn geboortedag. 27 keer heb ik die al herbeleefd. 27 jaren als vruchtbare vrouw.
Maar ook deze dag is weer voorbij. Ontlasten en loslaten.
En ik ben weer ongesteld geworden. Dus weldra zal het beter gaan.

HOOFDSTUK 2

Ostara,

geef mij inspiratie

en schenk mij ideeën.

Dinsdag 20 maart

En morgen zal het lente zijn.
Het is nog frisjes maar de sneeuw is al een poosje gesmolten. Het water stroomt weer. En ook de rest van de natuur komt opnieuw in beweging. Er zitten weer knoppen en jonge glanzende blaadjes aan de bomen. Toen ik laatst aan het hardlopen was kon ik het lichtzoete parfum van de eerste bloesems al ruiken. In onze tuin bloeien reeds de krokusjes en narcissen die ik in de herfst als bloembollen onder de grond heb geduwd.
De zon wordt steeds krachtiger. Gisteren heb ik even, met jas aan, op ons balkon met mijn gezicht in de zon gezeten. Later voelde ik mijn wangen zachtjes gloeien en in de spiegel zag ik mijn eerste sproeten lachen.
Vanochtend genoot ik bijna van de vreemde smaak van het berkenbladsap dat ik al een paar jaar in het voorjaar gebruik om mijn lichaam van nieuwe levenskracht te voorzien.
’s Ochtends hoor ik de vogeltjes weer tsjilpen. En ’s nachts klinken de krolse katten. Zij hebben er ook zin in. In de lente. Net als ik.
Het weer is nog onstuimig. Net als ik. Ik heb zin om ... Tja, wat ... iets nieuws ... iets anders.
Maar morgen zal het lente zijn.

Woensdag 21 maart Ostara

Vanmiddag heb ik met de kinderen gekleid. De kinderen maakte poppetjes en andere ingewikkelde figuurtjes. Ik kleide eieren. De kinderen lachten mij uit. Maar het is moeilijker dan het lijkt om een echte eivorm in de klei te krijgen.
Het was van die klei die in de oven gebakken moet worden.

Fimo-klei heet dat spul. Wij noemen het altijd fiemelklei. Het is te koop in alle kleuren van de regenboog. Dat is handig want als je meteen de goede kleuren gebruikt dan hoeft het kleiwerkje niet ook nog beschilderd te worden. En dat scheelt een hoop kindergeklieder.
Zelf heb ik mijn eieren wel beschilderd. Ik vond het eigenlijk maar stom, die bontgekleurde gevallen. Een ei is wit of lichtbruin. Maar niet groen of blauw. Zo onsmakelijk. Ik heb een laag witte craquelévernis over de eieren aangebracht. Het was prachtig om te zien hoe de verf na een poosje ging barsten. Net als in een echt ei waar een kuikentje uit wil kruipen. Door de fijne scheurtjes in de lak kun je nu de oorspronkelijke kleur van de fiemelklei nog zien. Het resultaat is prachtig. En de kinderen waren jaloers.
Het ei is een belangrijk symbool voor de lentenachtevening die ik vanavond zal vieren.
Een ei hoort erbij.

> ⓘ **Ostara**
> Het hoogtepunt van de lente wordt in het paganism gevierd met Ostara of Eostar. Deze lentenachtevening of lente-equinox vindt op het noordelijk halfrond plaats tussen 20 en 23 maart. De exacte dag is afhankelijk van astrologische factoren. In deze periode zijn de dag en de nacht ongeveer even lang, maar vanaf nu zal het per etmaal langer licht zijn dan dat het donker is. De winter maakt plaats voor de lente. Er wordt veel nieuw leven geboren. Het is een tijd van hernieuwde levenskracht en vruchtbaarheid. Voor de Kelten was dit de tijd om tot de Godin te bidden en te vragen om een vruchtbaar jaar betreffende oogst en nageslacht. Heden ten dage zijn we minder afhankelijk van oogsthoeveelheden en kinderaantallen. Toch kun je ook nu nog deze periode van het jaar gebruiken om je te bezinnen op de vruchtbaarheid van je eigen leven. In de voorafgaande wintermaanden zijn de meeste mensen wat meer naar binnen gekeerd geweest. Maar nu, in het voorjaar, krijgen velen weer zin om wat (nieuws) te gaan ondernemen. Er worden plannen gemaakt en projecten worden opgepakt. Het is goed om stil te staan bij de slagingskans van je plannen en ook bij de hoeveelheid vruchten die je huidige dagelijkse bezigheden eigenlijk nog afwerpen. Net zoals niet elk ontkiemd zaadje bestand is tegen vorst aan de grond of een voorjaarsstorm, zo zullen ook niet al onze plannen zijn opgewassen tegen onverwachte tegenslagen. Net als jonge loten, moeten ook onze nieuwe plannen verzorgd en ondersteund worden.

ⓘ **De Godin en de God:**
Het feest van Ostara is genoemd naar de Teutoonse godin Oestre. Van haar naam is het woord "oestrogeen" afgeleid, hetgeen een hormoon is dat de eisprong bij vrouwen stimuleert. Deze godin is ook bekend onder de namen Eostre (Saksisch), Ostara, Aurora en Astarte. In Duitsland is Pasen (dat ook in deze tijd van het jaar plaatsvindt) vernoemd naar Ostara (Ostern) en in Engeland naar Eostre (Eastern).
Gedurende deze tijd van het jaar heeft de Godin de gedaante van een jong meisje dat op het punt staat een jonge vrouw te worden. Zij is de Jonkvrouw, de lentemaagd, de Godin van het stralende licht uit het oosten, de wederkerende lente, de vernieuwing. Ze wordt vaak afgebeeld met een haas en/of een ei. Volgens verschillende volksoverleveringen was de haas eerst gewoon een kip. De Godin Ostara had namelijk een kip die haar eieren steeds verstopte. Omdat Ostara er snel genoeg van kreeg om naar de eieren te moeten zoeken veranderde zij de kip in een haas, zodat deze dat klusje zelf kon opknappen. De haas en het ei zijn beide vruchtbaarheidssymbolen die rond het moderne paasfeest nog steeds een belangrijke rol spelen.
De God is ook nog jong en vurig. Hij verschijnt als stralende jonge broer van de Godin. Zijn namen kunnen Odin of Freyer zijn. Hij verslaat de vorstreuzen van de winter waardoor de lente kan beginnen. De Godin en de God verbinden zich in deze periode van het jaar met elkaar door zich seksueel te verenigen. Daardoor kan nieuw Leven geboren worden en ontstaat er een nieuw evenwicht in de natuur.

Donderdag 22 maart

Gisteravond heb ik de klei-eieren op mijn altaar gelegd. Al eerder had ik ook wat lentebloemen uit de tuin geplukt waarvan ik een krans gevlochten heb. En op een klein schaaltje had ik een paar tomatenzaadjes gestrooid. De bloemenkrans en het schaaltje met zaad kregen ook een plekje op mijn altaar. Als altijd waren er al stenen, water, kaarsen en wierook, die respectievelijk aarde, water, vuur en lucht symboliseren.
Toen Mark naar zijn handbalclubje was vertrokken en de kinderen in diepe slaap lagen, kon ik mijn ritueel beginnen. Ik spreidde mijn magisch kleedje op de grond voor mijn altaartje. Ik probeerde te aarden en vroeg om bescherming van de

godheden. Ik wierp de magische cirkel door het aanroepen van de elementen. Daarna visualiseerde ik nieuw leven. Ik dacht aan dartelende lammetjes in de wei, dauwdruppels op lentegroen gras en tere blaadjes aan de bomen. Ik zag het openbarsten van eieren, het ontluiken van bloemknopjes en het ontkiemen van zaad. Toen probeerde ik deze vruchtbaarheid en levenskracht te betrekken op mijn eigen leven. Ik vroeg mij af hoe ik wil verdergaan met mijn leven. Welke richting moet ik op? Waarmee moet ik nu een begin gaan maken? Wat is het plan dat ik moet gaan maken alvorens het uit te voeren? Ondertussen prevelde ik mijn gebed.

...Moge mijn geest vrucht dragen, zoals zich leven bevindt in dit zaad,
Moge nieuwe ideeën geboren worden, zoals deze eieren kunnen openbarsten,
Moge mijn plannen groeien, zoals deze lentebloesems in hun bloei...

Na een kwartier had ik nog geen visioenen gekregen. Wel slaap! Ik heb de magische cirkel verbroken en zorgvuldig alle sporen van mijn ritueel verdonkeremaand. Hopende dat mijn vragen in mijn dromen beantwoord zullen worden, heb ik mij in mijn bed te ruste gelegd.

Vrijdag 23 maart

Afgelopen nacht heb ik wel gedroomd. Echter, het leek mij niet dat deze droom een antwoord was op mijn vragen. Ik zag mijzelf aan mijn tekentafel, maar ik was geen mandala aan het tekenen. Het leek meer of ik een kerststukje zat te maken, want er lagen allemaal kaarsen, een schaaltje en een

paar takjes dennengroen. Toen ik over mijn eigen schouder keek, zag ik dat ik zat te rekenen. Ik schreef in ieder geval een heleboel getallen op een groen kaartje.
Ik draaide het kaartje om, in mijn droom, en zag daar allemaal tekens staan die ik in het echte leven niet ken. Mijn agenda, die ook op tafel lag, was opengeslagen op de bladzij van de maanstanden. Rare droom. Ik kan er weinig van maken.

Zaterdag 24 maart

Vandaag heb ik mijn moestuin groter gemaakt door een extra stukje tuin om te spitten. Aan de zijkant van ons huis had ik mij vorig jaar al een stukje van de tuin toegeëigend. Het schijnt goed te zijn voor overspannen mensen om met hun handen in de aarde te wroeten. Misschien vinden ze dan hun eigen wortels terug. Het zijn de zwevers onder ons die dat schijnen te denken. De weledelgeleerde heren doktoren houden er waarschijnlijk een andere theorie op na. In ieder geval zijn allen het erover eens dat tuinieren goed doet.
Tot mijn eigen verbazing vond ik het inderdaad nog leuk ook. Niet alleen het in de aarde wroeten vind ik lekker, maar vooral ook de vruchten die ik afgelopen zomer al kon plukken van mijn zelfgekweekte groenten. Het is leuk om 's avonds voor het avondeten een kropje sla uit je eigen tuin te kunnen halen. Toegegeven, als het tien kropjes zijn die binnen een week op moeten dan gaat de smaak er wel vanaf. Maar daar heb ik van geleerd. Nu stop ik iedere week slechts een paar zaadjes onder de grond in plaats van in één keer alles tegelijk.
Achter het glas van het zolderraam kiemen de zaden snel en groeien de loten als kool. Dat is prachtig om te zien. Eerst komt het ruggetje van een piepklein witgelig stengeltje met

zijn kopje nog voorover in de aarde gebogen, naar boven. Soms is het nog maar een paar uur later voordat het stengeltje zich opricht. Je snapt niet waar zo'n teer stengeltje de kracht vandaan haalt om ook zijn kopje, waar vaak nog een beetje aarde op zit, te laten zien. Meestal zijn er twee kleine blaadjes zichtbaar, maar dat kan ook aan mij liggen. In mijn lekenogen namelijk lijken veel kiemen op elkaar. Daarom zet ik er maar stokjes met de gewasnamen bij. De spinazie is meestal het eerst zichtbaar. Maar ook de kropsla, rucola en basilicum komt al op. Ik wacht nog op de tomaten, bieslook en de koriander.

Niet alle gewassen hoeven te worden voorgezaaid, er zijn er ook een heleboel die direct de volle grond in kunnen. Maar dan moet het eerst nog een beetje warmer geworden zijn. Ik heb inmiddels ook geleerd dat ik niet te vroeg met mijn zaad of jonge plantjes naar buiten moet. Vorig jaar kon ik mijn ongeduld niet bedwingen en had ik de spinazie al in januari (stond op het zakje) in de volle grond gezaaid. Ik had wel gelezen over een platte bak of koude kas maar ik wist niet precies wat daarmee bedoeld werd en dacht die wel achterwege te kunnen laten. Maar na de eerste nachtvorst kon ik geen (k)loot meer terugvinden. Zover mijn spinazieoogst.

Vandaag heb ik de aarde dus bewerkt. Want voordat ik haar vruchten wil kunnen plukken moet ik haar eerst nog geven wat zíj nodig heeft. Misschien wat compost?

Zondag 25 maart ☽

Gisteravond of vanochtend hebben wij in ons koude kikkerland evenals in veel andere landen met een gematigd klimaat onze klokken weer massaal een uur vooruitgezet. In plaats van zes uur werd Sem vanochtend pas wakker om zeven uur. Vandaag was dat wel lekker, want wij waren vrij en Sem had de tijd om al zijn rituelen en routines uit te voeren zoals hij dat gewend is te doen. Morgen, als hij naar school moet, wordt dat een probleem. Dan komt Sem een uur tekort. Hij zal dan niet eerder wakker zijn dan wij. Daarmee begint de dag voor hem al verkeerd. Over de rest van de dag doe ik er beter het zwijgen toe.
Ik moet eerlijk toegeven dat ik het zelf altijd best leuk vind als de zomertijd weer plaatsmaakt voor de wintertijd of vice versa. In het voorjaar vind ik het wel fijn als het 's avonds weer langer licht is. Meestal heb ik dan ook meer energie om later op de dag nog activiteiten te ondernemen. En in het najaar ben ik er wel weer aan toe om 's avonds vroeg de kaarsen te moeten ontsteken en binnenshuis de gezelligheid op te zoeken.
Mijn ervaring is dat het bij kinderen veel langer duurt voordat zij gewend zijn aan het tijdsverschil. Voor autisten, die vaak afhankelijk zijn vaste structuren, is het heel moeilijk om zich aan te passen. Voor Sem, die nog niet kan klokkijken bovendien, is een uur tijdsverschil niet te bevatten.
Hoe moet dat zijn voor een plant? Of een dier? Die kunnen ook niet klokkijken. Hun bioritme wordt bepaald door de stand van de zon. Zomertijd of wintertijd, het is voor een roos om het even. En voor de aap z'n reet!

ⓘ Zomertijd
Volgens Van Dale is zomertijd de tijdregeling waarbij de klok gedurende de zomer vooruit is ten opzichte van de zonnetijd. Deze tijdregeling werd vooral ingevoerd om 's avonds kunstlicht te besparen.
Volgens Wikipedia was de zomertijd een idee van de Engelsman William Willet dat ontstond in 1907 om het daglicht in de zomer niet te verspillen. De zomertijd werd pas voor het eerst ingevoerd door de Duitse regering tijdens de Eerste Wereldoorlog. Andere naties volgden en de VS maakten de zomertijd officieel. Maar er was zoveel weerstand tegen de wet dat deze na de oorlog weer werd afgeschaft. In de Tweede Wereldoorlog werd de zomertijd opnieuw een poosje gehanteerd en erna wederom afgeschaft. De Oliecrisis in 1973, die vroeg om energiebesparende maatregelen, was voor veel Europese landen de aanleiding om de zomertijd weer in te voeren. In Nederland gebeurde dat in 1977.

Maandag 26 maart

Mijn zusje belde mij vandaag. Ik heb haar een poosje geleden al verteld dat ik van mijn (katholieke) geloof gevallen ben en mij bekeerd heb tot het heksendom. Zo noemde ik het maar even voor het gemak. Hannah kon zich daar toen niet veel positiefs bij voorstellen. Ze begon meteen over haar exotische ex-schoonfamilie die op zondag bij elkaar kwam om met spelden in poppetjes te prikken. Het "*otische*" van deze familie zat 'm niet alleen in het "uitheemse", maar onder andere ook in het psych*otische*, cha*otische* en neur*otische*. Ik had geen zin om mijn best te doen om zusterlief het verschil tussen witte, zwarte en groene magie duidelijk te maken. Ik weet het zelf ook allemaal niet precies.
Echter, inmiddels had mijn zusje haar vooroordelen opzijgezet en door wat huiswerk te verrichten zelfs haar voordeel van mijn "heks-zijn" ingezien. Op het internet had Hannah gelezen dat er ook voorwerpen vervaardigd kunnen worden die juist geluk kunnen brengen. Ik denk dat ze een amulet of een talisman bedoelt. Hannah vroeg mij

of ik niet zo'n ding voor haar kon maken om haar daarmee haar prins op het witte paard te bezorgen.
Mijn zusje is een alleenstaande moeder. Ten tweeden male is Hannah berooid en beroerd achtergelaten door losers van kerels. Mentaal mishandeld door haar ex-echtgenoot en financieel uitgekleed door haar ex-vriend. Dat drie maal toch echt scheepsrecht is, bewees zich onlangs eens te meer. Toen wist de derde vlam van Hannah haar liefde voor hem eigenhandig te doven door te vaak te diep in het glaasje te kijken.
Ik gun mijn zusje een fijne relatie met een man die goed is voor haar, een leuk huisje heeft en wat geld op de bank. Als ik tijd heb zal ik eens uitzoeken hoe dat moet, zo'n talisman maken.
De piloot is ook weer gearriveerd. Gisteren had ik al gezien dat hij hun vouwwagen uit de winterstalling heeft opgehaald. En ik heb gekeken hoe hij aan het ding trok en duwde om het op zijn oprit geplaatst te krijgen. Ik heb zijn vermeende spierbundels onder zijn witte T-shirt bewonderd. Ik heb gezien hoe hij op de vouwwagen klom en de baggy spijkerbroek een stuk van zijn sterke onderrug bloot liet. Ik heb gezien hoe hij de wagen uitvouwde om te controleren of alles nog werkte en ik heb gezien hoe hij de kap weer neervlijde.
Ik heb gewenst een vouwwagen te zijn.

Woensdag 28 maart

Het is mooi weer. Het zonnetje schijnt. De piloot maakt hiervan gebruik door zijn vouwwagen schoon te maken. Op de oprit voor zijn huis. Vanachter het zolderraam heb ik goed zicht. Maar dat riekt naar gluiperig gluren. Ik wil geen voyeur zijn. Om de aandacht van mijn eigen liefdesleven te verleggen naar dat van mijn zuster ga ik mij maar eens verdiepen in het maken van een talisman.

ⓘ **Talisman en amulet**
Een talisman is een geluksbrenger: een voorwerp dat geluk of voorspoed aanbrengt aan degene die hem bij zich draagt. Het zijn vaak kostbare juwelen en metalen waarin een toverspreuk staat gegraveerd.
Een amulet is een beschermer: een voorwerp waaraan men heilige macht toeschrijft en dat men bij zich draagt als afweermiddel tegen ziekte, verwonding, betovering of ander gevaar. Vaak heeft een amulet de vorm van een oog.
Een talisman of een amulet kun je voor jezelf maken, maar ook voor een ander. Je kunt een ander er "heling" mee zenden. Dat kan ook middels gebed en meditaties. Wanneer iemand pijn heeft of ziek is, kun je proberen zijn leed te verzachten door je met liefde en aandacht op hem te focussen. Hiervoor is het belangrijk eerst toestemming te vragen aan degene die je wilt helpen. Je zou immers iemand anders ook ongevraagd geen medicatie toedienen. Bovendien dien je je ervan te vergewissen dat jijzelf echt zuivere heling wilt zenden en je actie niet eigenlijk een verkapte manier is om een ander een lesje te leren.

Donderdag 29 maart

Inmiddels vraag ik mij af waar ik aan begonnen ben. Het is nog een heel werk, zo'n talisman in elkaar zetten. En veel tijd heb ik niet meer. Ik heb gelezen dat een talisman bij wassende, dat is toenemende, maan gemaakt moet worden. De maan wast nog tot aankomende maandag. Dan is het volle maan en daarna neemt het maanlicht weer af. En dan zou ik weer een paar weken moeten wachten voor de maan opnieuw zal toenemen.
Ik heb geen stukjes metaal waarin ik toverspreuken kan graveren. Ik bezit maar één kostbaar sieraad en daarin staat reeds iets gegraveerd, te weten de naam van mijn echtgenoot.

Bovendien denk ik niet dat "hocus pocus" of "abracadabra" het soort spreuken zijn die mijn zusje aan de man kunnen helpen. Maar ik heb een boekje gevonden dat de kennis van oude tradities combineert met moderne materialen en technieken. In dit boekje wordt gewerkt met de krachten van de planeten en hun bijbehorende symbolen.
Omdat het hier een talisman betreft die het licht moet laten schijnen op een nieuwe bloeiende liefde heb ik gekozen voor de krachten van Venus en Zon. Want Venus is de planeet die de liefde aangaat. En dat het licht van Zon kan zorgen voor bloei lijkt mij voor iedereen vrij duidelijk. De dagen die bij Venus en Zon horen zijn respectievelijk vrijdag en, hoe kan het ook anders, zondag. De talisman kan dus gemaakt worden op een vrijdag of een zondag, afhankelijk van welk aspect ik het zwaarst vind wegen.
En ik vind dat het licht op de liefde moet schijnen, met andere woorden: Zon op Venus. Daarom moet ik zoeken naar een tijdstip op een vrijdag bij wassende maan waarop het planetaire uur in het teken van Zon staat. Een planetair uur is niet hetzelfde als een daguur. Een planetair uur is afhankelijk van de lengte van het daglicht op een bepaalde dag. Daarvoor moet ik dus de tijden van zonsopkomst en zonsondergang weten. Na heel veel gepuzzel en gereken, waarmee ik mijn dagboek niet wil vervuilen, ben ik er eindelijk uit dat ik die talisman alleen maar morgen maken kan en wel precies tussen 14.56 uur en 16.00 uur. Er zijn nog twee andere momenten waarop Zon in Venus voorbijkomt, maar dan is het nog niet licht of het is al weer donker en een talisman met zonnekrachten moet natuurlijk niet onder een tl-lamp gemaakt worden. Het beste zou zijn om het buiten in het zonlicht te doen, maar ik denk dat ik maar gewoon aan mijn tekentafel zal gaan zitten.
Bij de planeten Venus en Zon horen bepaalde kleuren en ge-

tallen en aan de hand daarvan heb ik allerlei andere spullen, die mijn ritueel kunnen bekrachtigen, bij elkaar gezocht. Op mijn tekentafel ligt inmiddels een goudkleurig tafelkleed met een groene loper. Op het oosten staat wierook met de geuren van rozen en sinaasappels, op het zuiden staan zes gouden kaarsen op een groene schaal, op het westen staat een groen kommetje dat gevuld zal worden met mede en op het noorden liggen zeven takken van de taxusboom met daarop een gele roos. In het midden heb ik een goudkleurig kaartje klaarliggen. Daarop zal ik met een groene stift een raster tekenen van zeven bij zeven vakjes waarin op een bepaalde manier de Venusgetallen geschreven en met elkaar verbonden moeten worden. Op de achterkant van het kaartje zal ik de naam van Hannah in Pictisch letterschrift weergeven.

Vrijdag 30 maart

Vanmiddag rond de klok van drie uur had ik welgeteld één uur en vier minuten de tijd om gebruik te maken van de Zonkrachten in Venus. Ik vond het een zenuwslopend gedoe. En ik ben er nog steeds door van streek. Het was al een hele toer om de wierook én de kaarsen brandende te houden. Bovendien drink ik nooit alcohol en was ik reeds na één teugje mede een beetje licht in mijn hoofd en onvast in mijn handen. En dan moest ik ook nog onder tijdsdruk al die ingewikkelde getallenrasters en Pictische letters op dat kleine kaartje gekrabbeld zien te krijgen.
Toen ik zo bezig was, dacht ik ineens aan de droom van een paar dagen geleden waarin ik een kerststukje aan het maken was. Ik dacht aan de kaarsen, het kerstgroen en de rare te-

kens die ik in mijn droom had gezien. En toen keek ik naar de attributen op mijn tafel. Ik zag de kaarsen, de groene taxustakken en het Pictische letterschrift op het kaartje. Ik verschoot van kleur. En verslikte mij in de mede.

Zaterdag 31 maart

Ik heb de talisman aangetekend naar mijn zuster verzonden en haar gevraagd het kaartje bij zich te dragen. Hannah was er heel blij mee. Ik ben meer benieuwd naar de uitwerking. Zal er een uitwerking zijn? En hoe zal die dan zijn? Als mijn droom dan toch een visioen was, dan beschik ik misschien wel echt over magische krachten. Maar wat voor een krachten zijn dat dan? Met wie zadel ik mijn zusje op? Straks blijkt de prins op het witte paard een dikke pad te zijn!

Maandag 2 april ○

Vannacht heb ik weinig geslapen. Het is volle maan, dan slaap ik vaak heel weinig. Misschien ben ik wel een weerwolf. Ik zeg bewust niet dat ik dan slecht slaap, want zo ervaar ik dat niet. Het hoort gewoon bij mij. Meestal ga ik dan mijn bed uit om de extra tijd die ik heb goed te benutten met het doen van dingen waar ik anders niet voldoende aan toe kom. Soms ga ik nog even terug naar bed. En heel soms doezel ik dan toch nog even in. Soms doe ik later op de dag een tukje.
Zo ook vandaag. Op het bankje in de voortuin, zat ik vredig te dutten. Totdat de piloot naar buiten kwam om weer met zijn vouwwagen bezig te gaan. Ineens was ik klaarwakker.

Het lukte mij niet meer om rustig te blijven zitten en ik trok hier en daar wat onkruid uit de bloemperkjes. Ik was mij zeer bewust van zijn aanwezigheid. Er was verder niemand in de straat. Hij kon niet anders dan zich bewust te zijn van mij. Ik wilde dat hij keek. Naar mij, in mijn mooi om mijn billen spannende spijkerbroek. Naar mij, in mijn korte truitje waardoor goed zichtbaar was hoe strak mijn buik (nog) is. Ik voelde dat hij keek. Ik wist dat hij keek. Ik keek ook. Als hij niet keek. °°°*(Waarom ga ik niet naar hem toe? Voor een praatje. Waarom komt hij niet naar mij?)*°°°

♫ *This is the closest thing to crazy*
I have ever been
Feeling 22, acting 17
And now I know
there's a link between the two
being close to craziness
and being close to you ♫

(Katie Melua - The closest thing to crazy)

Aan het eind van de middag trok ik de stoute schoenen aan en vroeg hem wanneer hij weer van plan was te gaan hardlopen met zijn vriend. Zij hadden nog geen afspraak gemaakt. Ik durfde te vragen of ik met hen mee kon lopen wanneer ze zouden gaan.
Na het avondeten kwam de piloot bij mij aan de deur. Hij had met zijn vriend reeds een trainingsrondje belegd voor de volgende dag. Ik mocht ook mee als ik nog steeds wilde. 'Graag,' zei ik. Beiden weten we dat zijn vriend veel harder loopt dan wij.

Dinsdag 3 april

Gisteravond ben ik vroeg naar bed gegaan om mij te laten overvallen door mijn fantasieën.

°°°*(Wat zou er kunnen gebeuren als wij samen hardlopen? Misschien zou ik kunnen vallen waardoor hij mij moet opvangen in zijn gespierde armen? Het moet dan warm en zonnig zijn. En ik heb niet veel kleren om het lijf, slechts een topje en een kort broekje. Mijn buik is bloot en nat van het zweet. Onze lichamen zijn glad en glimmen. Dat voelen we als hij mij opvangt. We durven elkaar niet aan te kijken, want we zijn zichtbaar in de war. Zijn aanraking heeft mij doen vibreren. We lopen door, maar na een paar meter zal ik dan toch stoppen en vragen of hij voelt wat ik voel. Zinderende hitte, niet alleen veroorzaakt door zon en zweet. Zijn antwoord zal bevestigend zijn.*

Maar wat moeten we ermee? Wat willen we ermee? 'Oh', zal ik zeggen. 'Ik weet heel goed wat ík wil.' Dan leg ik mijn handen op zijn borstkas en laat ze over zijn schouders naar beneden glijden. 'Ik wil voelen hoe je voelt.' Ik doe een stap dichterbij en duw mijn wang ter hoogte van zijn borst tegen zijn natte shirt. 'Ik wil ruiken hoe je ruikt.' Ik hef mijn hoofd iets op en leg mijn lippen tegen het plekje nét rechts naast zijn mond. Ik lik zijn bovenlip. 'Ik wil proeven hoe je smaakt.' Ik kijk hem diep in zijn ogen en zeg: 'Ik wil naar je kijken als je de liefde met mij bedrijft.'

Ik druk mijn onderlichaam tegen zijn lendenen en zeg: 'Ik wil horen welk geluid je maakt als je klaarkomt.' Hij komt niet klaar, niet nu althans, maar hij kreunt des te harder. En hard wordt het ook tussen zijn benen. Dat voel ik tegen míjn been. Het duizelt me en ik doe een stap achteruit.

Dan zal ik zeggen: 'Ik geloof dat jij ook wel wil wat ik wil? Maar ík weet, en jíj weet, dat het niet kan. Er zijn zes redenen om niet echt te doen wat wij willen.' Als hij mij dan vragend aankijkt, verklaar ik dat deze zes redenen de namen dragen van onze echtgenoten en

onze kinderen. En dan ren ik vrolijk huppelend verder. Uitdagend achterom kijkend. Mijn haren wapperend in de wind.)°°°
Het is maar een fantasie. Ik ben onschuldig.

Woensdag 4 april

Gisteravond, op het afgesproken tijdstip, ontmoetten we elkaar op straat voor het huis van de piloot. Het was niet zo warm en zonnig. Ik had geen topje en een kort broekje aan. Maar onze haas, de vriend van de piloot, rende inderdaad spoedig wel ver vooruit. Wij bleven achter, naast elkaar. We liepen en we zweetten. Tot zover klopten mijn verwachtingen redelijk. Mijn hart klopte ook. Maar ik viel niet.
En hij hoefde mij niet op te vangen. We praatten wel. En het was leuk, erg leuk. Het was genoeg voor deze avond. Ik was tevreden. Voor deze avond.
Aan het einde van de ronde, in onze straat, troffen we Haas pas weer. En daar kwam toen ook mijn echtgenoot aangewandeld. Ik merkte dat ik daar niet blij mee was.
En nu ben ik er nog minder blij mee dat ik daar niet blij mee was. Ik dacht fantasie en werkelijkheid toch wel gescheiden te kunnen houden? Wat wil ik nou eigenlijk?
Als ik mijzelf serieus afvraag of ik de piloot waarlijk zou willen kussen, merk ik dat ik niet echt overloop van enthousiasme. Zowel geestelijk als lichamelijk ontvang ik signalen van angst. Het lijkt mij eng. Het zal vreemd zijn. Anders dan waaraan ik ben gewend. Misschien ook anders dan ik fijn vind. Stel je voor dat hij er niets van bakt. Of nog erger, dat hij uit zijn giechel stinkt. Hoe kom ik dan weer van hem af?
Bij de gedachte hem aan te raken, reageren mijn lichaam

en geest veel positiever. Ja, ik zou heel graag voelen hoe hij aanvoelt. Mijn handen willen zijn lichaam best verkennen. En het lijkt mij fijn om zíjn handen vast te houden. Ik wil ook nog wel mijn armen om hem heen slaan en dicht tegen elkaar aankruipen. Maar dat is het. Genoeg. Voorlopig.

Donderdag 5 april

De poes kwam mij uit bed halen. 'Maaauw', zei zij. Ik wist wat dat betekende, wij hebben dit al eerder meegemaakt. Zij en ik. Samen. Poes had zojuist haar bevalling aangekondigd. En ik moest met haar mee. Ze ging mij voor de trap op. De vorige kraamtijd heeft zij tezamen met haar kittens doorgebracht in de kledingkast van mijn dochter. Destijds heb ik vaak geprobeerd om haar nest naar de benedenverdieping te verplaatsen. Maar evenzoveel keren heeft Poes haar kroost met haar tanden in hun nekvel gegrepen en weer terug naar de kast gebracht. De natuur laat zich niet dwingen, die moet je haar gang laten gaan.
Deze keer heb ik de kledingkast zelf maar alvast als kraamkamer voor Poes ingericht. Er staat een grote doos met een paar handdoeken erin en een plastiek zeil eronder. Toen Poes de kast in wipte, zag ik dat zij al ontsluiting had. En toen ze op de witte handdoeken ging liggen, kleurden deze hier en daar een beetje roze van het vruchtwater dat ze verloor. Haar vliezen waren kennelijk ook al gebroken. Ik vertelde mijn zoontje wat er gebeurde. Ik weet niet of hij het allemaal snapte. In ieder geval begreep mijn moeder er niets van toen Sem tegen haar door de telefoon schreeuwde: 'Oh, oma onze poes verliest al haar fruitsap!'
Veel verstand heb ik er niet van, maar ik ga er maar van

uit dat het bij poezen net als bij mensenvrouwen werkt en kittens binnen 24 uur na het breken van de vliezen geboren moeten worden. Poes heeft er zelf gelukkig wel verstand van. In barensnood lijkt zij precies te weten wat ze moet doen.
Poes likte zichzelf schoon. Soms zag ik haar flanken sneller bewegen en wist ik dat zij weeën had. Dan mauwde ze even om aan te geven dat ik haar moest aaien. De rest van de tijd spon zij. Zij leek het helemaal niet zo vervelend te vinden. Ze leek er eigenlijk wel van te genieten. Telkens als ik wegliep bij de kast dan werd Poes onrustig en kwam ze mij achterna om me weer op te halen. Toch duurde het nog een hele poos voordat de eerste kitten uiteindelijk geboren werd. En het was ook niet in de klerenkast.
De kinderen mochten wat langer opblijven. We hadden ons net geïnstalleerd op de bank. En Paul de Leeuw was net begonnen met druk doen. Toen sprong Poes ook op de bank en schreeuwde Sem: 'Mam, er hangt iets uit haar billen!' °°°*(Ach hemel, het zal toch niet zo zijn ... Dat beest is al net zo autistisch als de rest van de familie.)*°°° De vorige keer was Poes ook bevallen op de bank. Kennelijk moest dat dan deze keer ook daar verlopen. Maar toen hadden wij nog een oude bank. Nu zaten we op een spiksplinternieuwe van duizenden euro!
Maar er was haast geboden, dat zag ik wel. Poes was al aan het persen en hetgeen uit haar achterwerk hing was een heel klein kittenstaartje. En een heel klein kittenpootje. Een stuitligging!
Tegen mijn dochter zei ik dat zij de handdoeken moest gaan pakken die ik in de kraamkamer klaar had liggen. Mijn echtgenoot vroeg ik naar de zolder te rennen waar het telefoonnummer van de dierenarts te vinden was. De ADHD'er sommeerde ik aan het andere eind van de bank te gaan zit-

ten en op te houden met springen en schreeuwen. En voor een keer gaven ze allemaal gehoor aan mijn bevelen.
'Is ze al aan het persen?', vroeg de dienstdoende dierenarts. Ik antwoordde bevestigend. 'Dan mag u nu gaan trekken.' Er zat niks anders op dan dat te doen en dus trok ik voorzichtig aan het staartje en het pootje. °°°*(Oooh, hellup)*°°°
'Mrrraaauwww!', gromde Poes. 'Het is eruit!', riep mijn man tegen de dierenarts. Mijn dochter huilde en mijn zoon hield voor één keer eens zijn snater.
Het was een rode kitten. Poes hoefde het geboortevlies niet meer door te bijten want dat was al geknapt. Ze hoefde het alleen maar op te eten. Evenals de nageboorte die een poosje later kwam. Ook met de navelstreng wist Poes precies wat haar te doen stond. En op het moment dat zij deze doorbeet, zei de kleine kitten ons heel zachtjes gedag.
Een uurtje later werd de tweede kitten geboren. Die kwam wel in de goede ligging en zat nog helemaal in het geboortevlies. Toen het daaruit bevrijd was, bleek het een grijze poes.
Tegen de tijd dat de derde kitten geboren werd, was iedereen al naar bed. Alleen ik en Poes hingen nog op de bank. Ik zat al te knikkebollen toen Poes weer mijn aandacht begon te trekken. Nog een stuit. En omdat deze ook nog in het vlies zat, was hij moeilijk vast te pakken. Ik moest er met beide handen flink aan trekken. En opnieuw zag een rode kitten het levenslicht. Alhoewel, het was inmiddels donker en diep in de nacht.
Daarna moet ik toch in slaap gevallen zijn. Met Poes op de bank. Want toen ik tegen de ochtend nog een keer bij haar keek, waren er ineens drie rode kittens en één grijze. Die laatste klus had ze zelfstandig geklaard. Zoals ik wel wist dat zij dat kon. Want zij durft nog op haar instincten te vertrouwen.

Vannacht,
zag ik de oerkracht
Het was magie,
in haar puurste vorm.

Zaterdag 7 april   Paaszaterdag

Een paar dagen geleden ging Sem in de garage achter het huis met hamers en spijkers een vliegtuig in elkaar zitten knutselen. Ik hield mijn hart vast. Meestal zijn de ontwerpen die Sem in zijn hoofd heeft té briljant om door hem zelf uitgevoerd te worden. Dat leidt nogal eens tot frustratie. Maar waarschijnlijk werden mijn gebeden tot de Godin dit keer verhoord want er is geen hamer door het garageraam naar buiten gevlogen, noch heeft Sem zichzelf verwond met de spijkers. Het resultaat was geslaagd. Dat vond hij zelf in ieder geval. En ik liet het wel uit mijn hoofd om hem op de minpunten van zijn bouwsel te wijzen. Hij had gewoon twee planken, de een iets korter dan de ander, dwars op elkaar getimmerd. De langste plank was langer dan Sem zelf. Een groot vliegtuig dus.
Vandaag speelde hij ermee in de tuin. Na ongeveer twintig minuten kwam hij even bij mij aanwippen. Dat wist ik al, want ik kan de klok er gelijk op zetten wanneer hij weer aan mij komt vragen wat hij nu verder nog zal gaan spelen. Voor de verandering echter luidde deze keer niet zijn geijkte vraag: 'Mam, wat moet ik nu gaan doen?'
Sem wilde wat anders weten. 'Mam, als jij doodgaat, wat wil je dan dat ik met je doe?' Ik dacht dat hij doelde op de wens om begraven of gecremeerd te worden. Ik antwoordde: 'Ach, ik ben dan toch dood, dus jij mag zelf weten of je

wil begraven of wil laten cremeren.' 'Nee, mam, dat bedoel ik niet', zei Sem. 'Wat wil jij dat ik doe met het kruis? Moet ik dat bij jouw graf in de grond zetten of wil je dat ik je eraan ophang?'

Zondag 8 april   Eerste paasdag

Het is eerste paasdag. En mijn zoon wil mij aan een kruis in de tuin ophangen. Wat ik dacht dat zijn vliegtuig was, staat rechtop in de grond van de tuin geplant. Een groot kruis dus.

Volgens Sem echter is daar niets mis mee, want al wie aan een kruis gehangen wordt, kan uit de dood opstaan. Dat heeft de juf zelf verteld.

> ⓘ **Pasen**
>
> Wikipedia: Met Pasen wordt door de christenen het lijden en de kruisiging van Jezus Christus herdacht. De christenen vieren vandaag dat Jezus op deze derde dag na zijn kruisiging is opgestaan uit zijn dood. Hij is het paaslam dat zichzelf vrijwillig liet offeren opdat God zich weer met de mensheid zou verzoenen. Deze verzoening is als het ware een nieuw verbond dat gebaseerd is op "genade". Door te geloven in het christendom verkrijgt men genade. De gelovigen worden aardse zonden vergeven. Met Pasen zien de christenen ook uit naar de verwachte wederkomst van Jezus de Verlosser op aarde.
>
> De eerste paasdag begint volgens de christelijke kalender op de eerste zondag na de eerste volle maan vanaf 20 of 21 maart (lente-equinox). Pasen vindt zijn oorsprong lang voor het ontstaan van het christendom. In veel culturen en religies werd gevierd dat de natuur weer ontwaakte en aldus vereerde men de godin van de vruchtbaarheid en het leven. Aan deze lentefeesten heeft ook het christendom veel symbolen zoals de eieren de paashaas en de paasvuren ontleend.

Maandag 9 april Tweede paasdag

Sem en Nonna bezoeken openbare scholen. In principe worden daar geen religieuze verhalen verteld. Niet dat onze kinderen geen kennis mogen nemen van de Bijbel, de Koran of de Talmoed. Integendeel, het lijkt mij alleen maar juist hen zoveel mogelijk bij te brengen over het bestaan van verschillende religies en andere levensbeschouwingen. Maar het lijkt mij eigenlijk onmogelijk voor hen om daaruit nu al een keuze te maken. In de meeste religieuze kringen is het gebruikelijk dat kinderen het geloof van hun ouders belijden. In ons geval ligt dat ietwat gecompliceerder. Mark gelooft in het nihilisme. En ik denk ook niet dat het handig is wanneer Sem op school gaat vertellen dat zijn moeder een heks is. Bovendien zie je vaak dat kinderen zich op latere leeftijd juist afzetten tegen hetgeen hen met de paplepel ingegoten is. Ik wil Sem en Nonna voor henzelf maar laten uitmaken welk geloof zij willen belijden. En dat hoeft nog niet nu. Voor Sem is het al moeilijk genoeg om te bedenken welk beroep hij later wil uitoefenen. Hij snapt de vraag 'Wat wil je later worden?', niet eens. Tot voor kort antwoordde hij dan steevast: 'Een vis.'
Ik vraag mij wel af welke paasverhalen Nonna en Sem op school te horen krijgen. Ik ben bang dat het toch weer enkel de kruisiging van Jezus Christus betreft. Of zou de juf ook weten van Ostara's kip die haar eigen eieren steeds verstopte? En is er alleen gesproken over het lijden van Jezus en de zonden die de mensheid daarmee vergeven konden worden? Of zou de juf het óók gehad hebben over de mogelijkheid tot het vieren van levensvreugde en vruchtbaarheid? Het beschouwen van uiteenlopende invalshoeken omtrent de feestdagen maakt wellicht dat iedereen zuiverder voor zichzelf kan kiezen welke wijze van feesten hem of haar het beste past.

Voor mij is het paasfeest steeds meer een lentefeest geworden. Ik vier het ontwaken van het nieuwe leven. Pasen is voor mij niet langer een zoenoffer. Jezus had voor mijn zonden geen boete hoeven te doen. Want over welke zonden hebben we het eigenlijk? Ik weet best dat ik bepaalde zaken misschien op een andere manier had moeten aanpakken. En ook zal ik zeker nog weleens vaker niet zulke slimme beslissingen nemen. Maar zijn dat zonden? Ik heb ervan geleerd. Ik ben er wijzer door geworden. Is dat zonde? Als dat zonde is, dan wil ík niet zonder zonden zijn. Want door schade en schande wordt men wijs.
Voor mij is Pasen niet een feest van lijden en van dood. Pasen is een feest van vieren en van Leven.

Dinsdag 10 april ☾

Mijn gefilosofeer over de piloot is vast een ook een zonde. Doodzonde. Dus ik zondig vrolijk verder. Een beetje afwezig en verstrooid ben ik daardoor wel. Een paar dagen geleden probeerde ik Mark op zijn mobiele telefoon te bellen. Hij nam niet op, ik kreeg zijn voicemail. Tegelijkertijd ging hier thuis ook een telefoon over. Omdat ik toch te laat zou zijn om die op te nemen, deed ik geen moeite om helemaal van de zolder naar beneden te rennen. °°°*(Die bellen wel weer terug.)*°°° Later op de dag probeerde ik Mark nog een keer te bellen. Weer nam hij niet op. En weer ging er tegelijkertijd in ons huis een andere telefoon over. Dat vond ik geen toeval meer. Dus ik probeerde het nog een keer. En weer ging hier in huis een telefoon over. Pas bij de vierde of vijfde keer bellen, had ik door dat de telefoon van Mark thuis was blijven liggen en ik het zelf was die dat ding deed overgaan.

Woensdag 11 april

Ik heb mijn broer deelgenoot gemaakt van de zwerm vlinders die sinds begin maart in mijn buik rondzwermt. Ik moet het toch aan iemand kwijt. Mijn broer, Marijn, is een paar jaar ouder dan ik. Hij heeft wat meer levenservaring, als je begrijpt wat ik bedoel. Ik gok erop dat hij mij begrijpen zal. Mijn broer woont bovendien in de grote stad waar de normen en waarden betreffende zedelijke gewoonten wat soepeler liggen. Deze stad bevindt zich ook nog eens ver van waar ik woon, dus mijn identiteit is veilig.
Ik ken mijn broer goed. Hij is ook veilig. En hij kent mij ook goed. Want hij lijkt op mij. Hij weet hoe makkelijk zijn zus op hol kan slaan, doordraaft en voor geen hindernis zo hoog meer terugdeinst. Bovendien waarschuwde Marijn mij. Uit eigen ervaring kon hij mij ook vertellen dat er van buitenechtelijke verhoudingen alleen maar narigheid komt.
Ik mailde Marijn terug:
...Het is waar dat ik maar in de war raak van een potentiële schermutseling met de piloot. Jij weet als geen ander hoezeer ik ertoe in staat ben een compulsief dwangmatige stoornis hieromtrent te ontwikkelen. Je beschreef mij in de trant van op wacht staan voor het raam in de hoop een glimp van het onderwerp van mijn fantasieën op te vangen. En ik zie mijzelf dat doen. Ik beloof dat ik mij zal bezinnen, eer ik ga beminnen. Maar jeetje, wat maakt alleen het denken aan een potentiële schermutseling met de piloot het leven al de moeite waard!...

Vrijdag 13 april

Het is vandaag vrijdag de dertiende. Dan vieren de heksen feest. Ik ook. Want de piloot is weer thuis.

> ⓘ **Vrijdag de dertiende**
> Volgens Wikipedia zijn er twee verklaringen voor het ontstaan van de angst voor vrijdag de dertiende.
> 1. De combinatie van vrijdag en dertien brengt ongeluk omdat vrijdag de dag is waarop Jezus gekruisigd werd en dertien het aantal aanwezigen tijdens het Laatste Avondmaal.
> 2. Aan het begin van de veertiende eeuw had de koning van Frankrijk, Philips IV, veel schulden aan de ridders van de Orde van Tempeliers. Om van hen af te zijn, beschuldigde Philips de orde van ketterij. Op vrijdag 13 oktober 1307 zijn vele tempeliers tot de brandstapel veroordeeld.
> Het bijgeloof heeft grote invloed op de economie. Veel mensen schijnen zich op deze dag toch onrustig te voelen, en gaan niet naar hun werk. Veel gebouwen hebben geen dertiende verdieping en ziekenhuizen hebben vaak geen operatiekamer nummer dertien.

Zaterdag 14 april

Nou, er zijn geen grote ongelukken geschied, gisteren. Of het moet het feit zijn dat ik mij versproken heb. Tot grote hilariteit van de kinderen liet ik mij ontvallen vriendjes vader wel een lekker ding te vinden. Misschien vertellen ze het wel door ... Wellicht aan het zoontje van de piloot ... Ik geloof niet dat ik daar zo ongelukkig van zal worden.
Ik niet. Maar Mark waarschijnlijk wel. Ik denk niet dat hij het zou begrijpen. Ik denk dat hij alleen al mijn fantasieën over een andere man zou zien als een bedreiging. Laat staan de lijfelijke aanwezigheid van deze piloot in onze straat. Ik probeer weleens te polsen of hij zich nooit aangetrokken voelt tot een andere vrouw. Hij is hele dagen van huis, dan moet hij er toch

ook verschillende ontmoeten? Maar Mark zegt altijd dat hij daar helemaal niet mee bezig is. Hij ziet andere vrouwen niet staan, want, zo zegt hij: 'Ik heb jou toch.'
Dat zou mij gerust moeten stellen. En ik besef dat menig vrouw blij zou zijn met zo'n antwoord. Maar op de een of andere manier baart het mij meer zorgen dan wanneer Mark zou antwoorden dat hij iedere dag wel tien keer in de verleiding komt. Ik heb jou toch, klinkt zo berustend, makkelijk en vanzelfsprekend. Wat zegt dat over mij? Is mijn aanwezigheid berustend, makkelijk? Ben ik voor Mark vanzelfsprekend? Ik heb jou toch, maakt niet dat ik mij gewaardeerd voel om de persoon die ik ben. De wetenschap van het wel degelijk bestaan van verleidingen en verlokkingen voor Mark zou mij een positievere boodschap geven. In dat geval namelijk kan ik kennelijk nog steeds de toets der vergelijking doorstaan.
Mark bedoelt het goed. Hij wil mij niet onnodig bang of jaloers maken. Echter, ik ben helemaal niet bang voor verleidingen. En jaloers nog allerminst. In angst en jaloezie wil ik geen energie stoppen. Als Mark wil gaan voor een verleiding, dan ben ik de laatste persoon die hem tegen zal houden. Ik wil niet bij elkaar zijn omdat het makkelijk of vanzelfsprekend is. Ik wil bij elkaar zijn omdat je daarvoor kiest. Steeds weer. En steeds opnieuw.

Maandag 16 april

Oh, wat een blunder, echt weer iets voor mij. Ik moet ongesteld worden. Normaal gesproken ben ik niet zo'n snaaiende snoeperd. Maar deze dagen waarop de hormonen door mijn lichaam gieren, dan heb ik vaak lekkere trek. In de meest rare dingen en op de meest vreemde momenten.

Vanmiddag na schooltijd bedelden Sem en zijn vriendje de pilotenzoon om iets lekkers. Ze hadden de buik al strak van de zoete zoetigheid en de ranzige ranja, maar nog steeds "zo'n honger". Ik zei hen dat kindertjes die honger hebben maar een boterham moeten eten. Het werd er een met pindakaas. Nadat zij deze verorberd hadden, vertrokken ze naar Sems kamer. De restjes waren voor de muizen. En de rotzooi voor mij.
Ik zocht naar het deksel van de pindakaas met stukjes noot. °°°*(Mmmm, ziet er best lekker uit die pindakaas.)*°°° Met mijn vinger nam ik een flinke lik uit de pot en stopte die in mijn mond. °°°*(Hé, daar zit een stukje noot.)*°°° Die kreeg ik met mijn vinger niet uit de pot gepulkt. Dus ik liep naar het aanrecht om een mes te pakken. Ons aanrecht bevindt zich voor het keukenraam. Dan kan ik zo fijn naar buiten kijken als ik sta af te wassen. Omgekeerd kunnen anderen ook fijn bij ons naar binnen kijken. Maar daar dacht ik niet aan. Ik probeerde stukjes noot uit de pot te vissen. °°°*(Mmmm lekker ... Hé daar zit er nog één ... en nog één ...)*°°° Ik ging er volledig in op. Op een gegeven moment had ik een heel lekker pindastukje in het zicht en verlekkerd opende ik alvast mijn mond. En toen, pas op het moment dat ik het mes naar mijn wagenwijd geopende mond bracht, merkte ik dat er iemand voor mijn keukenraam stond. De piloot sloeg mij gade. Zijn mond hing ook open, maar dat zal meer van de verbazing geweest zijn, denk ik. En ik kleurde rood tot achter in mijn nek.

Dinsdag 17 april ●

Ik ben weer ongesteld geworden. Sinds ik erop ben gaan letten, is mij opgevallen dat ik menstrueer bij nieuwe maan. Er

is natuurlijk een verband tussen de standen van de maan en de menstruatiecyclus van de vrouw. Zoveel wist ik wel.
De maan beïnvloedt de stromingen van alle vloeistoffen, niet alleen van het zeewater maar ook van het menselijke lichaamsvocht, met in het bijzonder de vrouwelijke fluïditeit. Niet voor niets werd de menstruatiecyclus vroeger "maanstonde" genoemd. Een jaar kent dertien maanmaanden. Evenzoveel maanstonden heeft een vrouw.
Ik had er echter nooit zo bij stilgestaan in hoeverre mijn eigen vruchtbaarheidscyclus analoog loopt met de maanmaanden. Maar door meer te gaan leven met de getijden van de natuur, door het herontdekken van de seizoenen, en door te gaan letten op maanstanden en mijn eigen cyclus ontdekte ik dat er een enorme overeenkomst is tussen deze cycli. Bovendien is mij opgevallen dat al deze cycli een grote invloed hebben op mijn gemoedstoestand. En die wisselt nogal.

ⓘ Witte maancyclus
Volgens Annemarie Peters ovuleren vrouwen met een wittemaancyclus in de dagen rond nieuwe maan. Op het moment van nieuwe maan is de maan vanaf de aarde niet te zien. Daarom staat nieuwe maan voor de dood, voor een periode van afzondering en inkeer. Rond de menstruatie keert een vrouw zich ook meer naar binnen. De wittemaancyclus wordt ook wel de cyclus van de Goede Moeder genoemd. Daarbij wordt verwezen naar het archetype van Eva. Op het moment dat zij van de appel eet wordt zij zich bewust van haar vrouw-zijn en daarna verantwoordelijk voor de schepping. Volgens Maitreyi Piontek zijn vrouwen die menstrueren rond nieuwe maan veelal vrouwen die het oude loslaten om ruimte te maken voor nieuwe ideeën. Vrouwen met een wittemaancyclus gebruiken hun seksuele energie om te creëren. Zij horen bij de lichte zijde, de witte kant, van de maan. Volgens Annemarie Peters bestaat er ook een rodemaancyclus. De menstruatie vindt dan plaats bij volle maan.

Woensdag 18 april

Mijn stemmingswisselingen worden vooral beïnvloed door de verschillende fasen in mijn menstruatiecyclus. Door hiervoor meer aandacht te hebben, ben ik mij veel bewuster geworden van wat er binnen in mij gaande is. Ik heb gemerkt dat er iedere maanmaand een periode is dat ik mij heel lekker in mijn vel voel. Dan ben ik wat extravert en vind ik het leuk om activiteiten te ondernemen met andere mensen. Maar er is ook een tijd is dat ik het liefst in bed zou blijven liggen met de dekens ver over mijn hoofd. Dan ben ik een stuk introverter en kan ik mijn agenda maar beter niet te vol plannen. Dat is mijn, en al mijn zusters', natuurlijke bioritme. Ik weet dat. En meestal ben ik in de gelukkige gelegenheid dat ik hiermee rekening kan houden.
Maar ik ben niet alleen op de wereld. En alhoewel ongeveer de helft van mijn medemensen op aarde ook van het vrouwelijk geslacht is, heeft onze huidige maatschappij weinig tijd en aandacht voor de natuurlijke cyclus van een vrouw. Oh, er is wel tijd, hoor. Dat is de lineaire tijd. De tijd van de gregoriaanse kalender, waarbij een kalenderjaar uit twaalf maanden bestaat. Het nulpunt is vastgesteld bij de geboorte van Jezus Christus, die onze Verlosser heet te zijn. Vanaf het nulpunt gaat de tijd lopen, almaar door, in een rechte lijn. Niets herhaalt zich. Daar is geen tijd voor. Het einde raakt steeds verder van het begin verwijderd. Een vrouw steeds verder van haar kern.
Want het innerlijke leven van een vrouw is geen lineair gegeven. De belevingswereld van een vrouw verloopt cyclisch. En in een cyclus is wel tijd voor herhaling. Sterker nog, een cyclus is de tijd ván herhaling. Een cyclus herhaalt zichzelf. Ieder einde ontketent een nieuw begin. Er is tijd voor extraversie en er is tijd voor introversie. Steeds weer

opnieuw. Dat is de mandala, de magische cirkel, van het Leven.
Voor mij persoonlijk was het een enorme opluchting om te ontdekken dat alles zich kan herhalen. Als iets vandaag niet lukt, dan is mijn kans niet verkeken, dan is de tijd niet voorbij. De gelegenheid zal zich opnieuw voordoen. Een nieuwe ronde, nieuwe kansen. Dat onthaast. Aan de ratrace doe ik niet meer mee.

♫ *Opzij, opzij, opzij,*
maak plaats, maak plaats, maak plaats
Want wij zijn haast te laat,
Wij hebben maar een paar minuten tijd. ♫

(Herman van Veen - Opzij, opzij, opzij)

Donderdag 19 april

Mijn leven kent pieken en dalen. Helaas heeft onze patriarchale samenleving geen boodschap aan mijn dalen. Want in onze 24 uurseconomie gaat alles door. Alles moet doorgaan. Wij, mannen én vrouwen, hebben ons hieraan aangepast. Een vrouw, of zij nu carrière wil maken of niet, heeft weinig tijd en krijgt nauwelijks gelegenheid om zich gedurende haar menstruatiedalen in zichzelf terug te trekken.
En er is ook helemaal geen reden om zich te laten hinderen door haar lichamelijke "ongemakken". Ze hoeft de televisie maar aan te zetten of de maandverbanden met vleugels vliegen haar om de oren. Zij kan zich niet onttrekken aan deze reclameboodschap. En de boodschap is dat zij dóór moet. Haar menstruatie wordt weggestopt achter de supertampon. Haar

menstruatie die is er niet, die hoort er niet te zijn. Net zoals zweetluchten. Ook zoiets. Mannen mogen niet meer naar zweet ruiken. En vrouwen niet meer bloeden. We bloeden nog wel. Maar dat wil niemand meer weten.
Het negeren van het vrouw-zijn, dát lijkt mij pas werkelijke discriminatie van de vrouw. En vaak bekruipt mij het gevoel dat ook vrouwen hier zelf aan meedoen. De strijd voor gelijke rechten op de werkvloer wordt gevoerd door vrouwen die zich gediscrimineerd voelen ten opzichte van hun mannelijke collegae. Het lijkt mij niet meer dan eerlijk dat vrouwen in het arbeidsproces gelijk behandeld worden als mannen. Zo zou het moeten zijn. En als het niet zo is, dan waardeer ik de vrouwen die voor gelijke rechten opkomen.
Maar ik betreur het wanneer zij in hun strijd vergeten dat zij andere wezens zijn dan mannen. Vrouwen hebben andere kwaliteiten en andere behoeften. Is het eigenlijk geen discriminatoir gedrag wanneer geen gehoor gegeven wordt aan de introverte fase van de vrouwelijke menstruatiecyclus? Is het eigenlijk geen zelfverloochening wanneer een vrouw haar menstruatie met behulp van vliegende maandverbanden negeert?
Een echte man zweet. Net zoals een echte vrouw bloedt.

Zaterdag 21 april

In onze maatschappij bestaan vele vormen van discriminatie, seksisme, racisme, heteroseksisme. De dominante cultuur van het patriarchalisme heeft bepaald dat je in een sterkere positie verkeert wanneer je blank, heteroseksueel en liefst van het mannelijke geslacht bent. Langzamerhand zijn wij, diep van binnen, allemaal hierin gaan geloven. En op basis daarvan zijn

wij beoordelingen gaan maken, vooroordelen gaan krijgen en oordelen gaan vellen.
Ooit schijnen er volkeren bestaan te hebben waar de leiding in handen was van vrouwen. Dat waren vreedzame samenlevingen waar geleefd werd volgens de maankalender. Toen hadden de jaren nog dertien maanden. Voor vrouwen én voor mannen. Want die werden er gelijkwaardig geacht.

ⓘ Matriarchaat
Volgens Van Dale is een matriarchaat een maatschappelijk bestel waarin (gehuwde) vrouwen en met name moeders een overheersende rol hebben. Een matriarchaat zou het tegengestelde zijn van een patriarchaat.
Wikipedia zegt dat een matriarchaat een door vrouwen geschapen en vormgegeven maatschappij is waarin vrouwen weliswaar domineren maar niet heersen. In een matriarchaat vervullen vrouwen een leidinggevende rol op economisch, politiek en maatschappelijk gebied. Een matriarchaat kent een matrilineair verwantschapsysteem, hetgeen wil zeggen dat kinderen tot de stam van de moeder behoren, haar naam dragen en haar goederen erven. De leiding in een matriarchaat ligt meestal bij een oudere moederfiguur. Deze matriarch heeft de leiding over een groep personen die meestal van haarzelf afstammen. Omdat zij echter niet overheerst, kan zij niet gezien worden als het tegengestelde van een patriarch.

Zondag 22 april

In een matriarchale samenleving hadden de vrouwen een leidinggevende positie. De broers van de leidinggevende vrouw(en) fungeerden meer als bemiddelaars naar andere stammen toe. De kinderen bleven na hun geboorte bij hun moeder wonen. Zij werden daar niet alleen opgevoed door hun moeder, maar ook door haar moeder en haar zusters.
De enige mannen die een soort van vaderrol voor de kinderen belichaamden, waren de broers van de moeder want die bleven ook bij hun zuster wonen. De naam van de vrouw werd

aan haar kinderen doorgegeven en daardoor waren haar kinderen alleen aan haar verwant. Het was niet belangrijk om te weten wie de biologische vader was, want deze werd niet als familielid beschouwd. Vaak was het niet eens bekend wie de vader was.

Tegenwoordig weten we meestal wel wie de vader van onze kinderen is. En om alle eventuele twijfel weg te nemen, kregen kinderen lange tijd automatisch de naam van hun vader. *Die is van mij.* En vrouwen lange tijd automatisch de naam van hun echtgenoot. *Die is van mij.*

Toch lijkt het mij stug dat alle mannen in onze huidige samenleving enkel gericht zijn op macht en materieel, op prestatie en productie. Ik kan mij niet aan de indruk onttrekken dat steeds meer mensen op zoek zijn naar spirituele diepgang. Mannen zijn ook mensen.

Mannen kunnen ook heks worden. Ik noemde de voorganger van mijn studiegroepje slechts gekscherend Tita Tovenaar. Hij is gewoon een heks, een pagan of een natuurmagiër. In ieder geval iemand die waarde hecht aan de natuurfilosofie.

De natuurfilosofie vindt haar eerste wortels onder andere ook in samenlevingsvormen die uitgingen van een matriarchaat. Daar was de Godin de eerste onder de gelijken. In een patriarchale samenleving komt geloof in een Godin niet zo goed uit. Tegenwoordig kunnen we het ons niet meer veroorloven om Moeder Aarde als heilig te beschouwen. Want dan zouden we haar niet meer kunnen exploiteren en vervuilen. Voor de patriarchale machthebbers was het handiger om een God, die hoog in de hemel zit, te aanbidden.

In de natuurfilosofische stromingen, de aardevererende tradities, bestaat ook een God. Het is de Gehoornde God. Door het christendom werd hij gebrandmerkt als de duivel. Maar de Gehoornde God is alles behalve de duivel.

De Gehoornde God is niet de baas. En de Gehoornde God onderdrukt niemand. Want de meeste natuurfilosofische stromingen proberen niet dogmatisch te zijn. Het is niet de bedoeling klakkeloos een bepaalde geloofsleer te gaan volgen. Er wordt juist geprobeerd een aanzet te geven tot het zelf gaan voelen, het zelf gaan ondervinden en het zelf beleven. Mannen hoeven niet te voldoen aan een imago van superioriteit. Mannen mogen zichzelf zijn, natuurlijk wijs en natuurlijk wild.

Dinsdag 24 april ☽

De Godinnentraditie is een non-hiërarchisch geloof. In de Godinnentraditie hoort iedereen gewaardeerd te worden om wie hij of zij is. Iedereen heeft er een eigen kernwaarde. Alle kernwaarden verschillen van elkaar, er is er niet één dezelfde als een andere, maar zij zijn gelijk. Omdat ieders kernwaarde door anderen herkend en erkend wordt, vervalt de behoefte om de eigen kernwaarde te bevechten, te bewijzen of te behalen.
De afgelopen jaren is het mij aardig gelukt om steeds meer in contact te komen met mijn eigen kernwaarde. En het is fijn om meer mijzelf te kunnen zijn. Toch probeer ik, in bepaalde situaties, nog steeds indruk te maken op anderen. Het komt nog steeds voor dat ik mij, in andere situaties, niet goed genoeg voel. En met mij zijn er zovelen. Iedere dag ontmoet ik vrouwen én mannen die bang zijn voor kritiek of falen. Tijdens de mandalatekenlessen zie ik mensen die hun eigen prachtige creativiteit niet durven tonen en op het schoolplein spreek ik lieve ouders die menen dat zij falen in de opvoeding van hun kinderen. En iedere dag weer worden

ook daadwerkelijk velen van ons afgewezen door anderen. Zo zit het patriarchalisme in elkaar: beoordelingen maken, vooroordelen vormen en oordelen vellen.
Om onze maatschappij te kunnen veranderen in een gelijkwaardigere leefgemeenschap denk ik dat het nodig is om eerst eens in onszelf te kijken. Misschien herkennen we eigen beoordelingen, vooroordelen en oordelen als mogelijk discriminerend. Misschien moet ik daar ook maar eens mee beginnen. Bij mijzelf. Als ik wil dat mijn kernwaarde herkend en erkend wordt door anderen moet ik toch op zijn minst beginnen met het herkennen en erkennen van de kernwaarde van mijzelf. En van anderen.

Donderdag 26 april

Vandaag kwam Mark thuis van zijn werk met een leuke vraag: 'Hoe denk je eigenlijk dat het komt dat een man en een vrouw samen in één bed slapen?' Hij had het antwoord in de krant gelezen. Ik wist het niet. Maar ik weet wel dat ik het altijd heel verwonderlijk heb gevonden dat een man en een vrouw zo gauw zij gaan samenwonen zo nodig en per se in één bed moeten gaan liggen snurken. Ik heb daar erg aan moeten wennen. Aan zijn gesnurk. En aan mijn gebrek aan privacy. Ik vind het ook nog steeds heerlijk om zo af en toe eens een keer lekker vroeg naar bed te gaan. Alleen, wel te verstaan.
Het antwoord luidde dat wij in onze westerse wereld op een gegeven moment in de geschiedenis te klein behuisd werden om nog gescheiden te kunnen slapen. Vroeger was het juist een teken van welstand en rijkdom wanneer men het zich kon veroorloven aparte slaapkamers te hebben. Wij zijn dus

eigenlijk uit armoe maar bij elkaar gekropen en nu vindt iedereen dat de normaalste zaak van de wereld. Alleen ik niet. Maar ja, wie ben ik? Ik ben de dorpsgek.
Wie schetst mijn verbazing dat dit krantenartikel mijn idee bekrachtigde. Want, zo vertelde Mark, er werd ook geschreven dat hierdoor de ouderwetse romantiek tussen echtelieden eigenlijk wel een beetje in de vergetelheid was geraakt. °°°*(Hé, dat was mijn idee!)*°°° Dus retourtje courtoisie?
Ik wil mijn boudoir terug!

Vrijdag 27 april

De piloot is weer geland. Ik heb gisteren even met hem gepraat. Ik zag hem op zijn oprit staan. En hij zag mij ook. Ik ben naar hem toe gelopen. Dat leken wij beiden heel vanzelfsprekend te vinden. Pas toen ik ongeveer een meter bij hem vandaan was, stopten mijn benen. Hij lachte naar mij. Ik vroeg hem toestemming om zijn zoon mee uit zwemmen te mogen nemen. Hij gaf niet meteen antwoord. Hij dacht erover na. En hij keek mij aan. En ik keek naar hem. Beiden zeiden wij geen woord. Dat zou overbodig geweest zijn. Onze ogen spraken voor zich. En een paar seconden stond de wereld stil.

♫ *Is the world still spinning around*
It's in your eyes, I don't feel like coming down
I can tell what you're thinking
My heart is sinking too ♫

(Kylie Minogue - In your eyes)

De aarde begon weer aan haar omwentelingen op het moment dat de pilotenvrouw naar buiten kwam en ons vragend aankeek. De betovering was verbroken.

Zaterdag 28 april

Gisteravond voor het slapen gaan, bedacht ik hoe leuk het zou zijn als de piloot met mij mee naar het zwembad zou gaan.
°°°*(Beiden hebben wij niet veel kleren om het lijf. Hij is onder de indruk van mijn zwemcapaciteiten, ik van zijn lichaam in zwembroek. We stoeien met de kinderen in het water. Wij raken elkaar aan, onder water. Eerst gebeurt het toevallig en nog onopvallend. Totdat de kinderen willen dat wij onze spierkracht meten. Een worstelwedstrijdje wie de ander het eerst kopje-onder heeft. Ik durf die uitdaging aan. Ik ben goed getraind en zelfs een blauwe maandag badjuf geweest. Maar hij is sterker en piloot. Hij duwt mij met gemak naar de bodem van het zwembad. Ik krijg geen lucht. Hij beneemt mij de adem. Als hij op de bodem van het zwembad zijn lippen op de mijne drukt.)*°°°
Ik ben gewoon alleen naar het zwembad gegaan. Slechts één moment is mij de adem ontnomen. Dat was toen Sem bommetje deed en bovenop mijn nek terechtkwam.

Zondag 29 april

Poes leert de kittens lopen. Ze hijst ze in haar bek uit de kledingkast van mijn dochter. Dan dumpt ze hen ergens op de grond en gaat zelf een stukje verderop liggen. Vervolgens zet zij haar lokroep in. De kittens piepen dan alsof hun leven

ervan afhangt. En omdat het dat in werkelijkheid ook doet, gaan ze op zoek naar hun moeder. Ze strompelen een beetje voort. Want ze weten nog niet goed hoe het moet. Ze proberen maar wat. Zo leren ze lopen. Het is zo simpel.
Ik zou willen dat het zo simpel was. In de situatie met de piloot voel ik mij als een kitten die leert lopen. Ik strompel voort. Ik weet nog niet goed hoe het moet. Ik probeer maar wat. Uiteindelijk zal ook ik wel leren lopen.

Maandag 30 april   Koninginnedag

Vandaag viert onze koningin haar verjaardag. Zij is helemaal niet jarig. Haar moeder is jarig.
Maar dat doet er nu even niet toe. Ik worstel met de vraag of onze koningin een matriarch is.

HOOFDSTUK 3

Beltane,

vuur uit het zuiden.

Maandag 30 april Beltane

Het wordt steeds mooier buiten. Als ik door de lange lindelaan naar de buurtsuper fiets, kan ik de blaadjes aan de bomen alweer heel zachtjes horen ruisen. Bijna doorzichtig zijn ze nog, die tere blaadjes. Aan het einde van de laan, zwaaien dan steevast "de twee oude mensjes" naar mij wanneer ik hun huisje nader. Hun buitenseizoen is weer begonnen. En ze zijn vol levenslust.
In onze tuin fluiten vogels hele concerten en begint de beukenhaag weer groen te worden. Die kleur van dat prille groen is niet te evenaren, nooit na te maken met verf of potlood.
Onlangs heb ik weer asperges gegeten. Ik proefde de aarde van de zomer.
En vandaag rook ik ook de meidoorn. Haar sterk geurende bloemen halen mij altijd even terug naar het kerkhof waar mijn vader begraven ligt. Daar tierden de meidoornstruiken welig in dat eerste voorjaar na zijn dood. Toch stemt de geur mij niet droef. Nu niet en toen ook niet. Want de meidoorn ruikt naar hoop en vertrouwen.

Dinsdag 1 mei

Gisteravond heb ik het begin van de zomer met een rite gevierd. Eerder op de dag had ik daarvoor buiten al naar een stok gezocht. Voor een heks is het uitgesloten om een tak van een boom af te snijden. Zij mag de natuur geen schade berokkenen. Maar eigenlijk vind ik dat niemand dat zou moeten doen, heks of geen heks.
Ook had ik wat pastelgekleurde linten, die nog nooit ergens voor gebruikt waren, verzameld. Deze linten heb ik om de stok

gevlochten. Uiteraard ná het aanroepen van de Godheden en de elementen.
Ik dacht na over welke wensen ik koester (kwam ik toch weer bij de piloot) en hoe ik deze tot bloei en rijping zou kunnen laten komen. Ik stelde mij voor dat mijn wens in mijn baarmoeder tot leven kwam.

...zoals een vrouw kan baren en koesteren
moge ik ontvangen en scheppen
zoals een zuigeling ter aarde komt
moge mijn wens het levenslicht aanschouwen...

ⓘ Beltane

Beltane, Beltain, Beltaine of Bealtuinnis is het feest dat het begin van de zomer markeert en vindt plaats in de nacht van 30 april op 1 mei. Bij de Kelten konden feesten vanaf het vallen van de avond gevierd worden omdat bij hen de schemering het begin van de nieuwe dag betekende. Beltane is een vruchtbaarheidsfeest dat in het teken staat van bloei en bevruchting, van licht en leven. Beltane is ook een feest van liefde, begeerte en vereniging. Lang geleden trokken onze voorouders op deze avond het bos in om de liefde te bedrijven met degene die zij voor het komende jaar hadden gekozen om mee samen te zijn. Ook ontstaken zij Beltanevuren die nieuwe groei maar ook heling en zuivering symboliseerden. Deze "woudhuwelijken" of beltaneriten werden door het christendom verboden. Ze werden nog wel op symbolische wijze nagespeeld door gekleurde linten in elkaar en rond een boom te wikkelen. De boom stond symbool voor het mannelijke (de fallus) en de linten voor het vrouwelijke (de vulva). In Duitsland wordt op Walpurgisnacht, en in Zweden en Finland tijdens het Midsommarfestival, nog steeds rond een versierde meiboom gedanst.
Heden ten dage zou Beltane gevierd kunnen worden door in je eigen leven te zoeken naar twee tegengestelde projecten die met elkaar verenigd zouden kunnen worden teneinde een beter resultaat te verkrijgen. Beltane is de tijd waarin je jouw creativiteit en nieuwe ideeën kunt vormgeven.

ⓘ Godin en God

Met Beltane wordt de vereniging gevierd tussen de Godin en de God. Als Moeder Aarde en de Zon zijn zij het symbool van het vrouwelijke en het mannelijke, twee tegengestelden, die samen al het Leven creëren.
De verbintenis tussen de Godin en de God zou je "trouwen" kunnen noemen. Maar daar de Godin niet christelijk is, kan zij niet echt trouwen. De Godin en de God worden wél als partners in de liefde met elkaar verbonden.
De Godin is nu een jonge vrouw. Ze is als een bruid met bloemen versierd. Ze heet Diana, Flora, Freya, Dana of Belisama. De God is een jonge man, die straalt als de Zon. Hij heet Belenos of Freyr. In oude volksverhalen wordt verteld dat de jonge Godin op de vooravond van 1 mei in een wit hert verandert. De jonge God is een jager. Hij moet het hert het bos in volgen om haar te vangen. Als de jager het hert te pakken krijgt, verandert zij in een mooie jonge vrouw. Als Godin en God zich verenigen, wordt ook God herboren én de wereld opnieuw geschapen.

Woensdag 2 mei ○

Ik kon weer niet slapen natuurlijk. Tegen het ochtendgloren ben ik naar buiten gegaan. Ik wilde graag zien hoe de zon opkwam. Ik ging achterin in de tuin aan de slootkant zitten. Er hing een nevel over het water. Dat deed mij denken aan Avalon en aan de Godin. Ik droomde een beetje weg. °°°*(Stel je voor dat de Vrouwe van het Meer ineens uit het water zou opduiken.)*°°° Waarschijnlijk zou ik me kapot schrikken.
Zo vroeg in de ochtend was het nog heel stil buiten. Maar ineens klonk rechts van mij aan de overkant van de sloot een luid gespetter in het water. Ik kon niet zien wat het was dat het geluid veroorzaakte, maar het klonk alsof iemand zich aan het wassen was. Het gespetter verplaatste zich meer richting de plek waar ik zat, maar ik kon niets zien bewegen. Ook het wateroppervlak bleef rimpelloos. Hetgeen zo spetterde was vlak voor mijn neus, maar ik zag het niet. En zo dik was de mist nou ook weer niet.
En toen ik wél iets zag bewegen, kwam dat van de verkeerde

kant. Van links kwam een witte schim aangezoefd, onhoorbaar en half boven water en half eronder. Het had de contouren van een eendje. Maar het was geen eend. Daarvoor was het veel te klein. Het was ook geen vis. Want die zwemmen niet boven water. De schim verplaatste zich van links naar rechts totdat zij buiten mijn gezichtsveld verdwenen was. In diezelfde tijd verplaatste het gespetter zich steeds verder naar links tot ik het niet meer kon horen.
Het was weer stil. En toen kwam, in haar constante tempo, de doorzichtige schim van rechts weer teruggezoefd. *What the heck* was dat nou?

ⓘ **Avalon**
Wikipedia: in de sage over koning Arthur is Avalon een eiland in Groot-Brittannië dat in mist verborgen ligt. Het is alleen bereikbaar voor diegenen die een magische boot weten op te roepen die hen naar het eiland kan overbrengen. Het verhaal vertelt dat koning Arthur door zijn halfzuster Morgaine le Fay (de Vrouwe van het Meer) naar dit eiland is gebracht na zijn verwonding in de Slag van Camlann.
In het boek "De nevelen van Avalon" van Marion Zimmer Bradley is Avalon een eiland van grote schoonheid. Naarmate het christendom steeds meer grip krijgt op de bevolking wordt de mist rondom het eiland dichter en raakt het verder van de mensheid verwijderd.

Donderdag 3 mei

Vanmiddag heb ik mijn eerste loten in de moestuin uitgeplant. De weersvoorspellingen zijn zeer gunstig. De moestuin is er klaar voor. En de kleine plantjes spinazie, kropsla en rucola ook. Voor de tomatenplanten, die weliswaar al ook behoorlijk groot zijn, is het nog te koud. Toch heb ik hen van de zolder naar buiten verhuisd. Naast mijn moestuin staat sinds kort namelijk ook een grote platte bak die afgedekt kan worden met

een glazen plaat. Die heeft Mark voor mij gemaakt. Ik ben er heel blij mee, want nu kon ik eerder beginnen met het zaaien van radijsjes en worteltjes.
Daarnaast ben ik gestart met een ander agrarisch experiment. Ik heb een oude kist tot aan de rand gevuld met potgrond en er twee aardappels in begraven. Ik ben benieuwd wat daar uitkomt. Het ziet er wel een beetje raar uit, zo'n kist met aarde op je terras. Daarom heb ik er ook maar wat Oost-Indische kers in gezaaid. Dat schijnt snel op te komen, staat leuk en de bloemen en bladeren zijn bovendien ook eetbaar.
Ik maak er een beetje een sport van om ook buiten het moestuingedeelte de tuin op te vullen met bloemen en planten die mooi zijn om naar te kijken maar vooral ook lekker om te eten. Zo staan er madeliefjes in het gras, bessenstruiken tegen de hagen en eetbare kruiden tussen de bloemen in de border. Lege manden en potten vul ik op met aubergine-, courgette- of paprikaplanten. En langs de waterkant heb ik waterkers gezaaid. Dat kun je ook eten.
Het was heerlijk om weer eens lekker met mijn handen in de grond te kunnen wroeten.

De losse aarde
glijdt door mijn vingers.
Haar leven
glijdt door mij.
En heelt mijn geest.

Vrijdag 4 mei Dodenherdenking

Een poosje geleden ben ik ook begonnen met de aanleg van een composthoop. Ik wil ons eigen organische afval graag herge-

bruiken. In naleving van mijn geloof in de kringloop van het leven, lijkt mij dat toch het minste wat ik kan doen.
In een besloten hoekje van de tuin gooide ik al ons organische huis-, tuin- en keukenafval op een berg. De hoop werd steeds groter maar resulteerde natuurlijk niet in de productie van bemeste tuinaarde. Het werd wel een hoop, en het stonk. Maar het was zogezegd niet mijn eigen stinkende hoop! Het gaat zelfs mij te ver om zelf buiten op een bergje te gaan zitten poepen. Bovendien schijnt kippenstront ook heel behulpzaam te composteren. Tenminste als je het eerst laat drogen.
Mark timmert nu een hok en ik zal daarna zorgen voor de kippen. En vandaag is een compostvat geleverd. Ik heb mijzelf wijsgemaakt dat het uit plastic vervaardigde vat, dat ons door onze gemeente gratis ter beschikking gesteld wordt, vast biologisch afbreekbaar is.
Vanavond na het eten heeft Mark het vat geïnstalleerd en ik de berg afval erin gedumpt. Daarna ben ik het dode bruine blad van de beukenhaag bij elkaar gaan harken en heb dat ook in het vat gegooid. Nét op tijd voor de dodenherdenking was ik klaar. Via de openstaande tuindeuren kon ik op de televisie de trompetten op de Dam horen schallen.
Mij trof de symboliek. Zoals de mensheid er telkens weer in slaagde om op de oorlogsruïnes nieuw en vruchtbaar leven te bouwen, hoop ik dat het dode plantaardige en dierlijke afval in mijn compostvat nieuwe en vruchtbare aarde zal voortbrengen.
In stilte dankte ik de overledenen die voor ons streden.

Zaterdag 5 mei Bevrijdingsdag

Vandaag gedachten wij de dag van de nationale bevrijding van

de overheersing van de Duitsers tijdens de Tweede Wereldoorlog.
Ik gedacht mijn vader, die tijdens zijn leven nooit meer zo'n lekker ijsje geproefd heeft als het ijsje dat hij als achtjarig jongetje op Bevrijdingsdag kreeg.
Ik vroeg mij af hoe "vrij" wij heden ten dage eigenlijk zijn. Er zijn zo veel regels in onze huidige maatschappij. Ik vóél mij niet zo vrij. Ik ben getrouwd. En ik heb zin in een lekker ijsje.

Zondag 6 mei

Soms voel ik mij gevangen in dit instituut dat huwelijk heet. °°°*(Zou zij dat nou ook hebben?)*°°°, denk ik dan als ik de buurvrouw tegenkom op straat, °°°*(En zij?)*°°°, als ik in de supermarkt loop. Of als ik al die moeders op het schoolplein zie. °°°*(En zij? En zij?)*°°° Maar ik vraag het niet.
Ik vraag het wel aan mijzelf. Waarom ben ik eigenlijk getrouwd? Het ging me niet om de witte bruidsjapon, want die had ik niet aan. Ik sta niet bekend als een notoire feestganger, dus om een feestje was het mij ook beslist niet te doen. Wat was voor mij dan toch de toegevoegde waarde?
Overigens ben ik beslist niet tegen het huwelijk, hoor. Ik ben Kristin Armstrong niet. Volgens haar is het huwelijk de grootste samenzwering van de moderne geschiedenis. Het is al een hele poos geleden dat ik mevrouw Armstrong in de Oprah Winfrey Show zag. Sinds mijn burn-out kijk ik eigenlijk geen televisie meer. Te veel prikkels. Maar destijds vertelde de voormalige echtgenote van wielrenner Lance Armstrong "the truth about her marriage".
Zij vond dat zij zichzelf in haar huwelijk helemaal kwijtgeraakt was. Zij had zich helemaal opgeofferd en volledig in dienst ge-

steld van het huwelijk en het gezinsleven. Daar gaf zij Lance trouwens niet de schuld van. Zij had het uit eigen beweging gedaan, met als doel de perfecte echtgenote en moeder te zijn. Niemand had haar daarvoor behoed of van weerhouden. Kristin had het als haar taak opgevat om dat nu wel te doen bij andere potentiële huwelijkskandidaten. Zij had een pamflet uitgebracht waarmee zij andere vrouwen wilde waarschuwen om in hun huwelijk niet ook hun eigen identiteit te verliezen. Daarom was zij te gast in de Oprah Winfrey Show.
Er valt wel wat voor Kristins actie te zeggen. In mijn huwelijkse beginjaren had ik ook wel wat aan dat advies gehad. Ook ik ben destijds in die valkuil gedonderd en heb hard mijn best moeten doen om weer een beetje meer mijzelf te worden.
Kristins beweegredenen kan ik wel begrijpen. Ik vraag mij alleen af waarom zij nog altijd Armstrong heet.

Maandag 7 mei

Kristin Armstrong is christen. It's all in the name. En ik heb nog steeds de mijne!
Mijn eigen meisjesnaam.

Dinsdag 8 mei

Ik lees Kluun. Althans zijn boek "Komt een vrouw bij de dokter". De hoofdpersoon is monofoob. Ik heb opgezocht wat dat betekent. Maar Van Dales Groot Woordenboek der Nederlandse Taal kent dat woord niet. Het woord monofobie wordt wel uitgelegd. Dat betekent: de pathologische angst om alleen te zijn.

Maar volgens mij bedoelt Kluun iets anders. Misschien is hij ook wel bang om alleen te zijn, maar ik dacht vooral uit het boek te halen dat het hem nog meer gaat om de angst zijn leven lang monogaam te moeten blijven. In dat geval zou monofoob kunnen betekenen: Angst voor monogamie.°°°*(Aaaahh jakkie, ben ik ook monofoob?!)*°°° Ik ben nooit dolenthousiast geweest over trouwen en bruiloften en zo.

Ik ben wel dolenthousiast over mijn man. Ik hoop dat wij in dit leven samen gezond de tachtig halen. Echter de laatste tijd krijg ik het reuze benauwd als ik eraan denk dat hij, vanaf heden bezien, nog ruim veertig jaar mijn enige bedpartner zal zijn. Ik vind het zonde. Ik ben een leuke dame. Zolang er geen "Miss Wet"-verkiezingen gehouden worden en ik mijn push-up beha aan mag laten, vind ik dat ik er nog best mag wezen. Is mijn eigen echtgenoot dan de enige die ik daarvan mag laten genieten? Er zijn zo veel leuke mannen van mijn leeftijd. Vaak zijn zij getrouwd. Maar mag ik daarom dan niet meer van hen genieten? Wie heeft er in godsnaam bedacht dat de beschaafde mens monogaam moet zijn en blijven? Ha, volgens mij ligt het antwoord al meteen in deze vraagstelling besloten. In godsnaam, dat zegt het al. Het kan toch niet in de naam van de Godin bedacht zijn?

Ten tijde van de priesteressen van Avalon, toen men nog geloofde in de Grote Godin, kan er weinig sprake geweest zijn van monogamie. Priesteressen verbonden zich aan geen enkele man, maar zij stierven ook lang niet allemaal als maagd! Sterker nog, van de hoge priesteres werd verwacht dat zij voor nakomelingen zorgde. Vrouwelijke nakomelingen wel te verstaan. Seksualiteit werd gezien als de bron van de schepping, niet als iets verdorvens en slechts. Maar het oude geloof van de priesteressen en druïden werd verdrongen door het christendom. En het christendom verzon het heilige huwelijk tussen man en vrouw. Hij hoort bij haar. En zij ís ván hem.

ⓘ Monogamie
Monogamie is een huwelijk van één man met één vrouw. Dit is een moderne vorm van een relatie tussen man en vrouw. Een monogame verbintenis en monogaam leven past in een samenleving waarbij belangrijk gevonden wordt wie de vader van de kinderen is.

Donderdag 10 mei ☾

In de oude matriarchale samenlevingen vonden ook geen huwelijksvoltrekkingen plaats. Er werden wel verbintenissen gesloten, maar die waren vaak van tijdelijke aard. En in sommige gevallen was het doel afspraken te maken over bijvoorbeeld de verdeling van een stuk land.
Omdat er geen verbintenissen waren tussen enkel één vrouw met één man, maar er wel degelijk kinderen geboren werden, moet men toch wel regelmatig met elkaar de bosjes in gedoken zijn. En, behalve met eigen broers en verwante broers van de moeder, kon de liefde bedreven worden met iedereen. Deze manier van samenleven en samenzijn is ondenkbaar binnen onze huidige maatschappij. Het lijkt logisch dat er destijds sprake is geweest van totaal andere opvattingen over seks en erotiek.
Seksuele gemeenschap werd gezien als een eerbetoon aan de Godin. Het was een ritueel waarbij de vrouwelijke Aarde en de mannelijke Zon verenigd werden met als doel nieuw leven te scheppen. Het had niets te maken met het je verbinden met één enkele partner. Er werd ook niemand het bezit van een ander. Logischerwijs volgt hieruit dat mensen toentertijd weinig last gehad moeten hebben van jaloezie. Want als men elkaar geregeld uit jaloezie de harses zou hebben ingeslagen, dan was het snel afgelopen geweest met de voortplanting.
Het kan bijna niet anders of onze huidige normen en waarden

ten aanzien van seksualiteit zijn door de patriarchale religies sterk beïnvloed. Deze religies hebben ons de seksualiteit tegen gemaakt en het vrouwelijke onderdrukt. En dat geldt niet alleen voor de werkelijk belijdend religieuzen. Het geldt eigenlijk voor iedereen die leeft binnen een patriarchale cultuur. En in deze westerse wereld zijn wij dat allemaal.

Zaterdag 12 mei

Vandaag kwam Mark weer thuis van zijn werk met een goede vraag. Hij had in de krant gelezen over een wetenschappelijk onderzoek naar de tevredenheid van de Nederlandse vrouwen over de bedprestaties van hun partners. Het merendeel was wel tevreden over de kwaliteit. Maar ook verreweg het merendeel was niet te tevreden over de kwantiteit.
Mark wilde weten hoe dat eigenlijk met mij zat. Hij, op zijn beurt, was in ieder geval te allen tijde bereid de frequentie ietwat op te voeren.
Ik antwoordde: 'Er is niets mis met de kwaliteit, en ik ben tevreden over de kwantiteit.'
Ik dacht °°°*(Het zit 'm meer in de diversiteit.)*°°° En ik luisterde naar mijn mp3.

♫ *What you never know won't hurt you*
What you never know won't lie
What you never know won't make you cry
What you'll never know unless you try ♫

(Sara Brightman - What you never know)

Zondag 13 mei   Moederdag

Persoonlijk heb ik niet zo veel met Moederdag. Het is een feestdag die ik meer onder de orde van de door de commercie bedachte feestdagen schaar. Ik vier mijn eigen Moederdagen liever op de dag dat mijn eerstgeboren kind verjaart. Toch was het leuk dat Nonna er zelf aan gedacht had om een doosje bonbons voor mij te kopen. Aan Sem was de hele hype wederom ontgaan. Gisteravond, toen Mark aan Sem had gevraagd of hij nog iets voor Moederdag gemaakt of gekocht had, was Sem van kleur verschoten. ‘Uh, jaaahh ... Ik uuuh heb een heel speciale kus!’, zei hij. En die kreeg ik dus vanochtend. Zacht en lief. Voor Sem daadwerkelijk heel bijzonder, want met aandacht voor mij.
Sem is een kind van zijn moeder. En ik was de mijne ook vergeten. Dat wil zeggen mijn biologische moeder. Vanwege de natuurfilosofie ben ik gewoon Moeder Aarde te eren. En dat doe ik elke dag. De moeder die mij door haar lichaam gebaard heeft, krijgt van mij geregeld een bloemetje of een kaartje. Zacht en lief. Met mijn aandacht voor haar.

Maandag 14 mei

Als ik het goed bijgehouden heb, vliegt de piloot morgen weer in. Mijn verlangen hem weer te zien is groot. Dat merk ik aan de manier waarop mijn baarmoeder samentrekt en een warm gevoel zich door mijn onderbuik verspreidt. Als ik aan hem denk.
Maar het kan ook komen omdat ik weer ongesteld moet worden. “Ongesteld”, dat is eigenlijk ook maar een raar woord. Lang geleden betekende “ongesteld zijn” niets anders

dan “lichamelijk niet volkomen in orde” of “in lichte mate ziek” zijn. Later werd het een eufemisme voor een vrouw tijdens haar maandstonden. Maar een vrouw tijdens haar maandstonden is normaliter niet ziek. Integendeel, zij is kerngezond. Je kunt je dus afvragen in hoeverre “ongesteld” eigenlijk een eufemisme is. De Engelsen hebben het mooier opgelost met ‘*I have my period*’. Net als de Fransen met ‘*J’ai mes règles*’, en de Duitsers met ‘*Ich habe meine Tage*’. Wat zouden onze Belgische buren zeggen? En wat kan ik er zelf van maken?
Heel vaak denk ik nog terug aan die keer dat ik met een aantal vriendinnetjes aan het tienertoeren was. We waren een jaar of veertien, misschien vijftien. Een van ons menstrueerde tijdens deze dagen. Dat was balen. Temeer omdat het mooi weer was en wij ook een dagje naar het Scheveningse strand gingen. Zij durfde de zee niet in want ze was immers ongesteld. Van een tampon hadden wij heus wel gehoord. Echter, zelfs de allerkleinste minitampon kregen wij destijds onze maagdelijke schede nog niet ingeschoven. Maar de trein was zó warm. En de zee zó aanlokkelijk. Mijn vriendinnetje waagde het erop te gaan zwemmen met een maandverband in haar bikinibroekje.
Dat ging best. Er waren leuke jongens van onze leeftijd in de buurt. En wij lachten en lonkten er lustig op los. Zoals giechelgeiten van veertien, misschien vijftien, dat doen. Een van ons begon een verhaal over haaien. Een ander over kwallen. Opeens gilde mijn vriendinnetje verschrikt ‘Ieieieiek! Er zit een kwal in mijn broek!’ Met een gezicht bleek van angst, trok zij onder water haar bikinibroekje naar beneden, haalde de kwal eruit en gooide het ding een eind verder het water in. En zo zeilde op die zonnige zondag in de zoute zee … mijn naïeve vriendinnetjes damesverband.

Woensdag 16 mei ●

De vriendinnetjes van toen, die ben ik uit het oog verloren. En er zijn er sinds die tijd nog wel meer gekomen. En ook weer gegaan. Ik ben ervan overtuigd dat zij in mijn leven kwamen met een speciale reden. Door hen heeft het Leven mij een aantal belangrijke levenslessen kunnen leren.
De vrouwen van wie ik in deze fase van mijn leven het meest leer en die mij het meest na staan, ken ik al heel erg lang. Maar in dit leven gaan wij nog niet zo lang met elkaar om. De echte namen van mijn zielsverwanten kan ik niet prijsgeven, want zij maakten deel uit van het geheime studiegroepje. Ook al is het studiegroepje ontbonden, de geheimhoudingsplicht blijft bestaan. Beide vrouwen dragen in het Echte Leven namen die doen denken aan godinnen en sabbatten. En mijn vriendinnen doen hun namen eer aan. Daarom doop ik hen hier nu Bride en Yule (spreek uit Briede en Joele).

> ⓘ **Bride**
> Bride is een van de vele namen van de Godin. Zij vertegenwoordigt de Godin in haar fase van jonkvrouw. Deze fase staat voor bekoring en Bride is dan ook een jong maagdelijk meisje dat aan het begin van het ontluiken staat. Als Bride (ook wel Brigit of Bridget) herrijst uit de diepten van de aarde, doet zij de natuur ontwaken. En dan ook kruipt de beer uit zijn hol. Dit is de jonge wilde zonnegod die nog in een berenvel verborgen is.
> Velen ervaren in de lenteperiode van het jaar tegenwoordig nog steeds nieuwe inspiratie. Net als Bride maken wij dan plannen en dromen. Daarom is Bride de godin van de dichtkunst, vruchtbaarheid en de kruidengeneeskunst.

> ⓘ **Yule**
> Yule of Jule is de heksensabbat die met de winterzonnewende tussen 20 en 23 december gevierd wordt. Zie ook Hoofdstuk 8.

Donderdag 17 mei   Hemelvaartsdag

> ⓘ **Hemelvaartsdag**
> Volgens Wikipedia is Hemelvaartsdag de feestdag waarop de christenen vieren dat Jezus Christus na zijn kruisiging en wederopstanding ten hemel gevaren is. Vroeger wilde de traditie dat men voor dag en dauw opstond om zingend met de blote voeten in het gras te gaan rondlopen. Men geloofde dat dit ritueel magisch en genezend zou kunnen werken. Tegenwoordig noemen we dat dauwtrappen.

Ik ging ook dauwtrappen. Met twee gelijkgestemde zielen ben ik vanochtend in alle vroegte naar een bos nabij ons dorpje gereden. Daar maakten wij kennis met de dame die ons, en een aantal ons onbekende lieden, de kunst van het "wichelroeden lopen" zou gaan bijbrengen.
Zij vertelde ons dat wichelroeden gesneden kunnen worden van takken van de hazelaarboom.
Maar omdat takken snel uitdrogen, kregen wij van haar allemaal een roede van verenstaal. Dat zat bij de prijs inbegrepen. De prijs voor haar uitleg en tijd was billijk. En de wichelroedenjuf was aardig.
De wichelroeden werden uitgedeeld om in onze handen te gaan fungeren als een antenne, die zou kunnen uitslaan op plaatsen waar een spanningsverschil in het magnetische veld van de aarde waar te nemen is. De roeden kunnen ook uitslaan bij de trilling van iets of van iemand. Onze eerste opdracht was uit te vinden hoe de roeden zouden uitslaan als wij hen vroegen om ons individuele bevestigings- en ontkenningsteken. Daarvoor stonden wij in een kring met onze ruggen naar elkaar toe en vroegen de roeden letterlijk: 'Wat is mijn ja? En wat is mijn nee?'
Dat lukte bij mij niet. Bij ieder ander wel. Die vraag stellen, en plein public, ging mij al niet makkelijk af. Maar de stokken deden ook niks. Het schijnt belangrijk te zijn dat tijdens het roede lopen het hoofd helemaal leeg is. En het lichaam

stevig met beide benen op de grond. Meestal is dat bij mij andersom. Mijn hoofd is altijd vol en mijn voeten voelen zelden de vloer. De wichelroedenjuf hielp mij te "aarden". En toen draaide mijn rechterroede helemaal naar rechts over mijn schouder heen naar achteren. De linkerroede bleef eigenwijs naar voren wijzen. Volgens juf had ik nu mijn "ja" gekregen. Bij "nee" kwam er ook beweging in de linkerroede en draaide de rechterroede zich weer terug totdat zij elkaar voor mijn neus kruisten. De roeden bewogen. Ik niet. Het deed mij denken aan "glaasje draaien" wat ik weleens gedaan heb toen ik een tiener was en in de veronderstelling verkeerde dat dát leuk was.
Toen mijn roeden besloten hadden ook gezellig mee te doen, konden we het bos in. Daar leerde de wichelroedenjuf ons hoe we aan de bomen konden vragen of hun energie goed voor ons was. Of wellicht niet. En warempel, ík kon dat ook. Alleen daar waar voor alle anderen de energie goed was, was hij voor mij slecht en vice versa. 'Ooh', zei de juf. 'Jij gaat vandaag vast wel een deva zien.'
Ik had geen benul van wat een deva is. Maar bij navraag kwam ik erachter dat het een natuurwezen is. Een luchtgeest die is aangewezen voor de verzorging van een bepaalde boom of plant.
Ik ging zo op in het communiceren met de bomen dat ik een beetje van de groep afdwaalde. Voor de grap vroeg ik, in gedachten, aan een boom of hij mij aardig vond. De wichelroeden antwoordden niet overtuigend. Ik vroeg de boom of ik wellicht dichterbij moest komen. Het antwoord daarop was een duidelijker "ja". Ik kwam een paar passen naderbij de boom. En er werd een warme deken over mij heen getrokken. Ik kreeg sterk het gevoel dat ik tegen de boom aan moest gaan staan. Nog immer sceptisch vroeg ik het mijn wichelroeden. Het antwoord was wederom bevestigend.

En ik deed het. Ik ging tegen de boom aanstaan. °°°*(Tjee, ik praat met bomen, oh help, ik lijk prinses Irene van Lippe-Biesterfeld wel!)*°°°
Nu is het officieel. Ik ben een zweefteef.

Vrijdag 18 mei

Een deva heb ik nog immer niet gezien. Maar de vliegenier weer wel. En hij lachte zeker zo lief.

Zaterdag 19 mei

Mijn zusje is weer aan de man. In Hannahs geval wil dat waarschijnlijk zeggen "aan de loser". Wederom. Via een datingsite op het internet heeft zij kennis gekregen aan een gescheiden man die heden arbeidsongeschikt is maar voorheem stratenmaker was. Dat is te veel voor mij. "Datingsite", "gescheiden" en "arbeidsongeschikt", dat kan ik nog aan. Maar stratenmaker ... Bovendien heeft hij drie kinderen die bij hem wonen. Ik ben benieuwd naar de geschiedenis die daaraan voorafgaat. Alhoewel, ik wil dat geloof ik helemaal niet weten. Ze moet van die vent af. Zo spoedig mogelijk. En ik moet nu ook kiezen. Geef ik mijn geloof in de natuurmagie op, of geef ik toe dat ik iets niet goed gedaan heb bij het maken van die talisman?

Zondag 20 mei

Vandaag heb ik meegewerkt aan de scheiding der seksen. Ik deed mee aan een *ladiesrun*, een hardloopwedstrijd voor alleen vrouwen. Ik heb er nooit zo van gehouden om enkel tussen vrouwen te verkeren. Ik prefereer een gemengd gezelschap. Onder veel omstandigheden en bij veel activiteiten vind ik mannen en vrouwen dán beter op hun best. En dat geldt ook voor het hardlopen.

Maar omdat ik ook weleens een keer wilde behoren tot diegenen die het eerst met de tong op de schoenen en de oogballen uit hun kassen over de finishlijn struikelen, had ik mij enige tijd terug ingeschreven voor de Marikenloop. Want van vrouwen is het makkelijker winnen. Zo redeneerde ik. En aldus reisde ik af naar Nijmegen, nabij mijn geboortegrond. Ik ben zesde geworden, in mijn categorie van 489 vrouwen met dezelfde leeftijd. Dat is leuk.

Maar nog leuker was dat ik het een waarlijk bijzondere ervaring vond om met 3488 andere vrouwen in een startvak te moeten wachten. Voordat het startschot klonk werd eerst nog een gezamenlijke warming-up gedaan. Zoiets is aan mij niet echt besteed. Ik mag dan niet officieel het aspergerlabel bezigen, doch motorisch gestoord was ik mijn jeugd wel degelijk. En dat is nooit helemaal overgegaan. Het mag mij dan tegenwoordig wel lukken om op de maat heen en weer te hupsen, maar zo gauw ik mijn armen en benen tegelijk moet gaan bewegen, krijgen mijn hersenen kortsluiting. Om te voorkomen dat mijn ledematen in de knoop geraakten, deed ik mijn eigen oefeningen.

En ik keek wat rond. Naar al die vrouwen. Allemaal verschillend. Alle soorten en maten waren vertegenwoordigd. Klein en groot, dik en dun. Ik zag gespierde benen en brede heupen. Ik zag strakke buiken en ronde borsten. Er waren nerveuze

beginnende recreanten. En er waren evenzoveel zenuwachtige afgetrainde loopsters. En al deze vrouwen droegen hun eigen charme bij aan de geweldige positieve energie die ik boven de startvakken voelde uitstijgen. Want allen kwamen voor hetzelfde doel, te weten die vijf kilometer hard te lopen. De een in hindegalop wellicht en de ander in een slakkengang misschien. Maar allen waren voornemens hun doel te bereiken. Ieder in haar eigen tempo. Op weg naar dezelfde finish.
Plots kwam het mij voor dat alle vrouwen even mooi waren. En ik zag de metafoor. Ik zag hinden en ik zag slakken. Ik zag bijenkoninginnen en zeugen. Ik zag merries en ooien. Ik kon niet zeggen welk dier het mooist was of welk dier het best presteerde. Allen waren mooi. En allen waren nodig. In de kringloop van het leven is geen bestaan van de een zonder de ander. Alle vrouwen op weg naar eenzelfde doel, zonder concurrentie en zonder (voor)oordeel. Alle vrouwen op hun eigen wijze, in hindegalop of slakkengang en buitenshuiswerkend of thuisblijvend. Alle vrouwen, aangemoedigd door de mannen.
Het startschot klonk en ik zwaaide naar de vaders die hun dochters aanmoedigden. En ik lachte naar de papa's die tegen hun kindjes riepen: 'Ja kijk, daar komt ze aan!'
Hup dames!

Maandag 21 mei

Vandaag sprak ik met de moeder van een klasgenootje van Nonna over mijn ervaringen bij de Marikenloop. Zij loopt ook hard. Die moeder bedoel ik. En zij komt uit Duitsland. Ze spreekt heel goed Nederlands. Maar ze had het niet moeilijk gevonden om het te leren, vertelde ze.
De meeste moeite had ze nog met het feit dat onze Nederlandse

taal zo weinig vrouwelijk is. Inderdaad kan vandaag de dag bijna niemand meer vertellen welk zelfstandig naamwoord vrouwelijk, mannelijk of onzijdig is. Maar alarmerender nog vond ik de opmerking van deze Duitse moeder dat wij in onze taal ook veel vaker naar iets verwijzen met "hij" of "hem" dan met "zij" of "haar". Misschien moet ik hierin ook maar eens verandering in aanbrengen. Vanaf heden kan ik dit in ieder geval in mijn dagboek toepassen. In haar (!) zal ik proberen vrouwvriendelijker te schrijven, al is het woord dagboek onzijdig.

Dinsdag 22 mei

Het wordt iedere dag warmer. Het is heerlijk in de tuin. Gisteren hing Sem op zijn kop in alleen zijn onderbroek aan een boomtak. Hij was Tarzan. Met een kippenvelletje. Want zo warm is het nou ook weer niet.
Maar als ik tussen de middag een broodje moet eten dan doe ik dat ook al wel in de tuin. De tomaten zijn nog niet rijp. Maar de rucola, basilicum en bieslook wel. Binnen beleg ik mijn boterham met kaas en dan loop ik via de moestuin aan de zijkant van ons huis naar het terras achterin de tuin. Tegen de tijd dat ik daar aankom, heb ik een (h)eerlijk broodje gezond.

Woensdag 23 mei ☽

De kippen zijn gearriveerd. En de vliegenier is weer ingevlogen.
Via Marktplaats heb ik drie prachtige Barnevelder leghennen

gevonden. Vandaag heb ik hen opgehaald. Hiervoor bestaan speciale kippenvervoerskisten. Maar die heb ik niet. Een stevige kartonnen doos leek mij ook wel te volstaan. De boer van wie ik de kippen kocht, keek wat bedenkelijk toen ik de doos uit de auto haalde. Maar hij zei niets en zette de kippen voor mij in de doos. Ik was opgelucht dat ik dat niet zelf hoefde te doen. Niet dat ik niet weet hoe je een kip moet optillen. Ik weet precies hoe dat moet. In theorie. Dat heb ik opgezocht in een kippenverzorgingsalmanak. Echter, het leek mij beter om de praktijk te oefenen in de beslotenheid van mijn eigen tuin. Maar daar bleken de kippen anders over te denken.
In de auto waren ze nog heel braaf. Kippen voelen zich goed op hun gemak in een donkere ruimte. Ook toen ik de doos uit de auto tilde, bleven ze rustig. Ik zette de doos op de grond om de auto te kunnen afsluiten. En toen kwam de vliegenier voorbij. Ik vergat de autosleutel. Ik vergat de kippen. En zij sloegen hun vleugels uit. Daardoor wipte het deksel van de doos omhoog. Ik zag dat niet. En de vliegenier ook niet. Wij zagen elkaar. We lachten. En we praatten. Totdat die kip langsscheerde. Met luid kabaal vloog zij vlak langs het hoofd van de vliegenier. Die schrok zich kapot. En als ik niet ook in paniek achter de kip aangevlogen was dan had ik waarschijnlijk in mijn broek gepiest van het lachen om het gezicht dat hij trok.
Nu was het zaak dat ik mijn theoretische kennis omzette in praktische vaardigheden en die kip tegen de grond zou weten te drukken. Zij fladderde nog steeds over de oprit. Ik had gelezen dat ik mijn hand op de rug van het dier moest leggen en een beetje moest duwen. De meeste kippen blijven dan stil zitten. Dat stond in de kippenverzorgingsalmanak. Maar deze kip zou mijn kip niet zijn als zij niet de uitzondering op de regel was. Ik heb de hen te pakken gekregen, maar ik heb mij zo ongeveer met mijn hele lichaam op haar moeten werpen. Als

er een toelatingsexamen zou bestaan voor het mogen houden van kippen dan was ik nu gezakt. En waarschijnlijk opgepakt door de dierenbescherming ook.
Ondertussen waren de andere hennen natuurlijk ook flink in paniek. Maar zij waren nog in worsteling met het deksel van de doos. En de vliegenier had zijn tegenwoordigheid van geest ook weer terug.
Als een bekwaam piloot die vaker met vliegproblemen te kampen heeft gehad, wist hij tijdig het deksel van de doos te sluiten. En toen ik met de gedeserteerde hen aankwam, hielp hij mij om ook haar weer in de doos te krijgen. Hij zat op zijn knieën en tilde het deksel ietsje op zodat ik de hen over de rand naar binnen kon werken. Mijn handen raakten de zijne. En ik zakte ook op mijn knieën. Mijn ogen ontmoetten de zijne. En onze hoofden bewogen naar elkaar toe. Mijn hersenen zeiden dat dit niet kon. En uit mijn mond kwamen woorden. Ik zei dat ik de kippen naar hun hok moest brengen. 'Ja', antwoordde de vliegenier. 'Ik ben nu weer een weekje thuis.'

Donderdag 24 mei

De kippen zitten in hun nachthok, waar zij een paar dagen moeten blijven om te wennen aan hun nieuwe verblijf. Mijn eigen kuikens krijgen morgen pinkstervakantie. Gelukkig zijn zij inmiddels groot genoeg om hun eigen vleugels uit te slaan. Zij hoeven niet meer de hele dag onder mijn veren te bivakkeren. Toch broed ik. Op een plannetje.
Mark moet aankomende week immers naar zijn werk. En de pilotenvrouw ook. Maar mijn werk is thuis. En dat is de piloot deze week ook.
Het is al dagen heel mooi weer. De kinderen zijn veel bui-

ten op straat. En ik zit vaak op ons bankje voor het huis. Dan kan ik direct inspringen als Sem de sociale spelregels niet meer bolwerkt en door het lint gaat. Meestal ben ik op tijd vóórdat hij zijn speelkameraadjes tegen de vlakte slaat.
Ik let niet alleen op mijn kuikens. Ik zie ook andere mensen voorbijkomen. Soms maak ik een praatje. Soms heb ik daar geen zin in. Dan doe ik alsof ik verdiept ben in mijn boek. Maar vooral als de vliegenier langsloopt, weet ik later nooit meer wat ik eigenlijk gelezen heb. Zo gauw als hij zijn voordeur uitstapt, ben ik mij bewust van zijn aanwezigheid. Elke vezel van mijn lichaam voelt zijn nabijheid. Al was ik doof en blind dan nog zou ik het weten wanneer hij in aantocht is. Hij voelt mij ook. Dat weet ik zeker. Geloofd zij mijn spirituele prikkelgevoeligheid. Hij kijkt altijd naar mij. En hij ziet mij. Maar hij durft (nog) niet in zijn eigen buitenzintuiglijke waarnemingen te geloven. Gelijk mijn kinderen is hij ook een kuiken. Een uilskuiken!

♫ *It seems that you always*
wanna look my way.
Hey, you can't deny, boy;
you're such a shy boy. ♫

(Katie Melua - Shy boy)

Zaterdag 26 mei

Ik ben uitgebroed. De vliegenier heeft zowaar aan mijn deur geklopt. Weliswaar om zijn zoontje, die met Sem speelde, op te komen halen, maar toch, hij kwam aan mijn deur.

En ik kwam hem tegemoet door hem te vragen volgende week een keer met ons beider zonen naar een nabijgelegen natuurpark te gaan. Ik klonk nonchalanter en zekerder van mijzelf dan ik mij voelde. Wellicht was de vliegenier ook niet zeker van mijn bedoelingen want hij keek mij onderzoekend aan. En ik voelde mijn knieën knikken, toen hij 'Ja', zei.

Zondag 27 mei Eerste pinksterdag

> ⓘ **Pinksteren**
> Wikipedia: Pinksteren is een christelijk feest waarbij de verlichting of de uitstorting van de Heilige Geest wordt herdacht.
> Deze uitstorting van de Heilige Geest vond plaats in Jeruzalem. Op de berg Zion hielden een aantal discipelen en andere gelovigen een bijeenkomst toen plots een enorme windvlaag op hen neerdaalde die de mensen tongen van vuur op hun hoofd gaf. Deze tongen verkondigden het evangelie in allerlei talen. Het geluid dat hierdoor veroorzaakt werd, trok een heleboel andere mensen aan. Alleen Petrus leek te begrijpen wat er gebeurde. Hij legde uit dat deze gebeurtenissen, die reeds waren voorspeld door de profeet Joël, te maken hadden met de opstanding van Jezus Christus. Hij vertelde dat de mensen, die zich door doop tot Jezus zouden bekeren, vergeven zouden worden voor hun zonden. Drieduizend mensen gaven hieraan gevolg en hierdoor werd de eerste christelijke gemeente gevormd.
> Pinksteren valt op de vijftigste paasdag, dat wil zeggen precies zeven zondagen later dan Pasen. Net als Pasen zijn door het christendom aan het pinksterfeest gebruiken toebedacht die ontleend zijn aan reeds daarvoor in andere culturen en religies bestaande voorjaarsfeesten. Tijdens de pinksterkrone of de viering van de pinksterbloem, die bijvoorbeeld op de Waddeneilanden nog gevierd wordt, dansen kinderen met gekleurde linten om een paal.

Ik zag de pilotenvrouw. Zij is zo aardig. En ik deed alsof ik dat ook ben. Vroeger was ik het ook echt. Aardig, bedoel ik. Maar nu heb ik snode plannen met, zo niet snode fantasieën over, haar echtgenoot. Dat is hypocriet. Zo ken ik mijzelf helemaal niet. Ik weet ook niet of ik mijzelf wel zo wil leren kennen.

Echter, om de een of andere reden, schijn ik zelf niet echt wat te willen te hebben.

Dingen gebeuren
laat hen toe
't lijkt zo te moeten.
Houd niets tegen
maar doe mee
en doe het zelf.

Maar wie zal mij, heiden, mijn zonden vergeven? Over mij stort geen Heilige Geest zich uit. Ik moet er maar mee zien te leven. Eigen schuld, dikke bult.

Maandag 28 mei Tweede pinksterdag

Vandaag nam Mark de kinderen mee naar het zwembad. Ik kreeg bezoek van een paar vrienden die ik nog ken uit mijn studententijd. Wij spraken over het al dan niet monogaam zijn en blijven. Mijn vrienden zijn beide mannen. En zij zijn elkaars partners. Ik zie hen niet zo vaak. Op de een of andere manier maakt dat het makkelijker om te praten over dit soort onderwerpen dan over de koetjes, kalfjes en kinderen waarbij je met buurtgenoten vaak blijft hangen.
Mijn vrienden gaven toe weleens seks buiten de deur te hebben. Voor homoseksuelen schijnt dat heel gemakkelijk te verkrijgen te zijn. En meer geaccepteerd. °°°*(Niet eerlijk!)*°°° Beiden hadden zij niet zo veel moeite met deze gegevens. Volgens hen deden hun buitenechtelijke escapades niets af aan de liefde die zij voor elkaar voelen. °°°*(Zie je nou wel!)*°°° Maar zij voegden daar wel aan toe dat zij niet verliefd op

een ander zouden willen worden. 'Al dat gedoe', zeiden ze. 'Weer helemaal overnieuw beginnen met dat spel.' °°°*(Ai, hoe laat is het?)*°°°
Inderdaad, wat een gedoe! Ik was vergeten hoeveel tijd het ook al weer kost er voortdurend op je paas- of pinksterbest uit te willen zien, want je weet maar nooit ... Morgen ga ik met de vliegenier op pad. Ik wil mijn haren nog wassen, mijn benen ontharen en mijn nagels knippen. °°°*(Waarom doe ik dit in hemelsnaam?)*°°° Ik doe het mijzelf aan. °°°*(Heb ik hier nog langer zin in?)*°°° Ik kan er nu nog mee stoppen. Ik heb nog steeds geen slapende honden wakker gemaakt. Er is nog niets verkeerds gedaan.

Dinsdag 29 mei

Het natuurpark waar wij heen gingen, ligt net buiten ons dorpje. We hadden afgesproken er op de fiets naartoe te gaan. Sem en zijn vriendje fietsten voorop. Ik vroeg de vliegenier: 'En je vrouw heeft er geen probleem mee dat wij samen weggaan?' Hij antwoordde onnozel dat zij toch nergens last van had omdat zij op haar werk was. °°°*(Zijn haar is toch niet overal blond?)*°°° Ik zei: 'Ik bedoel dat jij een man bent en ik een vrouw!' De vliegenier antwoordde dat hij niet van plan was zich iets gelegen te laten liggen aan de mening van andere mensen. Dat pleitte voor hem. Maar het zei niets over zijn vrouw. En ook de piloot zweeg verder over haar.
Waarom verlopen de meeste conversaties in het Echte Leven meestal heel anders dan in mijn hoofd? Ik had natuurlijk bedacht dat de vliegenier zou zeggen: 'Nee, heeft mijn vrouw er dan een reden toe om er een probleem mee te hebben?' Mijn antwoord zou dan geweest zijn: 'Nou, ik kan natuurlijk

niet voor jou spreken, maar wat mijzelf betreft vraag ik mij af in hoeverre ik te vertrouwen ben!'

Bij het natuurpark aangekomen, sprongen de jongens van hun fietsen en renden naar een van de aanlegsteigers. Het park is geheel door water omgeven. Eigenlijk is het een eiland. En het is alleen per vlot te bereiken. Ik wist mijzelf te bedwingen om niet achter de zonen aan te dartelen en voegde mij samen met de vliegenier rustig bij hen. Het was raar om daar, *in the middle of nowhere*, samen te zijn.

Onze zonen hadden een vlot weten te bemachtigen. De piloot met zijn lange, sterke en aan enige turbulentie gewoon zijnde benen, zette één voet op het vlot. Onze zonen, de zijne en de mijne, werden een voor een door hem op het vlot getild. De piloot sprong weer aan wal en de jongens voeren naar de overkant. Ik zou direct ook voet aan boord gaan zetten. °°°*(Maar zal ik ook een voet aan de grond krijgen?)*°°° De piloot was al op een ander vlot gesprongen. En toen was de beurt aan mij. °°°*(Gaat hij mij ook optillen? Oh, Moeder Godin, nee toch? Nooit zal ik dan meer loskomen uit zijn armen, bang dat mijn benen zo hevig zullen beven dat ze mij niet meer kunnen dragen.)*°°° Mijn benen zijn ook lang, maar de stap aan boord was te groot om alleen te maken. 'Zal ik je een hand geven?', bood hij mij aan. Ik knikte. Mijn knieën knikten ook. Ik durfde hem niet aan te kijken. Ik hield mijn ogen gericht op zijn hand en greep deze waarna hij mij het vlot optrok. Zijn hand voelde aan zoals hij eruit ziet; droog, warm, sterk en lekker.

Het vlot wiebelde. En wij wankelden. Als vanzelf grepen onze andere handen elkaar. Ik viel tegen hem aan. Mijn kin botste tegen zijn schouder. Ik hief mijn hoofd naar hem op. We keken elkaar aan. We lachten. En lieten los. Zwijgend voeren we naar de overkant en liepen onze kinderen achterna.

Het werd een leuke middag. Onze zonen klommen in de bomen. En ze speelden met de loslopende geiten en kippen. Wij hadden ons geïnstalleerd op een paar grote platte stenen. Picknickbankjes zijn er niet in dit stukje natuur dat verondersteld wordt ongerept te zijn. We keken naar onze kinderen en we praatten. Ik heb vandaag veel nagedacht over alles wat we gezegd hebben. En vooral ook over wat er niet gezegd is. We houden het immer bij de gewone koetjes en kalfjes. Om de een of andere reden komen we niet bij de bloemetjes en bijtjes. Ik vraag mij af waarom niet. Want er broedt van alles. Dat vertelt de taal van onze lichamen. Op de momenten dat wij elkaar per ongeluk of vriendschappelijk aanraken. Dan verraden onze ogen ons. Als zij naar elkaar kijken.
Maar ogen zijn hier overbodig. Zelfs een kip zonder kop zou het weten. Het is voelbaar. Zoals de lucht geladen is. En er spanning zindert. Maar daar praten we niet over. Onze monden bewegen wel. Maar onze tongen verhalen banalere zaken. Hij vertelde over de vlucht die hij komende week gaat maken. Naar zo'n subtropisch eiland. Paradijselijk mooi. Maar je moet ervan houden.

Donderdag 31 mei

Ik ben me rot geschrokken vandaag. Ik was met Sem in de tuin. Hij kletste. Maar mijn gedachten dwaalden af. Opeens was ik Sem kwijt. Toen ik hem riep, gaf hij geen antwoord. Misschien had hij gezegd dat hij de straat opging. Ik liep ook die kant op. Pas toen ik bij de eikenboom aankwam, ontvouwde Sem zich als een duveltje uit een doosje van een boomtak. In zijn onderbroek hing hij op zijn kop met zijn

gezicht precies voor mijn neus. 'Mie Tarzan, joe Jane?', zei hij tegen mij.
En ik zag het plaatje. De vliegenier als Tarzan. Me als Jane. Op dat subtropische eiland.
Misschien valt er wel wat voor te zeggen.

Vrijdag 1 juni ○

Doodmoe was ik gisteravond. Maar ik kon de slaap niet vatten. Ik dacht aan de vliegenier. En aan dat subtropische eiland waar hij nu is. En aan het hotel waarvan hij mij een foto heeft laten zien. Want hij was er al vaker geweest.
Ik bevond mij in dat grijze gebied tussen waken en slapen. Beelden van een hotelkamer speelden steeds maar door mijn hoofd. En ineens was ik daar, in zijn kamer, in dat hotel.

°°°*(Ik zie de piloot in zijn bed liggen. Het is opgemaakt met vaalblauwe lakens. De linkerkant van het bed is leeg, de piloot slaapt rechts. Nee, hij slaapt niet. Hij kan de slaap niet vatten. Hij woelt en draait en staat uiteindelijk maar op om aan de andere kant van de kamer in een stoel te gaan zitten. Of ben ik het die in die stoel zit? Nee, ik ben overal in die kamer, overal om hem heen. Daarom kan hij niet slapen. Hij denkt aan mij. Als een wervelwind waai ik om hem heen. Ik ben diffuus. Ik ben overal tegelijk. En ook weer nergens. Zwevend ga ik door de ruimte en de tijd ... pijlsnel.)*°°°

Op dat moment voelde ik mijn diffuse deeltjes weer compact worden. Met een schok viel ik. Terug in mijn eigen lichaam. Het duurde even voordat ik weer wist dat ik in bed lag.
Wat gebeurde er nou? Ik ben er nog steeds een beetje van in de war. Het laat mijn gedachten niet los. Vandaag heb ik een

beetje zitten googelen op internet. Op zo'n zweverige new-agesite stuitte ik op een pagina waar een aantal kenmerken genoemd werd, die vaak voorkomen bij uittredingen. Een beetje sceptisch las ik de lijst door. Om vervolgens schoorvoetend te moeten toegeven dat veel van deze kenmerken op mijn "voyeuristisch hotelkamertripje" van toepassing zijn. Een uittreding dus. En ik lag niet eens op een operatietafel.

> ⓘ **Uittreding**
> Volgens Wikipedia wordt een uittreding ook wel een astrale projectie genoemd en is het een paranormaal verschijnsel. Hierbij verlaat het astraal (of etherisch) lichaam het stoffelijke lichaam. Het komt erop neer dat de geest uit het lichaam treedt waardoor men bewust in andere dimensies kan verkeren. Het uittreedproces kan gepaard gaan met verschillende fysieke en astrale sensaties zoals het horen van suizingen en knallen of een tintelend en "los" gevoel in het stoffelijke lichaam.

Zondag 3 juni

Vanmiddag ben ik gaan fietsen met mijn vriendinnen, Bride en Yule. Bride vroeg mij of er nog magische gebeurtenissen in mijn leven waren voorgevallen. Nou, dat dacht ik wel! Ik wilde hen graag vertellen over mijn bekering tot de heksenleer en over mijn astrale reis. Maar daaraan gaat natuurlijk een ander verhaal vooraf. Dat is het verhaal van de heimelijke hartstochtelijke maar ook zo, ooh zo, gevaarlijk gerieflijke gevoelens die ik voor de vliegenier opgevat heb.
Eigenlijk wilde ik Bride en Yule daar niet mee belasten. Door hen deelgenoot te maken van mijn gevoelens voor de piloot, betrek ik hen in een situatie waarin zij misschien helemaal niet willen verkeren. Zij kennen mijn echtgenoot ook goed en dat vinden zij een toffe peer. Van de andere kant voelde ik zelf zo

langzamerhand ook erg de behoefte er eens over te praten. Zij luisterden zonder vooroordeel. En veroordeelden niet.
Maar ik had wel behoefte aan een zuivere beoordeling van de situatie waarin ik mij bevind. En Bride is zichzelf de kunsten van het tarotspel aan het leren. Zij stelde voor dat ik teneinde een objectief oordeel te verkrijgen haar kaarten raadpleegde.
Ik heb altijd een hekel aan kaartspelletjes gehad. Het verschil tussen "jokeren" en "pokeren" heb ik nooit geleerd. Ik ontbeer voldoende geduld voor "patience". En ik verloor altijd met "pesten". Bride verzekerde mij dat het bij tarot niet gaat om winnen of verliezen. Nou, toe dan maar.
Inmiddels heb ik begrepen dat het mogelijk is de tarotkaarten, afhankelijk van de behoefte van de vrager, op verschillende wijzen te leggen. Ik weet niet meer welke legging Bride bij mij heeft gedaan. En welke kaarten zij voor mij neerlegde ben ik ook vergeten. Maar ik herinner mij nog wel mijn vraag. En de antwoorden zal ik mijn leven niet meer vergeten.
Mijn vraag was: 'Wat moet ik doen om erachter te komen of de piloot dezelfde gevoelens heeft voor mij, als ik voor hem?'
De kaarten antwoordden dat ik een bewustwordingsproces doormaak waarbij ik mij met mijn verstand van afhankelijkheid probeer te bevrijden. Ze zeiden ook dat het nooit de bedoeling kan zijn dat we onze instincten achter bleke deugdzaamheid verbergen. En dat energie niet gebruikt moet worden om instincten onder de duim te houden, maar juist benut om angstaanjagende archaïsche krachten tegemoet te treden. Volgens de kaarten moet ik geloven in mijn eigen kunnen en op idealistische wijze streven naar groei en een zo groot mogelijke zelfontplooiing en volwassenwording. Mijn krachten zullen beproefd worden en grenzen afgetast. De kaarten voorspelden mij hartstochtelijke avonturen die om moed en durf vragen. ...Want het betreft de verleiding om buiten de platgetreden paden te gaan...

Dinsdag 5 juni

Bride mailde mij vandaag. Ze had de adviezen van de tarotkaarten uitgewerkt. Ik wist niet dat adviezen inbegrepen waren. Bride zal dat ongetwijfeld uitgelegd hebben, maar ik was al zo vol van de betekenis van de kaarten dat ik het niet eens gehoord heb.
De adviezen waren zo mogelijk nog duidelijker dan de antwoorden. En ik ben een echte Nederlandse. Ik houd wel van duidelijkheid. Zeker als zij gratis is.
- *U bent u bewust van uw kracht en weet ook dat u voor uw plan veel energie en moed nodig hebt en risico moet durven nemen.*
- *U hebt een sterk geloof en bent van de juistheid van uw zaak overtuigd. Uw zelfverzekerdheid en moed zijn belangrijke condities.*
- *Bezie de zaak vol vertrouwen en toon u ontvankelijk voor aansporingen en voorstellen van anderen.*
- *Toets uw plan aan uw principes en vraag u af of het met uw morele maatstaven en idealen strookt. Kunt u die vraag met een ondubbelzinnig ja beantwoorden, dan moet u ook voor uw overtuigingen uitkomen.*
- *Er wordt u een spannende gelegenheid geboden. Talm niet langer. Laat u meeslepen door de grote kans die erin zit. Vergeet alle angst en waag het avontuur.*
- *Toon uw harmonieuze wezen, uw blijmoedigheid en gelatenheid. Vermijd in uw handelen elke vorm van overdrijving, dramatiek of gemaaktheid. Ga eenvoudig en eerlijk te werk.*

Kijk, daar heb je wat aan, aan die tarot. Als ik nog eens ergens mee zit, wend ik mij beter tot een pakje kaarten dan tot welke psychespecialist dan ook. Zij geven tenminste antwoord op mijn vragen. De kosten zijn gering. En de duur van het traject is een stuk korter.

Woensdag 6 juni

De tarotlegging heeft het debacle met de talisman voor mijn zuster enigszins gecompenseerd. Wat betreft mijn vertrouwen in het alternatieve circuit wel te verstaan. Niet het vertrouwen in mijn zusje. Als je het mij vraagt, heeft zij niet alleen haar hart maar nu ook haar verstand verloren. Ze heeft haar zoon inmiddels kennis laten maken met de stratenmaker en diens kinderen. Mijn neefje spreekt al van zijn stiefbroer en stiefzussen. Dat gaat mij veel te snel. Hannah, zij moet het zelf maar weten. Haar hart is al vaker gebroken. En heeft zich bewezen te kunnen helen. Maar mijn neefje is nog maar klein. En zijn hartje ook.

Donderdag 7 juni

Gisteravond bedacht ik mij dat ik mijn wichelroeden ook weleens zou kunnen inzetten "teneinde meer duidelijkheid te verkrijgen omtrent een bepaalde situatie die vragen oproept". De wichelroeden kunnen immers "ja" en "nee" zeggen en zijn dus wellicht te gebruiken als een pendel. Eigenlijk is dat een verkapte manier van "glaasje draaien". Vroeger, in mijn tienerjaren, deed ik dat weleens met mijn zusje en onze vriendinnen. Het lukte altijd. Het glas ging altijd draaien. En het was altijd leuk spannend. Totdat klokken spontaan ophielden te tikken, kaarsen vanzelf uit en lampen vanzelf aan gingen en schilderijen zomaar van de muren afvielen. Toen werd het eng spannend. En werden wij allemaal bang voor de "kwade geesten" waar alle volwassenen ons uitentreuren voor hadden gewaarschuwd, maar naar wie wij lek-

ker toch niet hadden geluisterd. Destijds ben ik maanden zó bang geweest om 's nachts alleen naar de wc te moeten gaan dat ik bijna bereid was geweest weer luiers te gaan dragen.
Gisteravond, op mijn zonnige zolder, was ik die kwade geesten helemaal vergeten. Toen de kids op bed lagen en Mark beneden televisie zat te kijken, trok ik mij terug in mijn heiligdom. Op zolder vroeg ik mijn wichelroeden of de piloot dezelfde gevoelens voor mij heeft als ik voor hem. Het antwoord was bevestigend. Waardoor bemoedigend. Dus ik vroeg de roeden ook maar of er wellicht nog meer buurmannen een oogje op mij hadden. Dat bleek ook het geval. Overmoedig ging ik namen noemen. Alle buurmannen passeerden de revue. Volgens mijn roeden had ik er zoveel het hoofd op hol gebracht, dat ik hevig begon te twijfelen. Niet zozeer aan de wichelroeden, doch zeker wel aan mijn eigen verstand. Pas toen de wichelroeden ook nog beweerden dat Mark verliefd is op de vrouw van de vliegenier, had ik door dat ik in de maling genomen werd.
Maar nú ben ik geen tienermeisje meer. °°°*(Alhoewel ik mij zo nu en dan misschien wel zo gedraag ...)*°°° Ik duld geen kwade geest op mijn zonnige zolder! Nú ben ik niet meer bang. Ik was alleen maar ontzettend boos op die plaaggeest die mijn wichelroeden durfde te gebruiken voor zijn eigen plezier. Ik riep: 'Rot op naar waar *ever* je ook vandaan komt!' En Mark riep naar boven: 'Hè, wat heb ik nou weer gedaan?'
Pas later realiseerde ik mij dat ik, vóórdat ik de roeden ging gebruiken, mijzelf helemaal niet beschermd had tegen ongewenste entiteiten. Toen ik het boek van Rae Beth erop nasloeg, kwam ik erachter dat ik mijn inwijding tot solitaire heks eigenlijk nooit volledig afgerond heb. Na mijn bekering had ik mijn altaar nog moeten "wijden".
In het boek staat precies beschreven hoe ik dat kan doen en welk gebed ik daarvoor kan gebruiken. Het is niet moeilijk

en het kan op elk gewenst moment. Ikzelf echter, ben ook nog niet gewijd. En hiervoor moet ik wachten tot de volgende volle maan.

Zaterdag 9 juni ☾

Afgelopen week zijn alle kittens door hun nieuwe baasjes opgehaald. Het leek Moeder Poes niet erg te deren. Het legenestsyndroom gaat aan haar voorbij. Soms dacht ik wel even dat zij haar jongen liep te zoeken, maar waarschijnlijk was dat mijn eigen moedergevoel dat ik op Poes projecteer. Niet dat ik er moeite mee had de kleine katjes weg te geven. Dat niet, mijn gordijnen en bank mogen nog wel een paar jaar mee. Maar als ik mij voorstelde hoe het voor een moeder moet zijn om haar kinderen te missen, dan had ik het wel te doen met Poes.
Mark echter, zegt dat dieren geen notie hebben van familiebanden. Zij schijnen niet te denken in termen van "dat is mijn dochter, zuster, moeder". De moederdieren zorgen voor hun jongen totdat zij op eigen benen kunnen staan. Dan laten zij hun kinderen los. En mochten zij elkaar later nog eens tegenkomen, dan herkennen ze elkaar niet eens meer als "familie". Dan zijn zij gelijken.

Zondag 10 juni

Ik beschouw mijn kinderen ook als gelijken. Dat wordt door mijn omgeving niet altijd begrepen. Vooral de "vorige generatie" is nog weleens de mening toegedaan dat mijn kinderen te

veel in de melk te brokkelen hebben. In hun ogen ben ik niet autoritair en streng genoeg. Zij vinden dat er regels moeten zijn. En grenzen. En daar ben ik het ook helemaal mee eens. Zeker voor een kind als Sem is regelmaat en structuur belangrijk. Echter, dat wil niet zeggen dat ik de enige ben die de regels bepaal en de grenzen vaststel. Dat kan ook in goed overleg. Door naar elkaar te luisteren. Door ieders behoeften te respecteren. En als ouder moet ik het goede voorbeeld geven, toch? Als ik wil dat de kinderen naar mij luisteren dan moet ik dat toch op zijn minst ook naar hen doen? Ik ga mijn vriendin of collega toch ook niet slaan als zij niet luistert!
Ik denk dat ik mijn kinderen te leen heb gekregen. Zij zijn niet van mij. Net zo min als ik van hen ben. Vóór hun geboorte hebben mijn kinderen mij uitgezocht om voor hen te gaan zorgen. Daarmee hebben zij mij zeer vereerd. En dus probeer ik dat zo goed mogelijk te doen. Met alle liefde en plezier. Totdat ze groot genoeg zijn om op eigen benen te kunnen staan. En in het geval van Sem kan dat nog weleens heel lang duren.
Deze gedachte lijkt misschien alleen maar nobel en onbaatzuchtig. Maar dat is geenszins het geval. Zij biedt mij grote voordelen. Als Nonna en Sem zitten te pruilen over het eten dan zeg ik hen dat zij maar een andere moeder hadden moeten kiezen. En soms maken Nonna en Sem het zo bont dat ik ál mijn taken staak. Laatst wilde Nonna heur haar niet wassen en mocht ik Sem zijn nagels niet knippen.
Dat was aan het einde van een lange vrije woensdagmiddag waarin ik voortdurend bij hen in bediening geweest was omdat zij beiden geen vriend(innet)je te spelen hadden op wie zij hun grieven konden botvieren. Als een animeermeisje had ik de hele middag naar hun pijpen gedanst om de lieve vrede te bewaren. Dat vind ik niet erg. Dat hoort ook bij het "zorgen voor". Net zoals haren wassen en nagels knippen. Maar dat weigerden zij. Toen haperde er bij mij ook iets. Ik heb het vuur

onder de pannen uitgedraaid en gezegd dat zij dan ook wel voor hun eigen eten konden zorgen. Voordat Mark thuiskwam heb ik, geheel tegen mijn principes en eetgewoonten in, een pizzabezorger twee pizza's laten thuisbezorgen. Een voor Mark, die glunderde van oor tot oor vanwege deze onverwachte smaakpapillensensatie. En een voor mij, die ik tot op de laatste kruimel heb opgegeten. Tegen heug en meug. Toch glunderde ook ik van oor tot oor. Al was het alleen al om de sippe gezichten van Nonna en Sem, van wie pizza het lievelingskostje is, maar die niets anders restte dan hun trek te stillen met een eigenhandig gesmeerde boterham met pindakaas.

Dinsdag 12 juni

Mark moest naar volleybal vanavond. En ik heb mijn altaar gewijd. Eerst moest ik het daarvoor dienende kastje grondig reinigen. Dat kan met een veer. Daarmee strijk je op symbolische wijze de overblijfselen van voormalige rituelen of andere magische handelingen weg. De veer staat symbool voor de heksenbezem. Maar mijn kastje kon wel een echt sopje gebruiken. Ik maakte mijn altaarattributen ook schoon en zette hen tezamen met verse bloemen weer op hun plek terug. Ik wierp mijn heilige cirkel en riep de elementen aan.

...Gij die de magie bent in alle
aarde, wateren, vuren, lucht en ether,
hoor mijn gebed.
Zegen dit altaar dat ik aan u opdraag.
Zegen alle gebeden die ik op deze plaats zal bidden.

Zegen alle magische arbeid die hier wordt verricht...
Toen ik klaar was met mijn altaarinwijding en ik uit mijn zolderraam keek, zag ik de vliegenier op straat. Ik vatte moed en ben hem gaan vragen of wij morgen weer samen kunnen hardlopen.

Woensdag 13 juni

Vanavond gingen wij. Een uur zijn we van huis geweest. Eerst samen de straat uit. °°°*(Kan dit wel? Zouden de buren ons zien? Ik loop met meerdere echtgenoten van andere buurvrouwen hard en daar zoekt toch ook nooit iemand iets achter?)*°°° Dan door de wijk. °°°*(Mensen die ons niet kennen, denken vast dat wij een "setje" zijn.)*°°°
Hij wilde naar het bos. °°°*(Stille weggetjes. Zal hij daar eindelijk iets meer laten blijken?)*°°°
Maar nee, niets. Er is niets gebeurd. Ja, we praatten. De hele weg. Gespreksstof genoeg. In het park merkte hij op dat veel mensen denken dat hij altijd maar bij huis loopt, omdat ze niet in de gaten hebben wanneer hij weer een poos gevlogen is. Ik durfde het niet, maar ik had natuurlijk, tóén, dáár, op dat smalle schelpenpaadje in het park, moeten zeggen dat ík het verschil tussen de ene periode en de andere wel degelijk opmerk. Ik had eraan kunnen toevoegen dat ik het straatbeeld een stuk aantrekkelijker vind, wanneer hij daar zo nu en dan doorheen loopt dan wanneer hij in zijn vliegtuig zit. Maar dat heb ik niet gedaan. Ik liet hem voorgaan op het weggetje. En de schelpjes van de onderkant van zijn schoenen raakten mijn huid.

♫ *But I can't help it if I'm just a fool*

Always having my heart set on you
Till the time you start changing the rules
I'll keep chasing the soles of your shoes ♫

(Shakira - Fool)

Donderdag 14 juni

Ik zeg niets tegen de vliegenier. Niet over mijn gevoelens voor hem. Ik ben bang. Voor een afwijzing. Maar vooral ook voor het moeten ontberen van mijn dromen. Hij is het onderwerp van mijn favoriete fantasieën. Als hij zegt dat hij niets voor mij voelt dan ben ik de geneugten van het fantaseren kwijt. Voor een poos. Totdat ik die leegte opnieuw zal hebben gevuld.

Vrijdag 15 juni ●

Ik heb last van mijn onderrug. Mijn borsten zijn gespannen. En het trekt in mijn buik. Het is het weeïge gevoel van een op handen zijnde menstruatie. Ik verwacht het bloed al een poosje, maar vooralsnog heb ik geen druppel gezien. Dit vind ik de vervelendste tijd van de cyclus. Al een paar dagen loop ik met tampons op zak voor "hetgevaldat". Ik moet mijzelf er voortdurend voor behoeden om zo'n ding uit mijn jaszak te trekken, daar ik telkens vergeet wat het ook al weer is dat ik in mijn zak heb zitten. Normaliter gebruik ik namelijk gewoon het allergoedkoopste maandverband van de supermarkt. Mijn maandverbanden hoeven niet te vliegen.

Want ik probeer zelf ook geen haast te hebben.
Maar maandverbanden neem ik niet meer mee in mijn jaszak. Niet meer ná die keer dat ik zo'n geval uit mijn jaszak trok. Het was een bebloede. En ik bevond mij in een overvolle tram in Amsterdam.
Destijds menstrueerde ik zeer onregelmatig. En de dag tevoren, toen ik mijn vinger opengehaald had aan een blikje cola was het wel handig geweest dat ik ook een "voorhetgevaldatmaandverband" in mijn zak had. Nadat het bloeden gestelpt was, had ik geen prullenbak kunnen vinden om het ding in te gooien en daarom maar weer teruggestopt in mijn jaszak. En toen ik de volgende dag samen met honderd andere mensen met mijn benen de tram uithing, had ik even niet meer geweten wat ik in mijn jaszak voelde.
Ik kan het uitleggen, hoor, had ik wel willen zeggen tegen al die mensen die het zagen. Het afgrijzen op hun gezichten was groot. Maar in Amsterdam lopen te veel gekken om nog naar te luisteren. En met gekken wil niemand iets te maken hebben.

Zondag 17 juni

Ik lees nog steeds in Kluuns boek "Komt een vrouw bij de dokter". De vrouw van de hoofdpersoon heeft kanker. Voor zij doodgaat schrijft zij in een dagboek voor haar dochtertje.
...Als je iets echt wilt in het leven dan moet je het gewoon doen. Er zijn vaak honderd redenen om iets niet te doen. Maar juist die éne reden om het wél te doen zou genoeg moeten zijn. Het zou toch heel treurig zijn als je spijt krijgt van de dingen die je niet gedaan hebt. Want van alle dingen die je wel doet, kun je uiteindelijk alleen maar

iets leren…
Dit gaf de doorslag. Nu weet ik zeker wat ik wil. Dát ik het wil. Ik wil een liefdesaffaire. En ik wil die met mijn vliegenier. Ik wil niet doodgaan zonder de levenservaring van een buitenechtelijke escapade.

Maandag 18 juni

Ik heb besloten de vliegenier te gaan bellen. Vanwege de vriendschap tussen onze zonen ben ik in het gelukkige bezit van het telefoonnummer van zijn mobieltje. Ik ga het morgen doen. En ik heb de tekst al ingestudeerd.
Ik hoop niet dat je het vervelend vindt dat ik je bel. Het is niet mijn bedoeling om mij aan je op te dringen. Ik wil je wat vertellen en ik heb ook wat vragen. Maar als ik je straks weerzie dan weet ik zeker dat ik het weer niet meer durf. Het vervolg is onvoorspelbaar.

Dinsdag 19 juni

Zojuist heb ik geprobeerd te bellen. Ik scheet zeven kleuren stront en moest bijna overgeven van de zenuwen. Het telefoonnummer klopte niet! Wat een anticlimax!
De telefoon ging wel over, maar ik kreeg een voicemail. En die was niet van de piloot. Maar van iemand die ik helemaal niet ken. Rennen naar het toilet!
Ik bleek ook ongesteld geworden.

Woensdag 20 juni

Ik ben met schrijven begonnen omdat ik voor mijzelf een aantal zaken op een rijtje probeerde te krijgen. Ik ben mij de afgelopen weken bewust geworden van het feit dat zich in mijn gedachtewereld twee ingrijpende veranderingen hebben voorgedaan.
De eerste verandering is het directe gevolg van een beslissing die ik zelf genomen heb. Daar had ik invloed op. Dat zal iedereen met mij eens zijn.
De tweede verandering betreft een ontdekking die ik over mijzelf gedaan heb. Hierbij heb ik zelf de mate van mijn eigen invloed als zeer beperkt ervaren. Maar daarover kunnen de meningen verschillen.
Evenals dat er geredetwist mag worden over het feit of er een verband bestaat tussen beide veranderingen:

Ik word een heks.
En ik wil een minnaar.

HOOFDSTUK 4

Litha,

schenk mij passie

en bescherm mij.

Donderdag 21 juni Litha

De zon staat hoog aan de hemel. Het is zomer in ons land. Vanaf lunchtijd, als al het werk in huis en tuin gedaan is, zit ik veel op het bankje in onze voortuin. Daar laaf ik al mijn zintuigen aan de bloeiende wisteria. Ik profiteer van de schaduw die zij mij biedt, want het is erg warm de laatste dagen. Ik kijk naar haar prachtige blauwpaarse bloemen. Maar zelfs als ik mijn ogen sluit dan nog weet ik de wisteria om mij heen. De lucht draagt haar volle parfum en is bijna bedwelmend. Om mij heen hoor ik hoe insecten zoemend op zoek zijn naar hun geliefde nectar. Ik eet aardbeien. Die zijn zo zoet van zichzelf dat ik geen honing nodig heb. Het licht en de warmte van de zon geeft mij kracht. Ik voel mij energiek, vrolijk en passievol. Ik geniet.

Vrijdag 22 juni

Ik had van alles voorbereid om de langste dag van het jaar te vieren. Maar gisteravond, tegen de tijd dat Mark naar zijn volleybalclub vertrok en de kids op bed lagen, had ik daar helemaal geen zin meer in. De vliegenier is terug. En mijn onrust eveneens. Ik ben naar bed gegaan en heb liggen piekeren over wat ik met mijn verliefde gevoelens aan moet. Een paar dagen geleden was ik er nog zo zeker van dat ik de piloot er deelgenoot van wilde maken. Maar nu hij weer thuis is, durf ik niet meer. Ik ben bang voor hetgeen ik overhoop zal halen. Ik ben bang om voor gek te worden versleten. Het is vast raar om binnen een heel goed monogaam huwelijk toch verliefd te worden op een ander. Het komt wel voor natuurlijk. En soms kiezen mensen er dan voor om

hun huwelijk te beëindigen en verder te gaan met hun nieuwe liefde. Maar dat wil ik helemaal niet. Ik wil niet weg bij Mark. Ik wil bij hem blijven. Maar ik wil ook de vliegenier. Ik wil niet kiezen.
Vanochtend ben ik heel vroeg opgestaan. Het was al licht, maar door het raam op de overloop zag ik in het zuidwesten nog de maan. En toen ik in de tuin kwam, toonde het oosten reeds oranjerood van de zon die zojuist opkwam. En toen daagde het mij. De zon en de maan zijn er allebei.

ⓘ Litha
Litha of midzomer is het feest dat het hoogtepunt van de zomer markeert. Het wordt gevierd op de langste dag van het jaar, 21 juni. Op het noordelijk halfrond is de zon nu in haar sterkste kracht en het licht is het felst. Met Litha wordt niet alleen de groeikracht en de schoonheid van de natuur uitbundig geëerd, maar men staat ook stil bij het feit dat de zon zich nu keert. Vanaf nu zal de zon in kracht en licht afnemen. Daarom heet dit feest ook wel zomerzonnewende. Vroeger geloofden mensen dat planten in de midzomernacht geneeskrachtige en magische krachten hadden. Er werden ook vreugdevuren ontstoken waarmee bescherming tegen duistere krachten werd afgedwongen. In Zweden, Finland en Estland is midzomernacht nog steeds een van de grootste feesten van het jaar. In veel andere Europese landen is het feest in de vergetelheid geraakt nadat het christendom zijn volgelingen had verboden het te vieren.
Tegenwoordig zou Litha gevierd kunnen worden door stil te staan bij al het goede wat in je eigen leven aanwezig is. Door hiervan te genieten toon je dankbaarheid. Door de zomerzonnewende te vieren kun je je instellen op de verandering van het daglicht. Het vieren van het hoogtepunt verrijkt ieders geest als een extra vitamine voor de donkere periode van het jaar.

ⓘ Godin en God
De Godin die bij deze viering geëerd wordt is een liefdesgodin. Afhankelijk van het gebied en de tijdgeest waarin deze feestdag gevierd werd, variëren haar namen van Venus, Aphrodite, Ishtar en Astarte tot Litha. In ieder geval gaat het altijd om een volwassen vrouw in de kracht van haar leven. Zij symboliseert erotiek en vruchtbaarheid.
De God is de zonnekoning of de zonnegod die de liefde van de Godin nu heeft mogen ervaren. Vanwege deze vervulling verandert hij van richting. Hij aanvaardt een nieuwe queeste en vaart weg naar het eiland der wedergeboorte. Daarmee verdwijnt de zon langzaam uit het noordelijk halfrond. In de uiterlijke wereld verdwijnt de zonnegod, maar in het innerlijke rijk wint hij aan kracht als

de Heer van de Nacht. Zijn zoektocht is gericht op de confrontatie met de eigen innerlijke demonen om aldus tot volledige zelfkennis te komen. De namen van de God kunnen Belenos, Adonis of Osiris zijn

Zaterdag 23 juni ☽

Ik vond dat ik mijn midzomerritueel niet nog langer kon uitstellen. Zelf had ik de tijd én de zin nog niet kunnen vinden, maar mijn kruidentuin was wel erg aan een Litha-ritueeltje toe.

In de heksenleer zijn geen dogma's. Je viert als je daartoe de behoefte voelt. Het is moeilijk om de lente te vieren als je nog geen krokus gezien hebt. En je kunt geen oogstfeest vieren als je appels nog niet rijp zijn voor de pluk. Tijd is een illusie. En zin kun je maken.

Volgens mijn wichelroeden is de energie van de aardstralen in mijn kruidentuin niet goed. De groentetuin daarentegen schijnt op een zeer gunstig stukje magnetisch veld te liggen. Je hoeft maar naar de planten te kijken om te zien dat hetgeen de wichelroeden aangeven, inderdaad waar is. De groenten groeien als kool, terwijl de kruiden maar een stelletje strompelende struikjes blijven. Litha schijnt het juiste moment te zijn om met behulp van het Licht de destructieve krachten te transformeren. Gisteravond heb ik mijzelf een glas wijn ingeschonken. Dat heb ik meegenomen naar de kruidentuin. Daar heb ik de Godin van de Gouden Dagen op Aarde en de God van de Zon gevraagd mijn wijn te zegenen. Ik vroeg ook om heling en genezing, om groei en bloei. Ten slotte heb ik de wijn in mijn kruidentuin uitgegoten.

...Help mij de krachten te verjagen
die de liefde onderdrukken

en de natuur verspillen.
Maak het land sterk als bomen in de zomer,
zoet als bloemen in hun bloei
en krachtig als de zon rond noen.
Help mij het Dorre Land te genezen...

> ⓘ **Dorre Land**
> De belangrijkste missie van de heksenleer is wellicht het bewerkstelligen van een herstel van de harmonie tussen de mensheid en de natuur. Heksen staan er van oudsher om bekend dat zij met hun bezweringen kunnen genezen. Maar als de wereld waarin wij leven ongezond is, dan kunnen de mensen ook niet volledig gezond blijven. En wij leven niet alleen in een wereld van geweld, sociale onrechtvaardigheid en racisme, wij wonen ook op een sterk verontreinigde planeet. Alleen door zelf verantwoordelijkheid te nemen voor de ongezonde zaken in ons eigen leven kan genezing worden bewerkstelligd. We moeten goed voor onszelf, anderen én voor de aarde zorgen. Soms kunnen wonden niet worden genezen. De dood is immers onherroepelijk. En geen mens onsterfelijk. Maar een einde maken aan het lijden kan de échte heling zijn.

Zondag 24 juni

Vanochtend ging ik zoals vele andere zondagen al vroeg naar het bos om daar hard te lopen. Het was zo'n dag waarop de mussen al voor tienen van het dak vallen. De straat zinderde van de hitte toen ik tegen elf uur weer thuiskwam. Mark was in de voortuin een fietsband aan het plakken. Ik zag dat aan de overkant van de straat de piloot ook in zijn tuin bezig was. En hij zag mij ook. We zwaaiden naar elkaar. En ik was blij dat zijn telefoonnummer niet juist geweest was.
Na een verkwikkende douche verschanste ik mij met een broodje én, niet geheel onbelangrijk in dit verhaal, in mijn bikini op het bankje in onze voortuin. Dat van die bikini, dat mocht. Ik bedoel, het zichtbaar zijn van blote buiken en benen wordt volgens mij ook in onze burgerstraat nog nét le-

gitiem geacht wanneer de wettelijke echtgenoot zich binnen een straal van vijf meter bevindt.
De vliegenier had ook een boterhammetje voor zichzelf gesmeerd. Even daarvoor had hij ook een bankje naar de straatkant van zijn huis gesleept. Zijn zwembroek lag nog in de kast. Helaas. En zo aten wij ons eigen brood, op ons eigen bankje. Ik had het brood best willen delen. Om daarna dronken te worden van de wijn.
Ik fantaseerde.
°°°*(De straat is leeg. Op ons na. Ik zit op mijn bankje, hij zit op de zijne. Ik kijk naar hem, hij kijkt naar mij. Ik zwaai naar hem. Hij wenkt mij naderbij te komen. Ik sta op en wandel, immer in bikini, naar hem toe. Ik lach, maar hij kijkt serieus. Als ik voor hem stilsta, blijft hij rustig zitten. Ik zeg niets. Hij kijkt naar mij op. En zwijgt ook als hij met zijn ogen langs mijn buik, langs mijn borsten, langs mijn lippen naar mijn ogen zoekt. Hij legt zijn grote warme handen rond mijn middel. Zijn duimen wrijven teder over de spieren van mijn middenrif. Ik huiver, ondanks de hitte. Zijn vingers duwen mijn bekken naar voren. Zijn lippen raken mijn buik, vederlicht.*
Precies op het plekje tussen mijn navel en mijn bikinibroekje, kust hij, zachtjes. Mijn buitenkant is amper beroerd, mijn binnenkant des te meer. Mijn onderbuik buitelt. Mijn knieën knikken. Mijn benen begeven het. Maar zíjn spieren spannen en zijn sterke armen laten mij niet vallen. Niet op de grond althans. Ik land in zijn schoot. Hij trekt mij tegen zich aan. De krullerige haartjes van zijn blote bovenbenen kriebelen tegen mijn huid. Zijn mannelijkheid tegen mijn rechterbil. Zijn ogen houden mijn blik vast. Ik zijn schouders. Mijn handen hebben zijn rugspieren gevonden. Zijn ogen sluiten pas als onze monden elkaar ook vinden.)°°°
'Suus, wil jij nog koffie?', verstoorde Mark, die inmiddels kennelijk klaar was met het plakken van de band, mijn mijmeringen. 'Shit, nee, ik moet de tuin doen!'

Maandag 25 juni

Maar goed ook eigenlijk, dat ik de tuin nog moest doen, want mijn fantasie was ook wel zo'n beetje op. Ik bedoel, ik zou niet weten hoe het verder had moeten gaan. Zelfs in míjn fantasie is het onmogelijk om buiten op het bankje in de voortuin de liefde te bedrijven. Ook al zou de straat uitgestorven zijn geweest. En ik zou ook nooit naar binnen hebben kunnen gaan, niet in zijn huis en niet in het mijne. Ook niet als onze beide echtgenoten niet thuis zouden zijn geweest. Dat vind zelfs ik grensoverschrijdend.
Maar afgezien van de onmogelijkheid als gevolg van praktische gebreken, ben ik persoonlijk geloof ik ook nog niet echt toe aan een vervolg. Ik kan mij niet veel voorstellen bij het vrijen met een andere man dan mijn eigen vertrouwde echtgenoot. En daarover maak ik mij al nooit veel voorstellingen. We doen het gewoon. Of we doen het niet.
Mark vraagt mij weleens of ik nog wensen heb in ons bed, maar ik heb nooit een antwoord. Ik weet het gewoon niet, want ik denk er niet over. Ik doe het, of ik doe het niet. Ik vind het fijn, of niet. Meestal vind ik het wel fijn. Ik vind in ieder geval dat mijn man een heel lekker lichaam heeft. En dat moet ik van de piloot nog maar afwachten natuurlijk.
Vanochtend, toen zijn vrouw uit werken was, hervatte de vliegenier zijn tuinactiviteiten. En ik zette de bloemetjes ook weer buiten. Slechts letterlijk. Want, omdat ook míjn man uit werken was, liep ik ditmaal niet in bikini. Buurmannen zouden zich maar eens rare dingen in hun hoofd kunnen gaan halen over schaars geklede vrouwen wier echtgenoot niet thuis is. Ik droeg een strak wit truitje, met een opdruk van felgekleurde vruchten. Ik wist dat ik er fris en fruitig uitzag. En verboden vruchten smaken het lekkerst, toch?

♫ *I'll be the garden*
You be the snake
All of my fruit is yours to take
Better the devil that you know ♫

(Madonna - Like it or not)

Woensdag 27 juni

Sem had vanmiddag een voetbaltoernooi. En zijn vriendje ook. Dat was de pilotenzoon. De pilotenvrouw was uit werken. De piloot zelf is thuis deze week én de piloot houdt van voetbal. Het lag dus nogal voor de hand wie de pilotenzoon naar het voetbaltoernooi zou begeleiden. Omdat ik een niet buitenshuis werkende vrouw ben, lag het ook voor de hand wie er met mijn zoon mee zou gaan.
Sem en ik wachtten voor het huis van de vliegenier en zijn zoon totdat zij ook klaar waren voor vertrek. Het kwam mij voor dat de vliegenier minder spraakzaam was 'Zeg, je vind het toch niet vervelend, dat ik met je meefiets?', vroeg ik hem. 'Integendeel, ik had het je zelf ook al willen vragen', antwoordde hij. Zo! Was dat even een aangename verrassing. Dat gaf deze burgermoeder weer wat moed. 'Okay, 't is maar dat je weet dat ik mij niet wil opdringen hoor!', zei ik. Ietwat bevreemd keek de piloot mij aan. 'Als jij maar weet dat ik dat niet erg zou vinden', zei hij. Ik wist niets meer te zeggen en heb alleen maar gelachen. En de vliegenier lachte ook.
Bij het voetbalveld aangekomen, liepen onze zonen samen stoer naar de trainers. De vliegenier en ik zegen tevreden naast elkaar in het gras. Die tevredenheid gold in ieder geval mijn persoon. Een uur lang mocht ik daar naast hem

zitten. De zon scheen! Wat een cadeau! De vliegenier had zijn tong teruggevonden. We praatten over van alles en nog wat. Dat was gemakkelijk. Hij is een aardige, grappige, lieve gesprekspartner. We waren ontspannen. Op een gegeven moment ging hij een beetje achterovergeleund in het gras liggen. Vanuit mijn ooghoek zag ik een klein stukje van zijn onderbuik. Een beetje huid en een beetje haar piepten onder zijn shirt uit. Uit pure angst dat ik zelf ook zou gaan piepen, durfde ik niet echt te kijken. Zucht.

Donderdag 28 juni

De piloot heeft huis en haard weer verlaten. Ik heb mij weer op het werk in de achtertuin gestort. De planten in de moestuin doen het goed. Mijn vingers waren altijd al best wel groen. Desalniettemin vroeg ik mij af of ik misschien toch niet ook een klein beetje hulp van hogerhand zou hebben gekregen. Ik dacht aan het devaverhaal van de wichelroedejuf. °°°*(Misschien zitten er wel deva's in mijn eigen groentetuin...)*°°° Ik dacht heel slim te zijn door met mijn wichelroeden op een neutrale plaats in mijn tuin te gaan staan en te vragen wáár in mijn tuin zich de deva's bevonden. Wie schetste mijn verbazing toen de roeden zonder aarzeling en unaniem op de groentetuin wezen. Daarna vroeg ik of de deva's ook een onderkomen zouden willen zoeken in de kruidentuin. Sinds ik geprobeerd heb de dorre aarde daar te genezen, zijn de kruiden al behoorlijk bijgetrokken. In het maken van de talisman mag ik dan gefaald hebben, mijn rite in de kruidentuin lijkt zijn uitwerking niet te missen. Er komen steeds meer blaadjes aan de basilicum en de bieslook wordt steeds voller. Maar een beetje hulp van de deva's kan nooit kwaad natuurlijk.

De wichelroeden gaven niet het door mij verwachtte bevestigende antwoord. Zij bogen zich gezamenlijk in één vloeiende lijn van de groentetuin naar de kruidentuin. Zij bogen. En deva's vlogen. Dat heb ik niet gezien. Maar onze poes wél. Die heeft nog een hele tijd verwonderd van de groentetuin naar de moestuin heen en weer zitten kijken. Poes zag ze vliegen.

Vrijdag 29 juni

Morgen is het weer volle maan. Dan kan ik mijn inwijding tot solitaire heks afronden. Vandaag heb ik daarvoor brandnetelbladeren en kamillebloemen geplukt. Door de geur die vrijkomt bij het verbranden van deze kruiden, schijnt het paranormale vermogen versterkt te kunnen worden. Ik ben benieuwd of ik ze morgen ook zal zien vliegen ...

Zaterdag 30 juni ○

Zojuist heb ik mijn initiatie gecomplementeerd. Rond middernacht probeerde ik ongemerkt mijn bed uit te glippen. Maar Mark werd wakker en vroeg wat ik ging doen. Ik mompelde dat ik niet kon slapen. Het is niet dat hij niet mag weten wat ik uitspook op onze zolder, maar ik vertel liever naderhand wat ik gedaan heb. Mark weet dat ik met hekserij, magie en meer van dat soort dingen bezig ben, en dat is voldoende voor ons allebei. Hij is niet geïnteresseerd in de precieze inhoud. En de tijdstippen waarop ik magie bedrijf houd ik liever voor mijzelf. Het voelt niet lekker als ik bezig

ben met mijn magische zaken terwijl hij elders in ons huis is, wetend wat ik aan het doen ben. Ik doe het liever als hij van huis is, of wanneer hij slaapt. Maar als hij vraagt en wil weten, dan geef ik antwoord.
Ik begon mijn ritueel zoals gewoonlijk met het reinigen en inrichten van mijn altaar. Daarbij brandde ik ook de brandnetel en de kamille. Nadat ik mij voldoende geaard voelde en ik de elementen en de Godheden aangeroepen had, zei ik mijn gebed.

...Open de wegen van de natuurmagie
opdat ik mijn ware lotsbestemming vind.
Maak mij tot een wijze heks...

Op het altaar staat een kommetje dat aan de Godin gewijd is. Hierin zit water. Met dat water moest ik een rondje met daarin een kruisje op mijn voorhoofd tekenen.

...Nu word ik herboren als heksenpriesteres.
Ik vraag u mijn nieuwe ik te zegenen, beschermen en begeleiden.
Ik geef u mijzelf, ik geef u mijn eeuwig Leven...

Van het altaar pakte ik het fluitje dat de God vertegenwoordigt en blies er zachtjes op. Dat was de laatste handeling van het initiatieritueel. Daarna had ik de cirkel kunnen ontbinden en naar bed kunnen gaan. Maar dat deed ik niet. Ik ging op de grond liggen, op mijn magische groene kleedje. Door het dakraam boven mijn hoofd zag ik de volle maan. Ik voelde mij kalm en vredig. Het raam stond wagenwijd open. Omdat het buiten al dagen benauwd en windstil was. Maar op mijn zolder leek het te tochten. En de wind fluisterde: 'Je bent nu een van ons.' Ik heb het heel duidelijk gehoord.

Zondag 1 juli

De vliegenier kwam vandaag ook weer aangewaaid. Zijn zoon speelde bij ons, en hij kwam checken of alles wel goed ging. Of hij deed alsof. Zijn vrouw komt nooit checken of alles wel goed gaat als onze zonen samen spelen. En als Sem bij haar speelt ga ik ook zelden langs. Behalve als de piloot er is, natuurlijk ...
Nadat hij zich ervan verzekerd had dat alles goed ging met zijn zoon, liep ik met hem mee om hem uit te laten. Ik nam de route voor het officieuze bezoek, door de bijkeuken. Daar bevindt zich de achterdeur. Ik liet de vliegenier voorgaan en liep achter hem aan. Ik keek hoe ver de wasmachine met haar programma was. En knalde toen tegen de rug van de piloot die bij de achterdeur met de klink in zijn hand stil was blijven staan. De deur tussen de keuken en de bijkeuken viel dicht. Wij bevonden ons in een afgesloten ruimte en ik stond met mijn neus tegen zijn rug. Ik rook de geur van zijn huid door zijn shirt. Die beviel mij. Ik bleef staan. Langzaam draaide hij zich om. Mijn wang schuurde langs zijn shirt. Ik deed maar een heel klein stapje achteruit en wreef over mijn neus. 'Sorry', zeiden wij. Onze monden lachten. Maar onze ogen keken serieus. Naar elkaar. En hij zei dat zijn vrouw er een paar daagjes met een vriendin tussenuit was. Shoppen in Parijs. 'Leuk!', jokte ik, die shoppen haat.

Maandag 2 juli

In de namiddag speelde zoonlief samen met de pilotenzoon. En volgens mij deden de vliegenier en ik dat ook. We spelen een spelletje. Ik weet alleen nog steeds niet welk. Vanwege

onze zonen was het geoorloofd om elkaars grondgebied te betreden. Het verkleinde het risico dat andere buurvrouwen uit pure jaloezie zouden kunnen gaan roddelen. Want we liepen heel wat heen en weer vanmiddag.
Beiden beseffen wij niet lang meer van de aanwezigheid van de ander te kunnen genieten. Als zijn vrouw terugkomt van haar shopuitspatting, moet de vliegenier weer vliegen. En als hij terugkomt, ben ik er niet meer. Want eind van de week reis ik met mijn gezin af naar Italië. We weten dat alle twee. Maar we zeggen niet tegen elkaar dat wij het jammer vinden dat we elkaar dan een poos niet meer zullen zien. We spelen een spelletje. En ik kom er maar niet achter wat de regels zijn. Hoe ver kan ik gaan? Ik weet nog niet waar ik vind dat mijn grenzen liggen. En wat vindt hij?

Dinsdag 3 juli

Vlak voor het avondeten kwam ik erachter dat de aardappelen op waren. Ik had nog meer dingen nodig en wilde wel even snel naar de winkel. Maar Sem had geen zin om mee te gaan. Het was warm. En Sem is geen prettig gezelschap in de winkel. Hij kan best even alleen thuis blijven. Met een beeldscherm van een willekeurig digitaal apparaat voor zijn neus houdt hij het wel een poosje vol. Als die apparaten werken, mist hij niets en niemand. Zolang die apparaten het doen, heeft Sem geen behoefte aan eten of drinken, noch aan menselijk contact. Totdat de computer vastloopt, er geen leuk tv-programma meer is of het hem niet lukt het volgende level te halen op het *play station*. Dan moet er iemand voor hem zijn. Hierin zag ik een kans.
Ik sprong onder de douche om de zweetgeur van mijn zon-

nebad weg te wassen met rozenzeep. Toen ik mij afdroogde, zag ik in de spiegel dat de zon goed werk had gedaan. Ik straalde haar stralen. Een beetje lipgloss en een (wel heel) zomers jurkje deden de rest. Ik wandelde naar het huis van de vliegenier. Toen hij de deur opendeed, zag ik eerst zijn verwarring. 'Sem is niet hier', zei hij. En toen zijn bewondering. 'Maar wat een aangename verrassing.' Ik vertelde dat ik naar de winkel wilde maar Sem niet en vroeg hem of hij een oogje in het zeil wilde houden. 'Als het jou aangaat, heb ik mijn ogen toch nooit in mijn zak', antwoordde hij. Knipogend.

♫ *Promiscuous girl*
You're teasing me
You know what I want
And I got what you need ♫

(Nelly Furtado - Promiscuous)

Woensdag 4 juli

Ik twijfel of ik open kaart moet gaan spelen. Eigenlijk zou ik voordat de vliegenier en ik beiden aan de vakanties met onze eigen gezinnen beginnen, toch wel willen weten welk spelletje wij spelen. En óf wij een spelletje spelen. Misschien speelt het alleen in mijn hoofd. Die negatieve uitkomst, weet ik geloof ik liever voordat ik naar Italië ga. Dan kan ik daar mijn wonden likken. En in het geval van een positieve uitslag, hebben wij ruimschoots de tijd om na te denken over hoe we het een en ander moeten gaan aanpakken als we weer in den Moederlanden terug zijn.

♫ *Promiscuous boy*
Let's get to the point
Cause we're on a roll
You ready? ♫

(Nelly Furtado - Promiscuous)

Donderdag 5 juli

Hij is weg. Het is te laat om te vertellen dat ik geprobeerd heb hem te bellen. Misschien is het ook maar beter zo. Misschien helpt geheelonthouding.

Vrijdag 6 juli

Ik houd niet zo van op vakantie gaan. Vroeger kreeg ik altijd heimwee. Tegenwoordig ben ik bang dat wij met ons vieren niet behouden terug zullen komen. Bovendien vind ik het een hele onderneming om met een gezin weg te komen. De caravan moet worden ingepakt, de boodschappen gedaan en het huis schoon achtergelaten. En wat sjouwen we tegenwoordig toch niet allemaal mee?
Het begint al in de auto. De rit naar een warm land duurt lang. Te lang voor de meeste kinderen anno nu. Velen schijnen het reisdoel niet te kunnen halen zonder beeldbuis-afkickverschijnselen te gaan vertonen. In ieder geval lijken hun ouders daar bang voor. Daarom gaat een portable dvd-speler mee. Wij proberen het nog steeds met een spelletje mens-erger-je-niet.

De reis naar een warm land is ver. Te ver voor veel automobilisten, meestal vaders, anno nu. Velen schijnen het reisdoel niet meer te kunnen vinden met alleen een autokaart. Daarvoor is er een navigatiesysteem aan boord. Wij hebben geen Tomtom. Mark moet het doen met een Suussuus. En die doet het nog ouderwets, met de wegenkaart.
De reis naar een warm land is zenuwslopend. Te zenuwslopend voor veel bijrijders, meestal moeders, anno nu. Velen schijnen het reisdoel niet meer te kunnen halen zonder zich even helemaal te kunnen afsluiten van het geruzie op de achterbank en het gestress van de automobilist. Daarvoor bestaan er mp3-spelers. Én, maar dat is alleen in sommige gevallen, een extra prozacpil.
De reis naar een warm land is warm, daarom zijn we voorzien van airconditioning. De reis naar een warm land maakt dorstig, daarom zit er een koelkast in de caravan. De reis naar een warm land doet sterk denken aan een volksverhuizing.
Maar in het warme land gaan we lekker kamperen hoor. Op de camping zetten we onze caravan tussen de andere caravans in een van de straatjes van het caravandorp. En dan gaan we bouwen. Voortenten, luifels, slaapcabines moeten worden aangeritst en opgezet. Daarna volgt het territorium afbakenen. Met tuinstoelen, fietsen en pubtentjes markeren we de grenslijnen. Ondertussen rennen de kinderen als dolle jonge honden over het campingterrein. De andere kinderen hebben hen ook al geroken en als ze vriendjes gemaakt hebben, kunnen ook de ouders elkaar onderling even besnuffelen. Contacten zijn ook in het buitenland gemakkelijk gelegd. Want in een caravannendorp spreekt iedereen gewoon Nederlands.
Ten slotte gaan we op verkenningstocht. Ziet alles er nog zo uit als het vorig jaar? En het jaar daarvoor?
In de caravans zijn wij voorzien van een bed, verwarming, oven en toilet. We koken niet meer op een primusje, ben je

gek? Daarvoor hebben we een gasfornuis, een barbecue en een *scottlebraai*, of zoiets. En we kunnen uit eten natuurlijk. Want in het caravannendorp is ook wel een restaurant. Daar hebben ze echte Italiaanse pizza. En een broodje kroket. Je kunt er ook heerlijke caffellatte en cappuccini drinken. Maar dat hoeft niet. Want in de caravan hebben we Douwe Egberts. En ons eigen senseoapparaat.

Zaterdag 7 juli ☾

We zijn in al Oostenrijk. En we leven nog. Sem en Nonna hebben elkaar op de achterbank niet de harses ingeslagen en Mark is niet uit een haarspeldbocht het ravijn in gevlogen. Ook de rest van het verkeer gedroeg zich.

Zondag 8 juli

Het reisdoel is bereikt. Onze installatie is zonder problemen verlopen en we zijn al bij de buren op de koffie geweest. De buurman is een lekker ding. Met hem wil ik ook wel een rondje om het Lago di Garda. Hardlopen. Alleen maar hardlopen, hoor.

Maandag 9 juli

Alhoewel, bij nader inzien ... Onze campingbuurman heeft een heel mooie mond. Misschien wil ik die ook wel kussen.

Vanmiddag, na mijn eerste hardloopronde in dit warme land, voelde ik mij erg loom. Het is heet hier. Na de lunch was ik wel toe aan een kleine siësta en installeerde ik mij in het zonnetje naast onze caravan. De buurman lachte mij vriendelijk toe. Ik lachte terug en smeerde mijn lichaam in met zonnebrandcrème. En de buurman keek toe. Dat zag ik vanuit mijn ooghoeken. Ik ging achterover liggen en deed mijn ogen dicht. Ik stelde mij voor wat zou kunnen gebeuren tussen hem en mij. Ik overwoog de mogelijkheden. Wij zouden elkaar kunnen treffen bij de douches of de toiletten. Daar zou hij mij een hokje in kunnen trekken zodat wij elkaars zoute lippen zouden kunnen proeven. Inmiddels had ik mijn zonnebril opgezet en kon de buurman niet meer zien of ik mijn ogen gesloten dan wel open had. Ze waren open. En ik zag hoe hij deed alsof hij een boek las, maar ondertussen stiekem over de rand zat te gluren. Naar mij. Het is heet hier. Heel heet.

Dinsdag 10 juli

Ik vraag mij af wat mij bezielt. Hoe kom ik zo licht ontvlambaar de laatste tijd? Ligt het aan de zomer? Of is het 't vuur van mijn leeftijd? Maar nee, ik herinnerde mij vandaag dat ik veel vaker op meer dan één persoon tegelijk verliefd geweest ben. Weliswaar was dat in een ver verleden. Voordat ik Mark ontmoette. Voordat ik echt gekozen had. Voor die ene. De Ware. Als kleutermeisje waren er meerdere jongetjes in de klas met wie ik graag vadertje en moedertje speelde. Op de lagere school had ik een vriendje in de straat waar ik woonde. Met hem speelde ik na schooltijd. En wij hadden de afspraak dat we later zouden gaan trouwen. Maar op school zat ik aan een tafelgroepje met ook een paar heel leuke jongetjes op wie

ik verliefd was. Op de middelbare school had ik een innige verhouding met mijn leraar Duits die achteraf bezien duidelijk de grenzen van het ethisch toelaatbare overschreed. En tegelijkertijd schreef ik in mijn dagboek hele verhalen over twee andere jongens naar wiens aandacht ik hopeloos smachtte. Het ging mij niet om de seks, want daarvan had ik toen nog geen kaas gegeten. Destijds had ik ook helemaal niet het gevoel dat ik moest kiezen voor de een of de ander. Ze waren er gewoon allemaal tegelijk, net zoals al mijn "dezelfde soort maar toch verschillende" gevoelens. Pas toen ik in het begin van mijn relatie met Mark verliefd werd op een andere man en ik dit deelde met Mark en mijn vriendinnen bleek dat mijn gevoelens als ambivalent werden opgevat. Wat ik voelde, dat bleek eigenlijk helemaal niet te kunnen. Ik ontdekte dat het in onze maatschappij vanaf een bepaalde leeftijd niet meer is toegestaan voor meerdere personen liefdevolle gevoelens te koesteren. Op een gegeven moment moet je blijkbaar kiezen.
Er waren maar twee opties. Zo werd mij duidelijk gemaakt. Als ik bij Mark wilde blijven dan moest mijn verliefdheid in de kiem gesmoord worden. Als ik met die ander verder wilde, dan moest ik maar weggaan bij Mark. Want in onze maatschappij is monogamie de norm. Maar volgens mij is de mens van nature niet monogaam. Ík in elk geval niet. Zoveel is mij nu wel duidelijk.
Het zou je reinste zelfverloochening zijn om dat nog langer te ontkennen. En destijds vond ik kiezen ook al zo dom. Ik wilde Mark én ik wilde mijn verliefdheid. Als ik voor de een zou kiezen dan was ik maar half. Als ik voor Mark zou kiezen dan was ik mijn gevoel voor die ander toch niet zomaar kwijt? Naar mijn idee schoot Mark daar niet echt veel mee op. En als ik ervoor zou kiezen om met die ander verder te gaan, wie zou er dan voor zorgen dat ik na een paar jaar niet voor hetzelfde dilemma zou komen te staan?

Donderdag 12 juli

De perfecte partner die alles in zich heeft wat je zoekt, bestaat niet. Het is een illusie om te denken dat je alles met maar één vaste partner mag en kunt delen. Als de eerste vlinders verder gevlogen zijn en de grootste verliefdheid voorbij is, dan komen we daar allemaal wel achter. Dan ontdek je dat je toch liever met een vriendin naar die tranentrekkende film gaat. En dat het leuker is om te tennissen met iemand van gelijk niveau in plaats van altijd maar weer in het gravel te liggen happen. De meeste vrouwen hebben dan ook meer dan één vriend(in). En dat, het hebben van meerdere relaties met personen van je eigen sekse, is wel toegestaan. Tenminste zolang je het bed maar niet met hen deelt. Maar meerdere mannen dat kan niet. En wederom heb ik het niet enkel over seksuele relaties. Zelfs een diepgaande vriendschap of een spirituele band is al bedreigend.
Ik denk meer liefde in mij te hebben dan die ik aan één man kan geven. Ik kan toch ook van meerdere kinderen houden? En ik houd van hen toch ook allemaal evenveel. Op een andere manier weliswaar, maar wel evenveel.
Dat is toch eigenlijk raar? Als ik een slagroomtaartje en een moorkop naast elkaar zie staan, dan vind ik het heel moeilijk om te kiezen. Dan wil ik van beide wel een stukje. Misschien wil ik van de een meer eten dan van de ander, maar daarvoor moet ik ze allebei wel even goed hebben kunnen proeven. Misschien wil ik het slagroomtaartje wel helemaal opeten en van de moorkop slechts de chocola. En misschien kies ik uiteindelijk ook nog wel voor een Limburgse vlaai, een Turkse baklava of een heerlijke negerzoen. Van taartjes en gebakjes mag je ongestraft proeven zoveel je wilt. Je wordt er hoogstens misselijk van.

Zaterdag 14 juli ●

Ik heb mijn vakantieritme wel zo'n beetje gevonden. 's Ochtends sta ik meestal vroeg op om te trainen. Als ik na het hardlopen of zwemmen gedoucht ben, slenteren Mark en ik naar het terras bij het restaurant om een lekkere cappuccino te drinken. Natuurlijk zijn er de huishoudelijke beslommeringen die een huismoeder ook op vakantie altijd wel weten te vinden. Maar het is heerlijk om niet meer naar mijn werk te hoeven. Ook al werk ik nog steeds maar één dag in de week. Tussen de middag is het te warm om ook maar iets te doen. Hoewel het niet in mijn aard ligt, heb ik mij inmiddels overgegeven aan de siësta. Terwijl het zonnetje mijn lichaam verwarmt, verwarm ik mijn geest door aan de piloot te denken. Of aan de campingbuurman. Ik fantaseer.
En ik geniet. Van de warmte. De warmte van het klimaat, van de sympathieke mensen, van het lekkere eten. De warmte van de liefde voor mijn kinderen. De warmte van het vrijen met mijn eigen man. Het is goed zoals het is. Hij is goed zoals hij is.

♫ *There are nine million bicycles in Beijing.*
That's a fact, it's a thing we can't deny,
Like the fact that I will love you 'til I die ♫

(Katie Melua - Nine million bicycles)

Zondag 15 juli

Vandaag vierden we de verjaardag van Sem. Hij is dit schooljaar in de vakantie jarig. Jammer voor hem. Maar misschien

ook juist wel goed. Zo kunnen we de spanning spreiden. En de drukte mijden. Voor een kind als Sem is het wel zo fijn om een feestje te kunnen geven in een periode dat hij niet ook nog naar school moet.
Vóór de zomervakantie begon, stond het trakteren van zijn klasgenootjes op het program. En dat is op één dag dan ook echt wel genoeg voor Sem. Tegenwoordig is trakteren namelijk een hele happening. Vroeger zongen de klasgenootjes een verjaarslied voor de Jarige Job of Jet. Die mocht dan voor de klas staan. Op een stoel. Dat was heel bijzonder. En als Job of Jet heel veel geluk had, mocht hij of zij bij de meester op de rug.
Nu zijn er bijna geen meesters meer. Maar het uitgebreide verjaarsritueel dat heden ten dage in de klassen wordt opgevoerd, compenseert dat verlies ruimschoots. Een speciale verjaarsstoel wordt de klas ingehaald en er worden echte kaarsjes op een neptaart aangestoken. Traktaties worden ook niet meer gewoon uitgedeeld, doch op dramatische wijze tevoorschijn getóverd. En om de spanning en sensatie nog meer op te voeren, worden voor het uitdelen speciale "helpende handjes" aangewezen.
Dat willen natuurlijk alle klasgenootjes wel worden. Maar het kunnen alleen de leukste wezen. En dat zijn altijd dezelfden. Net zoals er ook altijd een paar kinderen zijn die weten dat zij nooit gekozen zullen worden.
En dan de traktatie. In mijn basisschooldagen duwde Job of Jet ons een dropveter, een schuimblok of een lolly in de hand. Daar was je heel blij mee. En als je wat meer geluk had dan was de moeder van Job of Jet een beetje creatiever geweest en kreeg je een blokje kaas met een augurk aan een satéprikker. Maar daar doen de kids van de eenentwintigste eeuw het niet meer voor, hoor! Of hun ouders, dat kan natuurlijk ook.

Heden ten dage wordt creativiteit en vindingrijkheid, ook onder schooltraktaties, van groot belang geacht. Hele knutselwerken worden de klas ingedragen. Ik heb huizen van snoep, stekelvarkens van satéprikkers en "patatjes oorlog" van cake, slagroom en aardbeisaus voorbij zien komen.
Stad en land moeten zijn afgesjouwd om alle benodigde knutselmaterialen aangesleept te krijgen. Bloed, zweet, tranen én geld (vooral geld) moet het hebben gekost om de SpongeBobs, Pokémons(ters) of andere populaire en door de media gehypete figuren in elkaar geknutseld te hebben gekregen. En soms krijgen alle klasgenootjes als klap op de vuurpijl dan ook nog een cadeautje mee naar huis. Ik kan mij vergissen, maar dat hoort toch eigenlijk uitsluitend andersom?
Je zou bijna denken dat met het creëren van een goede traktatie een extra hoog cijfer behaald kan worden. Ik vraag mij alleen af wie hier nou een punt bij wie probeert te scoren. Zijn het de kinderen bij hun klasgenootjes? Die kans acht ik klein, gezien het feit dat kinderen alleen maar belangstelling hebben voor iets dat hun tanden uit de mond doet vallen van zoetigheid. Alles wat niet eetbaar is, verdwijnt gewoon in de prullenbak. Bovendien zien de kunstwerken er vaak niet uit alsof een kinderhandje zich ermee gemoeid heeft.
Het moeten wel de ouders zijn, die knutselen. Alhoewel, bij nader inzien denk ik ook niet dat een vader vrijwillig een Koekiemonster uit een stuk papier gaat zitten knippen. Dan blijven de moeders over, zoveel is wel duidelijk. Voor wie doen zij dat dan? Mijn kroost vraagt mij nooit om creatieve prestaties waar het om traktaties gaat. Zij willen gewoon iets lekkers uitdelen. En knutselwerkjes behorende bij traktaties van andere kinderen worden net zo min gewaardeerd. Daar de mannelijke leerkracht een bijna uitgestorven ras is, hoeven moeders het ook niet voor de meesters te doen.

Waarom moet ik nu ineens denken aan de slagzin van een farmaceutisch bedrijf dat zwangere vrouwen aanspoort hun ochtendurine te doneren teneinde er een zwangerschapshormoon uit te filteren? Moeders voor Moeders. Dat was het toch?

Maandag 16 juli

Over Moeder voor Moeders gesproken: mijn menstruatie is nog steeds niet begonnen. En ik kan niet zwanger zijn. Sinds Mark zich van "zijn mannelijkheid heeft laten beroven", zoals hij het zelf noemt, hoeven wij ons daar geen zorgen meer over te maken. En aangezien ik het christendom verworpen heb, geloof ik ook niet meer in het sprookje van de onbevlekte ontvangenis. Het zal wel te maken hebben met de vakantiestress. Verandering van omgeving en klimaat moeten mijn hormoonhuishouding in de war gebracht hebben. Hoop ik ...
Ik loop de hele dag naar de toilethokken, maar heb nog steeds geen druppel bloed gezien.
Ik ben echt nog niet in de overgang! °°°*(Toch?)*°°° Welneeeeh, ik ben een vrouw in mijn hoogtijdagen. De kracht van mijn leven moge wellicht een aantal jaren achter mij liggen. Maar zo voelt dat niet. Dat is slechts gezien het feit dat mijn zwangerschappen alweer van een poosje geleden dateren. Maar ik ben nog immer in mijn vruchtbare jaren. Ik ben toch nog lang niet krachteloos, uitgebloeid en oud? Wat is "oud" tegenwoordig, in deze westerse wereld?
Onze mensenlevens zijn verlengd. Dus ook het ouder worden is uitgesteld. Ik hoor nog bij de jongere helft. Ik geniet nog van veel dezelfde geneugten als de jeugd. En ik word nog immer blootgesteld aan dezelfde verleidingen.

Woensdag 18 juli

Vandaag vierde ik mijn 43e verjaardag. Dat ik zelfs op vakantie cadeautjes kreeg, was geen echte verrassing. Voor wij van huis vertrokken, hadden de kinderen de pakjes met alle geweld zelf voor mij willen verstoppen in de caravan. Mark had dat goed gevonden en zich er verder niet meer mee bemoeid. Nog vóórdat wij de Duitse grens bereikt hadden, waren alle cadeautjes al kriskras door de caravan gerold. Omdat ik de enige was die onderweg de caravan in mocht, heb ik ze allemaal zelf moeten oprapen. En het was niet moeilijk te raden wat erin zou zitten. Sem had Mark gevraagd om bonbons voor mij te kopen. Daar is hij namelijk dol op. Nonna had samen met Mark een doosje inzichtkaarten van *Het Julejaar* van Tanja Hilgers gekocht. Ik heb haar agenda al en die gebruik ik dagelijks met heel veel plezier. Van Mark kreeg ik, op mijn eigen verzoek, het boek "Stout", van Heleen van Royen en Marlies Dekker.
Ik heb Mark vandaag ook maar eens gevraagd om te proberen een paar mooie foto's van mij te maken. Proberen, want Mark is geen begaafd fotograaf. En ik ben beslist geen goed fotomodel. Maar juist omdat ik meestal degene ben die de foto's maak, zijn er bijna geen foto's van mij. Dat is jammer want ik heb sterk het gevoel dat ik mijn meest fotogenieke jaren voorbij heb laten gaan. Ik moet opschieten wil ik nog redelijk op een vakantiekiekje staan. In ieder geval lijkt het mij dat mijn hoogtepunt zo ongeveer wel bereikt is. Gezien het uitblijven van mijn menstruatie durf ik geen enkel risico meer te nemen. We moeten knippen voordat het verval intreedt.

Vrijdag 20 juli

Want nu ben ik nog een stoute vrouw.
Althans dat zeggen Heleen van Royen en Marlies Dekker. En zij kunnen het weten. Volgens hun "Schaal van Stout", die loopt van 1 tot 12, scoor ik behoorlijk hoog. Een stoute vrouw blijkt een aantal karakteristieke eigenschappen te bezitten. En hoe meer eigenschappen een vrouw zichzelf kan toedichten, des te stouter zij is. De twaalf eigenschappen zijn: *levenslustig, nieuwsgierig, creatief, ambitieus, ondernemend, succesvol, grensverleggend, risiconemend, veerkrachtig, dominant, manipulatief en ongenaakbaar.*
Volgens mijn eigen inzicht scoor ik een 10. Ik ben niet *ongenaakbaar.* Helaas niet. En het *succes* is tot op heden ook nog uitgebleven. Maar ik ben wel zeer *levenslustig*, vooral sinds ik prozac slik. Ik ben zeker *nieuwsgierig*, vooral naar de piloot (of de campingbuurman) zonder kleren. Dat ik *creatief* ben, vooral in mijn fantasie, heb ik inmiddels wel bewezen. Mijn plan om de piloot in mijn bed te krijgen, vind ik beslist vallen onder de noemer *ambitieus.* En ik probeer mijn plan ten uitvoer te brengen, dus *ondernemend* ben ik ook. Ik heb mijn eigen grenzen verlegd want ik neem een enorm *risico.* Mijn *veerkrachtigheid* in mijn stoute actie moet ik nog bewijzen, maar ik ben ervan overtuigd dat ik heus wel weer boven kom drijven als de piloot mij na zijn afwijzing uit zijn vliegtuig heeft geduwd. *Dominant* was híj tot op heden in elk geval niet, dus dat punt gaat ook naar mij. En *manipulatie* lijkt mij bijna inherent aan het bedrijven van magie, ook al is deze wit.

Zaterdag 21 juli

Doch, ik kán helemaal geen stoute vrouw zijn.
Althans dat zeggen Heleen van Royen en Marlies Dekker. En zij kunnen het weten. Want in hun boek lees ik ... *Hoezo stout? Een beetje op de zak van je man teren, kun je wel? En hij maar sloven, verwend nest. Ga eens werken voor je geld!* ... O ja, dat was ik even vergeten, ik ben financieel afhankelijk. Volgens Heleen en Marlies draag ik er daardoor toe bij dat de emancipatie stagneert. En dát is per definitie niet stout. Goedkeuring en bevestiging hoef ik dus ook niet bij deze vrouwen te zoeken. Want zij kunnen zich niet met mij, de liever thuisblijvende moeder, identificeren. Da's jammer want ik had best wel vriendinnen willen worden met Heleen en Marlies. Maar het lijkt erop dat ik mijn weg alleen moet vervolgen.

♫ *Tel est mon destin, Je vais mon chemin...*
...Je prends, je donne, avais-je le choix? ♫

(Céline Dion - Destin)

Zondag 22 juli ☽

En vooralsnog is dat naar huis. En daar heb ik wel weer zin in. Ik heb genoeg cappuccini gedronken. De kids zeuren om een Nederlandse soft *gelato* en de pizza komt Mark zijn neus uit. Morgen zullen we de terugtocht aanvaarden. Woensdag hopen we dan weer heelhuids thuis aan te komen.
Vandaag belde mijn zusje nog. Of we op de terugweg van Italië naar huis niet even aan konden komen bij haar. Om

kennis te maken met de stratenmaker. Ik dacht het niet! Als ik mijn stal ruik dan houdt niemand mij meer tegen. En zeker geen bejaarde stratenmaker die van Hannahs centen wil leven.
Vanochtend hebben we afscheid genomen van onze campingburen. Het is niks meer geworden tussen de campingbuurman en mij. Dat lag aan mij. Buurman wilde best. Ik denk tenminste dat zijn uitnodiging om met hem door het stille stukje natuur onder aan de camping naar het Lago di Garda te wandelen meer impliceerde. Ik weet het niet zeker. Want ik ben niet meegegaan. Het voelde niet goed. Niet zuiver, niet oprecht. Uit mijn mond klinkt dat misschien een beetje raar. Maar in wezen ben ik heel integer.

Dinsdag 24 juli

Gisteravond, op de camping in Oostenrijk, heb ik spetterende seks gehad met mijn echtgenoot. Waar kwam dat vandaan? Mijn lust bedoel ik. De hofdame die aan het hoofd van mijn hormoonhuishouding staat, lijkt de boel nu helemaal niet meer onder controle te hebben. Ik menstrueer nog steeds niet. Maar de vakantie heeft mijn geest wel enigszins (dat wil zeggen voor zover dat mogelijk is voor een Alle Dagen Heel Druk brein) tot rust gebracht. En het strakke trainingsschema heeft ervoor gezorgd dat ik letterlijk en figuurlijk goed in mijn vel zit. De zon heeft mijn huid gebruind. Ik voel mij sensueel en sexy, wellustig en wulps.
Maar ik weet niet of ik nog wel zin heb in de piloot. Het is zo'n gedoe, dat om elkaar heen gedraai. Daar heb ik in ieder geval geen zin meer in. Ik ben geen 23 meer. Ik ben 43! Ik ben te groot voor spelletjes. Ik wil duidelijkheid. Ik geloof dat ik niet

bang meer ben dat mij mijn dromen ontnomen zullen worden. Misschien zal ik daar zelfs wel blij om zijn. Terug naar het gewone leven. Tijd en ruimte in mijn hoofd. Ik wil weten waar ik aan toe ben.

Woensdag 25 juli

Wij zijn weer thuis. De Godin zij dank. De vliegenier is nog niet ingevlogen. Die zit nog ergens met zijn familie in het Zonnige Zuiden aan een ijsje te likken. Of ergens anders aan? Misschien? Daar heb ik geen weet van.
Wat ik wel weet is dat het tijd wordt om actie te ondernemen. Mijn gevoel zegt dat ook. Er is echter nog één probleempje dat mij hiervan weerhoudt. Mijn ratio. Dat zegt dat ik te veel op het spel zet. Stel je voor dat ik het aandurf om de piloot te zeggen wat ik op mijn hart heb.
Hai, ik heb je lang niet gezien en dat vond ik jammer. Persoonlijk vind ik het straatbeeld stukken aantrekkelijker als jij er zo nu en dan doorheen loopt.
Maar wat moet hij daarop zeggen? Ik durf er niet op te vertrouwen dat hij niets aan zijn vrouw vertelt. Zij hoeft het maar aan één buurvrouw te vertellen en dan weet binnenkort de hele straat het. Het kan mij niet zoveel schelen als ík dan voor schut sta. Echter, ik gooi niet alleen mijn eigen naam te grabbel, maar ook die van Mark. Hoe zullen de mensen naar hem kijken? Meewarig,°°°*(Ach arme stumper die niet ziet dat zijn vrouw het met andere mannen probeert aan te leggen.)*°°° Hoe weet ik of ik kan vertrouwen op de discretie en integriteit van de piloot? Hoe zal ik Mark duidelijk kunnen maken dat mijn gevoel voor hem onveranderd is? Ik snap zelf niet eens hoe ik kan voelen wat ik voel.

Donderdag 26 juli

Vandaag hebben Mark en ik onze vakantiefoto's bekeken. Ook de foto's die mijn lichamelijk verval moesten ontkrachten. Ik had geposeerd met verschillende kleren aan. Maar ik vind dat met name de foto's waarop ik enkel een bikini draag, het hoogtepunt van mijn bloei goed gevangen hebben. Ik probeer bescheiden te blijven.
We hebben overigens nog behoorlijk wat zitten bijsnijden aan de foto's. We moesten mijn hoofd ontdoen van de takken van de olijfboom naast onze caravan, die uit mijn rechteroor leken te komen. En op sommige plaatjes lijkt Sem, die ten tijde van de fotoshoot uit het raampje van de caravan hing om goed te kunnen zien wat wij eigenlijk allemaal aan het doen waren, als een soort bochel op mijn rug te hangen.
Bij ons retoucheer- en oppimpwerk kwamen we ook nog wat foto's van de pilotenzoon tegen. Ik merkte op dat ik die wel zou kunnen doormailen. Mark antwoordde nerveus: 'Uhjaahaaa, maar dan zal ik je wel even helpen, want stel je voor dat je het hele bestand doormailt.' Tja, stel je voor ...

Vrijdag 27 juli

En vandaag kwam hij terug van vakantie, goddelijk bruingebrand en heerlijk aangebraden. Ik bleef op veilige afstand. Maar onze zonenlief waren dolblij elkaar weer te zien en speelden de rest van de dag samen. Toen het kinderbedtijd was, kwam de piloot voor zijn zoon. Ik stond voor ons huis een praatje te maken met een paar andere buurmannen. Hij bleef erbij staan.
Het gesprek zette zich voort, maar onze ogen flitsten rus-

teloos heen en weer. Niet kijken, wel kijken, shit, hij kijkt ook, niet kijken, maar ook niet niet kijken ...
De vlinders in mijn buik bleken geen eendagsvlinders. Als in een onstuimige wervelwind, dartelden zij in mijn maag en keel omhoog en deden mijn stem haperen. Mijn handen trilden, mijn knieën knikten. Mijn lichaam beefde.
Het is niet over. Ik wil hem. Meer dan dat ik dat ooit wilde.

♫ *You look even better than you did before*
I'm staring at my feet wondering if I can do this
It's been a while but I couldn't forget you
Do it Do it ♫

(Nelly Furtado - Do it)

Zaterdag 28 juli

Vandaag ging ik even bij Bride langs voor een kopje thee. Zij heeft heel leuke theezakjes. Er staan inzichtspreuken op het labeltje. Ik las op de mijne:
Bliss is a state of mind that can not be disturbed by gain or loss.
(Gelukzaligheid is een geestestoestand die niet verstoord kan worden door winst of verlies.)
Toen ik onze straat weer in fietste, kwam ik de piloot tegen. We maakten een praatje en spraken af morgenavond weer te gaan hardlopen. En ik weet wat mij dan te doen staat.

Er is niets.
Niets te verliezen,

noch te winnen.
Het is slechts,
een kwestie van
wagen of durven.

Zondag 29 juli

Om zevenen ging ik naar het huis van de piloot. Hij deed zojuist zijn schoenen aan. Hij vroeg waar ik heen wilde lopen. Hij praatte. Hij vroeg naar mijn tekenles. Hij vertelde over zijn voetbalclub. Ik was wat stiller. Ik wachtte op een moment, een kans, een gelegenheid om het gesprek de richting uit te sturen die ik wenste. Maar er was nauwelijks een opening. Alleen toen hij weer begon over zijn overtollige lichaamsgewicht, dat ik aan dat goddelijke lichaam helemaal niet kan ontdekken, zag ik een "een-tweetje." 'Ach, je moet niet zeuren, je bent een lekker ding, wat is nou het probleem?'
Dat was een kans voor hem. Maar hij pakte hem niet. Alsof hij bang was. Later toen hij nog een keer over die kilo's begon, kopte ik hem er nog een keer in. 'Ach, je wilt gewoon nog een keer horen dat ik je een lekker ding vind.' Maar wederom gaf hij geen sjoege. De bal was uit. Game over. Vermoeiend hoor, zo'n uitwedstrijd!
Ik was in ieder geval doodmoe toen we thuis aankwamen. We hadden ons rondje ook sneller afgelegd dan de vorige keer. Maar voor mijn gevoel was ik geen stap vooruitgekomen. 'Nou, vlieg se dan maar', zei ik ietwat mat. 'Ja, tot volgende week, veel succes met de wedstrijd, hoor', en toen tot mijn grote verrassing voegde hij daaraan toe: 'Ik zal aan je denken ... uh ... Ik zal voor je duimen.'

Was dat een *slip of the tongue*? Wat moet ík dáár nu weer van denken? Of moet ik niet zoveel denken. En gewoon doen.

♫ *Hey man, don't look so scared.*
You know I'm only testing you out ♫

(Nelly Furtado - Hey, man!)

Maandag 30 juli ○

Bij mijn moeder de Godin, wat heb ik nu weer gedaan! Ik heb vast te lang hardgelopen. Of te weinig gegeten. Zeker is dat ik veel te weinig geslapen heb. En het licht van de volle maan is naar mijn hoofd gestegen.
Ik was echt moe van het hardlopen gisteravond. Na de douche viel ik zowat naast Mark, die heel lief mijn pijnlijke linkerbovenbeen masseerde, in slaap op de bank. In bed echter, duurde het een poosje voor ik de slaap kon vatten.
°°°*(Verdorie, ik had mezelf toch gezworen hem niet weer dat vliegtuig in te laten gaan, zonder dat ik gezegd zou hebben wat hij mij doet! Waarom lukt mij dat toch maar niet? Waarom heb ik hem niet op z'n minst mijn e-mailadres gegeven?)*°°° Na een vurig gebed tot de Godin, moet ik toch in slaap gevallen zijn, want om een uur werd ik met een schok wakker. Én met een idee. Een lumineus idee. Dat e-mailadres kon ik natuurlijk niet zomaar op een kaartje schrijven en alsnog in zijn brievenbus doen. Stel je voor dat de pilotenvrouw het kaartje de volgende dag van de deurmat zou plukken. De kans dat zij zou denken °°°*(Ach, wat aardig van de buuf dat ze mijn echtgenoot haar e-mailadres even mededeelt.)*°°° achtte ik vrij klein.
Maar ik zou mijn e-mailadres natuurlijk wel verkapt, of liever

gezegd verpakt, kunnen overbrengen. Verpakt in iets minder opvallends dan een kaart. Verpakt als in een cd-hoes, bijvoorbeeld. Alsof ik die nog zou langs brengen om hem uit te lenen voor de tijd dat hij met zijn vliegmachine weg zou zijn. Er was wel snelheid geboden, want de piloot was voornemens om zes uur 's ochtends te vertrekken.

En zodoende sloop ik om twee uur 's nachts naar de zolder om een cd te pakken. Zonder er al te lang over na te denken (had ik dat maar wel gedaan) koos ik voor mijn geliefde Katie Melua. Op een sticker schreef ik mijn e-mailadres. Ik haalde ik de cd uit het hoesje en plakte de sticker op de vrijgekomen plek. Daarna legde ik daar de cd weer op. Voorin de cd deed ik nog een briefje met de woorden: *Beste Piloot. Bij deze het cd'tje. Krijg ik het volgende week weer van je terug? Veel luisterplezier. De buuf.*

Toen ben ik de trappen weer afgeslopen en heb zachtjes onze voordeur geopend. Ik wilde de deur al uit snellen, toen ik mij bedacht dat deze misschien wel in het slot zou kunnen vallen en dat ik dan in mijn nachtponnetje voor een dichte deur op straat zou staan. Letterlijk. Maar wellicht, zodra Mark ontwaakt zou zijn, ook figuurlijk!

Ik legde een schoen tussen de deur en de deurpost. In mijn nachtpon, op mijn blote voeten rende ik de donkere nacht in. Nou ja, donker … dat was het niet echt. Het was bijna volle maan! Als mijn naaste buur toevallig even voor een nachtplasje naar het toilet had gemoeten, dan zou hij of zij zich wel dood geschrokken zijn van dat witte wief dat daar in het holst van de nacht bij volle maan op straat liep te dansen. Maar ik kon nu niet meer terug.

Toen ik het grondgebied van de vliegenier betrad, sprong tot overmaat van ramp het licht bij zijn voordeur aan. Stond ik daar vol in het licht! En ineens realiseerde ik mij ook dat ik die cd helemaal niet in de brievenbus kon gooien. In de stilte

van de nacht zou het lawaai oorverdovend geweest zijn. Wat, als de pilotenvrouw, of nog erger *the one and only* piloot *himself*, naar beneden zou komen gesneld en nog net het wapperende puntje van mijn nachtpon weg zag vliegen? Wat moest ik doen? En ik moest snel wat doen! Alle spotlights waren immers al op mij gericht! Ik heb de cd voor de schuurdeur op de grond gelegd. Het leek mij dat de kans, dat iemand anders het ding zou vinden vóór de piloot naar buiten kwam, klein was. Aan een eventuele krantenjongen heb ik niet eens gedacht.
Vliegensvlug tripte ik op mijn blote pootjes terug naar onze eigen huis. Daar stond ik nog even stil. Ik kon nog teruggaan om die cd weer op te halen, natuurlijk. Maar nee, ik had mijzelf een belofte gedaan, doorzetten nu en maar zien wat ervan komt. Ook bij onze voordeur sprong het licht aan. Hinderlijk hoor, al die krolse katten!
Tegen drie uur ben ik in slaap gevallen. Om vervolgens om vijf uur weer wakker te worden. Sinds ik mijn nieuwe geloof belijd, slaap ik niet veel rond volle maan. Maar dit was echt te gek. Mijn buik deed zeer en ook mijn rug leek maar niet te kunnen ontspannen. Om halfzes ging ik mijn bed maar weer uit. Op het toilet zag ik dat mijn menstruatie begonnen was. Eindelijk!
Op zolder startte ik een ritueel op. Hoop en zegen voor die cd die ik gedropt had. Ik was al iets minder enthousiast over het idee dan ik was geweest toen het zich eerder in de nacht aan mij had geopenbaard.
Om kwart over zes hoorde ik de schuurdeur van de piloot opengaan. Ik verborg mij achter het gordijn voor het zolderraam Het duurde even voor ik hem zijn oprit af zag komen. Hij keek verbaasd in de richting van ons huis. Ik dook weg onder het raam. De piloot draaide zijn auto en reed langzaam langs ons huis. Ik had alle lampen al uitgedaan. Ik lag gewoon te slapen, hoor. Ik ben onschuldig.

Dinsdag 31 juli

Bij mijn moeder de Godin, wat heb ik nou weer gedaan? Naarmate de tijd vordert, komt mijn lumineuze idee mij steeds minder verlicht voor. En toen ik vandaag onder het strijken de liedjes van Katie Melua nog eens beluisterde, kreeg ik het helemaal Spaans benauwd.
°°°*(Tjemig, bijna al die liedjes gaan over verliefd zijn. Stel je voor dat hij denkt dat het om de teksten van de liedjes gaat!)*°°° Het schaamrood steeg mij naar de kaken. Ik wil helemaal niet overkomen als een verliefde bakvis. En ik ben weliswaar een huisvrouw, maar nog lang niet *desperate*! Ik ben een sterke vrouw die weet wat zij wil én met wie! Dat had ik willen uitstralen.
Wat doe ik rare dingen de laatste tijd. Zou het soms te maken hebben met het feit dat ik niet meer de volledige dosis prozac slik? Op vakantie ben ik een paar keer vergeten mijn medicijnen in te nemen. Op het moment dat ik erachter kwam, was het dan alweer tijd voor de volgende dosis. Het overslaan van de medicatie leek geen invloed te hebben op mijn humeur en mijn stemmingswisselingen, dus ik vond het wel een goed idee om het minderen van de medicatie thuis voort te zetten. Maar nu twijfel ik. Misschien ben ik wel echt gek!
Om mijn gemoederen wat te bedaren, zette ik maar even een kopje thee. Ik gebruikte een theezakje dat ik van Bride meegekregen had. De spreuk op het labeltje zei “Toon alleen uw sterke punten, niet uw zwakheden”. Ik wenste dat ik gisteren eerst even een kopje thee had gedronken voordat ik in mijn nachtpon naar buiten was gevlogen.

♬ *Now that it's gone too far to call for a halt,*
I'll blame it on the moon 'cause it's not my fault;
I didn't think that this would happen so soon,
So I'll blame it on the moon. ♬

(Katie Melua - Blame it on the moon)

HOOFDSTUK 5

Lammas,

water uit het westen.

Woensdag 1 augustus Lammas/Lughnasadh

Toen ik vandaag naar de buurtsuper fietste, zaten de oude mensjes met z'n tweetjes op het stoepje voor hun huis. Ze genoten, dat kon je zien. Opa heeft mij eens verteld dat hij pas de laatste jaren van zijn leven volop kan genieten van deze tijd van het jaar. Vroeger was hij daarvoor veel te druk. Al als kleine jongen moest hij helpen bij het oogsten en het hooien. Toen hij daarvoor te oud was geworden, duurde het lang voordat hij eraan gewend was niet meer zo hard te hoeven werken in de zomermaanden. Maar de zomer heeft zijn langste tijd nu ook gehad.
Ik heb het gevoel dat de herfst al in de lucht hangt. De laatste dagen is het mooi weer geweest, erg warm nog en ook zonnig. Maar toch is er iets veranderd. De warmte voelt anders. Het licht schijnt anders. De lucht ruikt anders. De sla uit de tuin smaakt anders. Zelfs de vogels zingen anders. Als je erop let. Maar dat doe ik niet. Ik probeer het feit dat de zomer zijn einde nadert zolang mogelijk te negeren. En ik heb in mijn bikini in de tuin gezeten.

ⓘ Lammas/Lughnasadh

Op de eerste dag van augustus wordt met Lammas, ook wel Lughnasadh genoemd, het herfstbegin gevierd. Lammas is de Saksische benaming en betekent "broodmis". De betekenis van het Keltische Lughnasadh is "rouw om Lugh". Lugh is de zonnegod. En het is zijn kracht die nu afneemt. De zomer nadert zijn einde. Deze sabbat is dan ook zowel een wake als een feestviering. Er wordt afscheid genomen van de zon maar tegelijkertijd wordt het binnenhalen van de eerste oogst gevierd. Iedere dood betekent een nieuw begin. De kracht van de zon zit nu in het koren dat zal worden herboren als het "brood des levens". Maar om de hele oogst te kunnen binnenhalen, zal er hard gewerkt moeten worden. Deze periode kostte onze voorouders veel tijd en energie. Tegenwoordig hoeven de meeste mensen niet meer zwaar te ploeteren op de akkergrond. Maar het thema van de offerande zou ook nu nog dienst kunnen doen. Je zou je kunnen bedenken wat je zou willen geven of doen om ervoor te zorgen dat je eigen leven vrucht draagt. En in een groter verband zou je je kunnen afvragen welk offer je zou kunnen brengen om bij te dragen aan een betere wereld. Bijvoorbeeld een wereld waarin het voedsel evenrediger verdeeld wordt. Daarnaast is dit is ook de tijd van verwachting en vervulling. De zaken waarvoor je het afgelopen jaar je best hebt gedaan, de dingen die je de afgelopen periode hebt laten groeien en rijpen, kunnen nu geoogst worden.

ⓘ **Godin en God**
De Godin die bij deze viering centraal staat, is inmiddels geen meisje meer. Ze is uitgegroeid tot een volwassen vrouw die nieuw Leven kan voortbrengen. Rond deze tijd baart de Godin haar eerste kinderen. Zij kan worden gezien als een zachtaardige vrouw die liefdevol voor haar kinderen zorgt. Maar de Godin in de gedaante van de moeder draagt eigenlijk zorg voor alle vruchten van de aarde. Daarom wordt ze ook wel graanmoeder of de aardmoeder van de hoorn des overvloeds genoemd. Haar namen kunnen Demeter, Kore, Persephone, Hekate, Rosmerta, Ceres, Hera, en Erin zijn.
De (Zonne)god staat symbool voor de voltooiing in de natuur. Hij heeft nu zijn vurigste gedaante bereikt. Door zijn warmte en licht zijn de vruchten zoet en het graan rijp gemaakt. Maar, nu de dagen korter worden, neemt zijn kracht af. Uiteindelijk zal de Zonnegod sterven. Bij een seksuele vereniging tussen man en vrouw geeft een man middels zijn zaad levensenergie aan de vrouw zodat in haar nieuw leven geschapen kan worden. De namen van de God zijn nu Zeus, Jupiter, Lugh of Balder.

Donderdag 2 augustus

De vliegenier heeft nog niets van zich laten horen. Van wachten en niets doen word ik zenuwachtig. Dus deze week was ik zowaar blij dat ik naar mijn werk toe kon. En vanmiddag heb ik hard gewerkt in mijn moestuin. Dat was echt ook nodig. Maar ik had er nog geen tijd voor gevonden sinds wij van vakantie zijn teruggekomen. En ook niet zoveel zin, bij het zien van de vergane glorie. Ik vraag mij af wat die deva's uitgevreten hebben tijdens mijn afwezigheid. Hebben natuurwezens ook vakantie? Ik weet dat, toen wij in Italië zaten, het hier een echte oer-Hollandse zomer geweest is. Het heeft dagenlang pijpenstelen geregend.
Mijn trostomaatjes zouden nu rijp moeten zijn geweest. Ik had mij erop verheugd de tuin in te kunnen lopen om zo'n klein stevig rood vruchtje in mijn mond kapot te laten

knappen, waarna de smaak van het vruchtvlees mijn tong en smaakpapillen zou strelen. Maar al mijn zorgvuldig uit biologisch zaad opgekweekte tomatenplanten zijn aangetast door de *Phytophthora*, in de volksmond "aardappelziekte". Vanwege verspreidingsgevaar kon ik de planten niet eens op composthoop deponeren. Er is dus sprake van stagnatie in de natuurlijke kringloop van het leven in mijn tuin. Ook de radijsjes en de sla hebben de Nederlandse zomer én mijn afwezigheid niet overleefd.
Ik vroeg mij af of de schrale oogst iets zegt over mijn eigen leven. °°°*(Stagnatie? Vergane glorie? Schrale oogst? Wil ik deze parallel eigenlijk wel trekken?)*°°°
Toen ik toch in de moestuin bezig was, heb ik meteen maar mijn eigen Lammas gevierd. Terwijl ik de verrotte tomatenplanten uit de aarde trok, prevelde ik mijn gebeden:

Godin en God van de eerste vruchten van de oogst.
Ik roep u aan. Ik dank u voor al uw zegeningen.
Moge overal ter wereld de oogsten veilig binnengehaald worden...

Ach, er viel wel wat te oogsten hoor. Er was rabarber, er waren heel veel stokslabonen en ook een paar grote courgettes. En 's ochtends had ik met de kinderen al een maisbrood gebakken. Naar goed traditioneel gebruik heb ik de oogst gedeeld met mijn gezin. Met wie zou ik anders moeten delen? Ik heb nog steeds geen mailtje van de vliegenier ontvangen.

Vrijdag 3 augustus

En de voortekenen blijven niet best. Vandaag heb ik eigenhandig mijn pompoenplant vermoord. Ik dacht snel even een verrot blad af te knippen met de snoeischaar. Het bleek de hoofdtak. Die vervolgens dus geen wortels meer had.
Mijn gevoelens over mijn nachtelijke uitspatting variëren nog steeds. Ergens tussen schaamte en trots. Nog immer heb ik geen reactie van de piloot.
Vandaag heb ik Mark op de hoogte gesteld van het feit dat ik nog maar de helft van de voorgeschreven dosis *happypills* slik. Hij reageerde verrast en zei dat hij er helemaal niets van gemerkt had. Ik word dus toch niet gek.
Alhoewel ik daar zelf op sommige dagen echt hevig aan twijfel. Vlak voor het avondeten belde Nonna met de vraag waar ik bleef. Ik zou haar toch komen ophalen bij het vriendinnetje waar ze had gelogeerd? Ik had gedacht dat zij ná het avondeten pas naar huis zou komen. Ze had nogal veel spullen, dus het kon niet op de fiets. Sem wilde niet mee. En ik had het eten al opgezet. Toestanden. Ik draaide het gas uit en trok Sem mee naar de auto. Pas toen ik hem beloofde op de terugweg langs de patatzaak te rijden, stopte hij met mopperen. Toen zaten we al in de auto. Ik had haast, maar in onze straat mag je maar stapvoets. Dan komt er een heel stuk 30 km weg, en toen we de ringweg op draaiden, reden we meteen de file in. Het was spits. Langzaam reden we door. Natuurlijk sprong het verkeerslicht ook net voor onze neus op rood. Toen ik remde, sprong er ineens een kat voor onze auto. °°°*(Waar komt dat beest nou vandaan?)*°°° Het beest was lichtelijk in paniek en wist duidelijk niet welke kant het op moest gaan. 'Hé, die kat lijkt op Poes', zei Sem. 'Verrek, het ís Poes!', riep ik. 'Nou, die kan ook snel lopen', zei Sem, 'Net was ze nog thuis.' Maar nu rende Poes tegen

het talud naast de ringweg omhoog. Ik reed de auto de berm in, sprong in het hoge gras en vergrendelde de deur zodat Sem er niet uitkon. En daar liep ik in de zompige modder van de onweersbuien van de afgelopen dagen. 'Poes, Poes!' Maar het arme beestje was in shock en rende steeds verder bij mij vandaan. Ik begon te twijfelen of het echt wel onze eigen Poes was achter wie ik aan het rennen was. Ik had niet hard kunnen rijden, maar zó snel kon Poes toch niet zo ver komen. Ik mocht helemaal niet in die berm parkeren natuurlijk. Straks had ik ook nog een bekeuring aan mijn broek. Of een kind dat bevangen was door de hitte in de afgesloten auto. Sem had het inderdaad heet, toen ik terugkwam. Maar dat had ook te maken met zijn boosheid over het feit dat ik hem niet mee had willen laten zoeken. Ik negeerde hem en vroeg: 'Weet je zeker dat je Poes nog hebt gezien voordat wij weggingen.' Sem antwoordde dat hij haar net voordat ik hem van zijn kamer kwam sleuren nog vanuit zijn raam buiten in het zonnetje had zien liggen slapen. 'Waar dan?', wilde ik weten, want ik had Poes bij ons vertrek nergens gezien. 'Op het dak van de auto.'
Pas op het moment dat Sem het zei, drong tot hem door wat er gebeurd moest zijn. En ook tot mij. Sem is maar een klein kereltje. Vanuit zijn slaapkamerraam kon hij Poes wel zien liggen op de auto. Daar ligt ze wel vaker trouwens, het is een vertrouwd beeld voor Sem. Maar eenmaal beneden, is het autodak voor Sem stukken minder zichtbaar. Bovendien was hij druk met mopperen op zijn moeder die hem haastig de auto in wilde duwen. En zijn moeder was druk met een kind dat de auto niet in wilde. Zo hebben wij dus rondgereden. Met Poes op ons dak. Minstens een kwartier.

Zondag 5 augustus ☾

Vandaag bedacht ik mij dat ik weleens zou kunnen proberen te pendelen om erachter te komen wanneer en óf ik een mailtje van de piloot verwachten kan. Ik heb gewacht totdat de kinderen op bed lagen en Mark helemaal in een film zat. Ik reinigde mijn altaar en richtte het in. Ik sprak mijn bezweringen en nam plaats op mijn magische kleedje. Ik vroeg mijn pendel of de piloot mijn cd reeds beluisterd had. Dat bleek het geval. Daarna wilde ik weten of hij mij zou gaan mailen. Ook dat beaamde de pendel. Ik wilde weten binnen hoeveel uur dat zou gaan gebeuren. Het antwoord was dat dit heuglijke feit binnen één uur plaats zou vinden. Enigszins opgebeurd, dronk ik een kop thee bij Mark voor de tv en zat de tijd uit.
Daarna verschanste ik mij achter mijn computer. Telkens als er een mailtje binnenkwam, stond mijn hart even stil. Maar wie er mailde, het was niet de piloot. Toen er meer dan anderhalf uur verstreken was, begreep ik dat ik weer genept was door een stomme plaaggeest. Die zat zich nu vast half dood te lachen om mijn goedgelovigheid. Alhoewel, hij was al "kassie wijle" natuurlijk. Tegen de tijd dat ik naar bed ging, was ik behoorlijk depri.

Maandag 6 augustus

Eigenlijk verwacht ik nu niet meer dat de piloot nog zal reageren op mijn nachtelijke cd-post. Ik kan de computer weer aan laten staan zonder een hartritmestoornis te krijgen als er mail binnenkomt. Ik heb mij bedacht dat hij wellicht niet kán mailen omdat er daar in de lucht of op de hotelkamer

of god weet waar hij zich ook mag bevinden vast meerdere personen inzage hebben in het e-mailverkeer.
Maar op sommige momenten ben ik er ook van overtuigd dat hij helemaal niet wíl mailen. Misschien heb ik hem zwaar geïrriteerd en wil hij helemaal niks meer met mij te maken hebben.

Dinsdag 7 augustus

Poes is nog steeds niet terug. Maar volgens mij zal de vliegenier morgen weer thuiskomen. En voor het eerst zie ik daar als een berg tegenop. Ik weet niet waar ik moet kijken als ik hem tegenkom. Ik durf de straat niet meer op. Misschien had ik mij tot de islam moeten bekeren in plaats van de natuurfilosofie. Dan had ik tenminste in een boerka de straat over kunnen gaan. Ook jammer dat het nog geen december is, want in dat geval had ik mij kunnen vermommen als Sinterklaas. Dat is net zo'n gulle gever als ik met die stomme cd-actie!

Woensdag 8 augustus

Ik heb de piloot nog niet gezien. Maar ik weet dat hij weer thuis is, want zijn fiets stond buiten op de oprit. Zal hij mijn cd terug komen brengen? Wanneer dan? En hoe ga ik mij daar dan weer uit kletsen? 'Tja,'t was volle maan, dan doe ik wel vaker gekke dingen ...' Of moet ik gewoon eerlijk zijn. 'Het was mijn manier om op subtiele wijze te vragen of je met mij naar bed wilt. Alsjeblieft, neem mij hier, nú,

meteen!' Ik weet niet of ik dát nog wel aan hem kwijt wil. De bedoeling van die cd was dat hij mij zou mailen zodat ik de kans zou krijgen om een ander soort gesprek te kunnen hebben dan we tot op heden gevoerd hadden. Maar omdat hij niet gemaild heeft, lijkt mij dat gesprek niet meer nodig.
En wat als hij de cd níét terugbrengt? Moet ik dat ding dan op gaan halen? En wat moet ik dan zeggen? 'Ik geloof dat jij nog iets van mij geleend hebt?' Ik heb echt nog geen idee hoe ik dit nu weer recht moet gaan breien. Het ene moment voelt het alsof ik zwaar in de nesten zit en breekt het angstzweet me uit. Het andere moment voel ik me een ondeugend meisje en moet ik erg om mezelf lachen. Overigens lachen er meer mensen om mij. Dat zijn Bride en Yule. Ik heb hen op de hoogte gebracht. Evenals mijn broer Marijn. Hij lacht ook. Hij lacht mij uit.

Donderdag 9 augustus

Ik heb besloten open kaart te spelen. Ik ga een brief schrijven. Aan de piloot. Ik heb er genoeg van. Van het gepieker. Heb ik bepaalde signalen verkeerd opgevat of niet? Is-ie boos? Of geïrriteerd? Waarom heeft hij niet gemaild? Wat moet ik doen of zeggen als ik hem tegenkom? Welke verklaring geef ik voor die cd? Omdat het mij nooit gaat lukken om mondeling te vertellen wat mij bewogen heeft, ga ik mijn kant van het verhaal maar op schrift zetten. Ik weet zeker dat als ik hem tegenkom, ik zal gaan stotteren. Tot op heden heb ik hem kunnen ontlopen, maar dat houd ik omwille van de vriendschap van onze zonen toch niet vol. En eigenlijk vind ik dat ook jammer van het leuke contact

dat ik buiten mijn erotische fantasieën en mijn jongemeisjesdromen toch ook met de vliegenier wel had.
Misschien zijn het ook alleen maar fantasieën en dromen. En misschien moet het daar ook bij blijven. Misschien wil ik, nu puntje bij paaltje dreigt te komen, mijn plannen eigenlijk helemaal niet werkelijk tot uitvoering brengen. Misschien is het beter om hem te vertellen dat hij het onderwerp is van mijn erotische fantasieën. Dan weet ie dat maar. En ik zou ook graag willen weten of ik de hoofdrol heb in zijn dromen. Maar dan doen we daar verder niets mee. Behalve blijven hardlopen. En het te weten.
Het is tijd. Voor de oogst. Ik heb nog geen idee of die zal slagen of mislukken. Ik weet niet eens bij welk resultaat ik de oogst geslaagd of totaal mislukt zal vinden. Ik laat het maar aan het lot over. Ik wil nu alleen mijn hart nog maar luchten. Misschien geef ik hiermee mijn dromen op, maar dat zal dan mijn offer zijn.

Zwolle, vrijdag 10 augustus

Hai Vliegenier,

Die cd van mij. Vage actie. Tja, wat kan ik zeggen? Het was volle maan en dan doe ik wel vaker rare dingen? Daar geloof jij toch niets van.
De liedjes van Katie Melua. Beroerde keuze. Daar had ik, eerlijk waar, helemaal niet goed over nagedacht. Ik heb gewoon maar een cd gepakt. Toen ik de liedjes later zelf nog eens beluisterde, steeg het schaamrood mij werkelijk naar de kaken. Het was helemaal niet mijn bedoeling over te komen als een puberende bakvis.

Wat was dan wel de bedoeling? Ik hoop dat jij dat wel wilt weten. De bedoeling was dat jij mij zou mailen, zodat ik de gelegenheid zou krijgen je te vertellen wat ik tijdens een hardlooprondje of op een ander moment maar niet uit mijn strot en over mijn lippen kreeg.
Je hebt niet gemaild. Maar ik zou toch graag kwijt willen wat mij de laatste tijden erg bezighoudt. En ik hoop dat jij zo vriendelijk wilt zijn om verder te lezen, zodat ik mijn ziel en zaligheid hier niet helemaal voor niets bloot zit te leggen.
Ik vind jou een lekker ding. Daar heb ik nooit een geheim van gemaakt. Mijn man, zelfs mijn kinderen, weten dat ik dat vind. Het lijkt mij een stuk aangenamer vertoeven op deze aardkloot als meer mensen dat soort leuke dingen gewoon tegen elkaar zouden zeggen. Ik vind dat niet stom of stout of slecht.
Echter, een poosje geleden merkte ik dat ik méér van jou ging vinden dan dat je gewoon een leuke buurman bent. Ik werd mij bewust van een blij gevoel als je weer terug was van je vlucht. Ik heb genoten van jouw klusjes in en rondom jullie vouwwagen. Als ik met je sprak, kreeg ik ineens een bijna onbedwingbare zin om je te kussen. Ik zal zwijgen over verdere erotische fantasieën die ik over je gehad heb. Dan worden je oren té rood. Ben ik stom? Is dit stout? Of zelfs slecht? Ik weet het niet. Maar het was, en ís, in ieder geval wel verwarrend.
Ik ben getrouwd, gelukkig. En ik ben gelukkig getrouwd. Ik wil bij mijn man blijven. Hij is mijn maatje. Samen met hem wil ik oud worden. Tot de dood ons scheidt.
Ben ik een stomme griet omdat ik romantische gedachten koester over een andere man dan de mijne? Maakt het mij een stoute vrouw omdat ik jou liefst tussen de lakens in mijn bed wens? Ben ik slecht omdat ik dit nu opschrijf en aan jou laat lezen? Ik vind van niet. Ik noem mijzelf liever open, eerlijk en dapper. En daar is een woord voor. "Stoutmoedig" heet dat.
Als ik je door deze biecht in een lastige situatie heb gebracht,

dan spijt mij dat. Je hebt er niet om gevraagd. Alhoewel? Jouw signalen waren ook lang niet altijd even duidelijk en zuiver. Volgens mij zijn niet al mijn onzedelijke gedachten geheel aan mijzelf te wijten. Ik heb zo'n donkerbruin vermoeden dat jouw gedachten over mij ook niet altijd helemaal fatsoenlijk geweest zijn.
Omdat je mij niet gemaild hebt, én vooral ter bescherming van mijzelf, ga ik ervan uit dat je niet meer interesse in mij hebt dan in welke andere buurvrouw uit onze straat dan ook. Dat is niet erg. (Ik kan het mij niet voorstellen, hoor, maar het is niet erg. Ik bedoel ik kan mijzelf geen leukere vrouw in onze straat voor de geest halen, maar het is niet erg. Zeg nou zelf, je kunt mij toch niet vergelijken met, nou ja, ik zal maar geen namen gaan noemen, 't is niet erg.)
Je hoeft niet bang te zijn dat ik je ga "stalken". Ik zal de nodige afstand bewaren, als jij aangeeft dat je dat prettiger vindt. Ik zou het leuk vinden om zo nu en dan samen hard te lopen. Je bent een prettige hardlooppartner. En ik beloof je met de hand op mijn hart dat ik mij niet aan je zal vergrijpen in de tunneltjes. Noch zal ik je bespringen in de bosjes van het park. Als je niets meer met mij te maken wilt hebben, dan begrijp ik dat weliswaar ... niet, maar zal ik dat natuurlijk wel respecteren. Ik vind dat ik jouw respect ook verdien. Ik heb er op vertrouwd dat je mijn openhartigheid kunt waarderen. En ik hoop dat je er, net als ik, ook om kunt lachen. Bovendien reken ik op je discretie.
Misschien is het 't beste om deze brief na het lezen te verscheuren of te verbranden. Je zou natuurlijk ook kunnen overwegen mijn opstel in je cockpit te hangen. Je mag er immers best blij mee wezen. Ik bedoel, niet iedere getrouwde man krijgt op onze leeftijd nog een brief als deze!
Stom, stout of slecht? Aan jou de keuze. Maar laat mij alsjeblieft even weten wat je van dit alles vindt, zodat ik kan

bepalen hoe ik mij ten opzichte van jou moet opstellen.
Lieve groet, Suseanne

PS Het was wel echt volle maan. En volgens mijn filosofie dient deze maan geëerd te worden en doe ik in de ogen van de meeste mensen waarschijnlijk behoorlijk rare dingen.

PS 2. En mag ik dan nu mijn cd terug?

Zondag 12 augustus

Ja, waarom heeft hij eigenlijk die cd van mij nog niet teruggebracht? Bange wezel? Maar mijn brief is geschreven. Hoe nu verder? Ik durf die brief helemaal niet af te geven! Maar met de post verzenden kan natuurlijk ook niet. En zal ik het echt wel doen? Is het echt een goed idee? Ik heb besloten dat het afhangt van Poes. Als zij terugkomt ga ik de brief persoonlijk overhandigen. Op die manier kan ik de vragen "Hoe, Waar en Wanneer" ik de post ga bezorgen nog even uitstellen. In ieder geval doe ik het bij voorkeur niet 's nachts, hihi.
Morgen moeten de kinderen weer naar school. Met gemengde gevoelens kijk ik hiernaar uit. Het is goed om de regelmaat te hervatten, maar ik zal hen ook missen. Het is prettig om de tijd van de dag weer aan mijzelf te hebben, maar het huis is dan ineens ook wel erg leeg en stil. Het einde van de vakantie is inherent aan het aflopen van de zomer. En ik heb altijd een beetje moeite met het afscheid van de zomer.

Maandag 13 augustus ●

Poes is terug! Vanochtend, toen ik Sem naar school wilde brengen, zat ze voor de deur. Helemaal ongeschonden en alsof het de normaalste zaak van de wereld was. Sem was helemaal gelukkig, dat ze nét voordat hij weer voor het eerst naar school toe moest, teruggekomen was. Ik was ook blij. Ik had Poes meer gemist dan ikzelf gedacht had. Maar de terugkomst van Poes is inherent aan het inwilligen van mijn belofte.
Tot op heden heb ik de piloot gemeden. En mijn brief herlezen. Mijn overtuiging is groeiende, de kogel moet door de kerk. Wil ik hem nog recht in de ogen durven kijken dan moeten er eerst bepaalde dingen uitgesproken zijn. Ik ga het doen. Morgen, als zijn vrouw naar haar werk is, breng ik hem mijn brief. Ik vraag hem die te lezen en daarna mijn cd terug te brengen. Dan probeer ik mij zo snel mogelijk uit de voeten te maken. En dan mag hij zich wagen in het hol van de leeuw. Ik lust hem rauw!

Dinsdag 14 augustus

Vanochtend toen ik wakker werd, had ik wel even de bibbers. Maar toen ik mijn brief nog eens overlas, stond ik nog steeds achter mijn plan. En dus ben ik, nadat ik de kinderen naar school had gebracht met mijn brief én met lood in mijn schoenen naar het huis van de piloot gelopen. De Godin zij dank deed hij zelf de deur open. Zijn vrouw had natuurlijk ook best een snipperdag opgenomen kunnen hebben. 'Je hebt het vast druk vanochtend, maar wil je dit even lezen en daarna alsjeblieft mijn cd terugbrengen?' Hij keek niet eens

verbaasd. En antwoordde dat wel te willen doen. Ik maakte rechtsomkeert om mijn troepen terug te trekken van zijn grondgebied. Maar hij hield mij aan de praat. Hoe het met mijn hardloopwedstrijdje gegaan was. 'Ja, uuuh, goed.' En of ik vanavond weer wilde gaan hardlopen. 'Vanavond? Ja, nee, ik weet 't nog niet ...' En sjjjoeoeoef, weg was de haas.
Toen ik thuiskwam, bedacht ik mij dat het wel tot aan het eind van de ochtend zou kunnen duren voordat hij een beetje bijgekomen zou zijn van die brief van mij. °°°*(Wat moet ik nu dan in hemelsnaam gaan doen? Uhuh, tekenen dan maar, de wortel chakra mandala, dat is goed om te aarden, kom maar op, kleuren maar, rood en groen, terug naar de basis.)*°°°
Ik was nog maar net begonnen, toen ik meende de schuurdeur te horen. °°°*(Nee, dat zal toch niet?)*°°° Maar toen hoorde ik mijn naam. 'Ik kom!', riep ik vanaf de zolder. °°°*(O, bij de Godin, hoe kom ik in hemelsnaam die trap af?)*°°°
Hij stond in de gang, onderaan de trap. Ik weet niet meer goed hoe hij naar mij opkeek, ik heb zijn blik niet meer voor ogen. Maar zijn houding was die van een verward man. Zelf zal ik schaapachtig gelachen hebben. 'Ik hoop dat ik je niet geïrriteerd heb, ben je boos?', vroeg ik toen ik bij de laatste traptrede was aangekomen. Maar dat bleek geenszins het geval. Hij zei het vervelend te vinden, dat wel. Vervelend voor mij. Omdat ik zoals hij het noemde "bepaalde gevoelens" voor hem had gehad waarmee ik niet wist wat te doen. Hij zei net als ik gelukkig getrouwd te zijn en zenuwachtig voegde hij eraan toe mij niet te kunnen geven wat ik misschien wel wilde. Maar daar was ik inmiddels zelf ook niet meer zo zeker van. Al wat ik voelde was een enorme opluchting. En ook blijdschap. Mijn hoge woord was eruit. Ik onderdrukte de behoefte mijn armen om hem heen te slaan en te verzuchten dat het nu gelukkig allemaal over was.
'Kopje koffie?', vroeg ik. Dát wilde de piloot wel. We zijn

aan de keukentafel gaan zitten en hebben lang gepraat. Dat was goed. Ik heb hem gezegd dat het zo goed was voor mij. Ik vertelde hem dat ik het helemaal niet vervelend had gevonden om de afgelopen maanden lichtelijk in de war van hem te zijn geweest. Ik heb plezier in het leven gehad. En ik heb genoten van de gevoelens die hij bij mij los wist te maken. Want die emoties waren zuiver en liefdevol. Ik heb hem gezegd dat ik hoopte dat mijn biecht niet ten koste zou gaan van onze vriendschap en zeker niet ten koste van de vriendschap tussen onze zoons. Hij verzekerde mij dat er tussen ons geen muurtjes zouden worden opgetrokken.
Toen hij wegging, vroeg hij of ik vanavond nog wel mee ging hardlopen. Ik twijfelde niet. Hardlopen met hem was altijd leuk. Maar ik had al afgesproken uit eten te gaan met Bride en Yule en het kwam mij ineens heel belangrijk voor om mij aan die afspraak te houden. Bij de schuurdeur zei ik gedag tegen de piloot. En ik nam afscheid van de zomer.

Woensdag 15 augustus

Ik heb het echt gedaan! Ik ben de strijd met mijn grootste demonen aangegaan. Ik heb gevochten tegen mijn angsten. De angst voor verliefde gevoelens, de angst om afgewezen te worden, de angst mijn echtgenoot pijn te doen, de angst voor gezichtsverlies. Ik heb mijn angsten toegelaten en geleerd dat ik helemaal niet hoef te vechten om mijn vijanden te verslaan. Angsten onder ogen zien en laten gebeuren waar je bang voor bent, dát doet demonen verdwijnen.

Donderdag 16 augustus

Toch knijp ik 'm wel een beetje. De vliegenier is weer op reis. Ik weet niet waarom, maar ik heb zo'n vermoeden dat hij tijdens zijn vlucht weleens te veel zou kunnen gaan zitten nadenken. En misschien kan hij in zijn eentje toch niet goed uit de voeten met de wetenschap dat zijn buuf hem in haar web wilde weven. Ik ben bang dat hij er behoefte aan zal krijgen er met iemand over te praten. En met wie kan een knappe piloot dat het best doen? Niet met andere knappe piloten, lijkt mij. Wel met iemand bij wie hij zich veilig voelt. Met een partner, vertrouwd, als in een gelukkig huwelijk ...

Vrijdag 17 augustus

Ik voel mij helemaal niet meer gerust op het geweten van de piloot. Ik heb laatst ergens gelezen dat een vrouw in de periode tussen de ovulatie en de menstruatie ontvankelijker is voor invloeden van het onbewuste. Ik weet niet meer waar ik zit in mijn eigen cyclus. Maar mijn onbewuste zit erg ontvankelijk te wezen. En vandaag is het tot bewustzijn gekomen. Ik maak mij ongerust.

Zaterdag 18 augustus

Mijn vermoeden lijkt bewaarheid te worden. De piloot is terug, maar durft mij nauwelijks aan te kijken en te groeten. Toen ik vandaag de straat uit fietste, kwam ik hem tegen. Ook op de fiets. Met zijn vrouw op de fiets ernaast.

‘Hallo’, zei ik. Pilotenvrouw deed alsof ik lucht was en zei helemaal niets. De piloot *himself* groette slechts heel zachtjes terug. Zijn ogen stonden dof. En vanuit mijn ooghoek zag ik hoe hij zijn hand op de arm van zijn vrouw legde. Beschermend en geruststellend. Het deed mij pijn.

Zondag 19 augustus

Het is nog maar vijf dagen geleden dat ik de piloot mijn brief heb gegeven en de eerste stenen van de muur tussen hem en mij zijn reeds gestapeld. Vandaag toen ik Sem bij de pilotenzoon ging ophalen, lachten zijn ogen niet naar mij zoals zij voorheen vaak gedaan hadden. Hij zei: ‘We kunnen beter niet meer samen hardlopen.’
Ik had het gevoel alsof de wereld onder mijn voeten wegzakte, ik voelde mij draaierig en duizelig. Door het drijfzand baande ik mij een weg naar huis. Mijn maag trok samen en mijn darmen verhardden zich, ik was misselijk. Nog maar een paar dagen geleden dacht ik al mijn demonen verslagen te hebben. Maar nu realiseerde ik mij dat een van hen slechts verdoofd moet zijn geweest. Mijn grootste vijand, die Afwijzing heet, was weder opgestaan. En ik kan hem wel uitkotsen.

Maandag 20 augustus ☽

Wat is er gebeurd? Heeft hij zijn vrouw verteld van mijn biecht? Heeft zij niet kunnen begrijpen dat zij van mij niets te vrezen had? Zal zij het doorvertellen aan anderen? Om

een voorbeeld te noemen, haar goede vriendin, de grootste roddeltante van onze straat. Ik kan mij nu al voorstellen hoe deze achterklep mij zal schetsen ten opzichte van andere buurtgenoten, vrijwillige toehoorders en toevallige voorbijgangers. 'Zij is een slet! Dames houd je mannen binnenshuis, zij verleidt hen waar je bij staat.'
Wat hangt mij boven het hoofd? Wat gaat er nu gebeuren? Ik kan niemand de schuld geven. Behalve mijzelf. Ik heb het gedaan. En uiteindelijk zal ook mijn man dat weten.

♫ *And there is a shadow in the sky*
and it looks like rain,
and shit is gonna fly once again ♫

(Nelly Furtado - Hey, man!)

Woensdag 22 augustus

De piloot durft mij niet meer aan te kijken. En in zijn nabijheid sla ook ik mijn ogen neer. Ik zou hem willen vragen wat er is gebeurd dat zijn houding zo heeft doen veranderen. Maar de woorden komen niet over mijn lippen.
Sem speelde vanmiddag bij zijn vriendje, de pilotenzoon. Dat voelde helemaal niet goed. Maar wat kon ik doen? Moest ik mijn zoon verbieden naar zijn vriendje te gaan? Kennelijk was Sem nog steeds welkom in het huis van de vliegenier. In ieder geval stuurden zij hem niet naar huis terug. Het is nooit mijn bedoeling geweest dat Sem en zijn vriendje de dupe zouden worden van mijn belabberde beoordelingsfout.
Tegen het einde van de middag hield ik het niet langer vol.

Ik ging Sem ophalen bij de pilotenzoon. Toen ik aanbelde deed de piloot open. Ik zei hem dat ik mij er niet goed bij voelde dat Sem bij hen binnen speelde. Hij stapte naar buiten. Zijn vrouw had bezoek waardoor hij nu even aan haar aandacht kon ontsnappen. Hij fluisterde dat zijn vrouw reeds een vermoeden had gehad. Een vermoeden waarvan? had ik willen vragen. Maar daar was geen tijd meer voor. Ik hoorde de pilotenvrouw en haar bezoek de hal inkomen om afscheid van elkaar te nemen. Het was haar goede vriendin, de roddeltante. Voordat deze naar buiten stapte en ik mijn aftocht blies, heb ik alleen nog kunnen zeggen dat ik Mark ook op de hoogte zou gaan brengen. Dat was nu onvermijdelijk. Ik zou niet willen dat mijn echtgenoot het van iemand anders zou horen dan uit mijn eigen mond.

Donderdag 23 augustus

Ik heb gebiecht. Gisteren bijna meteen toen Mark van zijn werk thuiskwam. Ik zei dat ik hem iets moest vertellen dat hij niet leuk zou gaan vinden maar waardoor hij zich niet bedreigd hoefde te voelen. Hij raadde het. 'Je hebt gevoelens voor ...' zei hij. 'Ja, wie?', vroeg ik. En ik zag dat in het hoofd van Mark alle kwartjes ineens op hun plek vielen. 'Die piloot', was zijn antwoord. En in zijn ogen speelde de film zich af. Suus die zo vrolijk door het leven was gegaan de laatste maanden. Suus, die zich zo frivool gekleed had. Suus die de uitstraling van een femme fatale gehad had. Suus die zo veel meer zin om te vrijen gehad had. En Mark die van dat alles enorm genoten en geprofiteerd had. Hij pakte het bewonderenswaardig kalm op. We wisten dat we slechts een uur hadden om erover te praten. Dan zouden we aan tafel gaan. En omwille van de kinderen

moesten wij dan weer doen alsof ik zojuist niet Mark zijn hele wereld op de kop had gezet.
Ik voel mij rot. Ik heb nooit gewild dat Mark gekwetst zou worden. Alleen de Godin weet hoe vaak ik op het punt heb gestaan om hem te vertellen welke storm er binnen in mij woedde. Maar ik heb mijn gevoelens voor mijzelf gehouden. Ik vond dat ik Mark daarmee niet mocht belasten. Ik wilde het zelf uitzoeken. Misschien later. Misschien als wij als twee verkreukelde oude mensjes zouden zijn dat ik hem dan nog weleens zou hebben verteld van de piloot. Maar niet nu. En nu? Nu zijn er diepe wonden gemaakt.

♫ *The promises I made to you went down the sink*
But I really hope I didn't hurt your self esteem
I'm not a virgin, but I'm not the whore you think
And I don't always smell like strawberries and cream ♫

(Shakira - Costume makes the clown).

Zaterdag 25 augustus

Woensdagavond laat heeft Mark de piloot nog opgezocht. Hij wilde hem, vóórdat hij weer naar zijn cockpit zou gaan, laten weten ook op de hoogte te zijn. En hij heeft de piloot verzocht het voorval vooral klein en onder ons te houden. °°°*(Waarvan op de hoogte? Mijn buitenechtelijke escapade? Welk voorval? Mijn overspeligheid?)*°°°
Maar ik weet weer waarom ik blij ben dat Mark míjn man is. Mijn man heeft karakter. Op dit moment vind ik de piloot niet meer zo'n toffe peer. Op dit moment vind ik hem een bange poeperd zonder ruggengraat. Een lafaard die hardhollend en

hardhuilend naar zijn vrouw rent om haar te belasten met iets wat hij wellicht beter voor zichzelf had kunnen houden. Er is immers niets gebeurd. Als er al iemand iets verkeerd gedaan heeft, dan ben ik het wel. Hij niet. Waarom heeft hij gebiecht vóór de zonde?
In ons huis is het laatste woord er natuurlijk ook nog lang niet over gezegd. Mark en ik praten veel. Hij wil weten wat mij gedreven heeft. Hij vroeg mij of het mij was gegaan om het verleggen van grenzen. Of was het mijn zucht naar spanning en sensatie? Of werd ik gedreven uit pure lust?
Maar volgens mij is het dat allemaal niet. Grenzen verleggen kan ook binnen een relatie. Spanning en sensatie ga ik meestal liever uit de weg. En een wellustige nymfomane kun je mij ook bepaald niet noemen. Volgens mij heeft het te maken met vrijheid. Vrijheid die ik niet had of niet voelde. En het had te maken met mogelijkheden. Mogelijkheden die er niet waren of die ik niet voelde. Ik kan niet goed tegen regels. En een kat in het nauw maakt rare sprongen.

Zondag 26 augustus   Door Mark aan Suus

Nadat je mij had verteld van je gevoelens voor de piloot, speelden er verschillende emoties. Door je verhaal werd dat wat ik onbewust al wist, bevestigd. Het was geen verrassing. Maar daardoor kwam het niet minder hard aan. Ik sta voor een afgrond en ben bang dat ik erin zal vallen. Er is niets gebeurd, maar voor hetzelfde geld had ik alles wat mij lief is kunnen verliezen. Mijn vrouw, mijn kinderen, mijn huis.
Ik kan mij wel een voorstelling maken van je behoeften en gedachten. Mijn ratio zegt ook dat wij samen verder kunnen. Dit is overkombaar. Maar mijn gevoel weet dat nog niet.

Maandag 27 augustus

Gisteravond hebben Mark en ik gevreeën. Daar hadden we alle twee behoefte aan. Mark schaamde zich daarvoor. Hij zei dat zijn lust vast voortkwam uit een primitieve behoefte om te bewijzen dat ik echt van hem. Hij was bang dat hij mij eigenlijk alleen maar wilde straffen omdat ik aan een andere man had gedacht. Wat maken wij het onszelf in deze moderne westerse wereld toch moeilijk! Ongetwijfeld zijn het primitieve oerinstincten die ons drijven. Maar wat is daar mis mee? Zolang er geen geweld gebruikt wordt, hoeven wij toch niet te doen alsof wij die oerinstincten niet hebben. Is dat beschaving? Ik ervaar het meer als onderdrukking.

Dinsdag 28 augustus ○

Tot overmaat van ramp ben ik ook nog gaan menstrueren. Weliswaar is het exact achtentwintig dagen ná de vorige keer. Toch voelt het helemaal niet goed. Thans ben ik ongesteld.
Langzaam sijpelt het besef binnen. Bij Mark en bij mij. Ik voel zijn worsteling. Hij wordt heen en weer geslingerd tussen begrip en boosheid. Ik worstel zelf ook. Ik vind dat ik het recht had om mijn gevoelens te onderzoeken. Ik mag beslissen over mijn eigen leven. Daarom wil ik mij niet schuldig voelen. Maar ik vind het vervelend dat mijn daden zo veel gevolgen hebben gehad voor andere mensen. Dat spijt mij oprecht.

Donderdag 30 augustus Door Mark aan Suus

Ik ben angstig over de toekomst. Ik vind jou naïef. Ondanks je bewuste afwegingen, heb jij je niet voldoende gerealiseerd wat de gevolgen hadden kunnen zijn. Je hebt beslist over de gevolgen voor andere mensen. Ik voel mij slachtoffer van een situatie die ik niet heb gewild. En waar een slachtoffer is, moet ook een schuldige zijn. Ik vind dat jij dat bent.
Mijn gevoel om samen met jou verder te gaan overheerst. Je hebt mij duidelijk gemaakt dat je experiment nu gestopt is en dat je geen andere experimenten zult opstarten totdat wij hierover (andere) afspraken hebben gemaakt. Maar ik vind dat jij eerst moet uitzoeken wat jij eigenlijk wilt; spanning, puur seks of een andere relatie? Je zegt dat ik mij niet bedreigd hoef te voelen omdat je van mij houdt en met mij samen wil zijn. Je zegt ook dat je spijt hebt over de gevolgen die je experiment gehad heeft voor mij. Ik geloof je.

♫ *Who's to say*
That we always have to agree
I think we both can take one mistake
Like some kind of amnesty
This is the day and the time
I wanna believe
That we may still have a chance ♫

(Shakira - The day and the time).

Vrijdag 31 augustus

Het is officieel. Ik ben een gevallen vrouw. Een gevaarlijke vrouw. Een verdorven vrouw. Vanochtend moest ik een boodschap doen in de stad. Toen ik mijn fiets voor de Hema geparkeerd had en ik mij omdraaide om de straat over te steken, zag ik de pilotenvrouw aan de overkant van de straat de Hema uitkomen. Zij moet mij eerder gezien hebben dan ik haar. Maar ze keek niet naar mij. Met een strak wit gezicht liep ze met een boog om mij heen. Ze zag er verdrietig uit. Mijn maag trok samen en ik voelde mij wankelen. Ik heb haar nooit leed willen berokkenen. Maar dat zal zij nooit geloven. Zij heeft een zondebok nodig bovendien. Dat bleek wel toen Mark 's middags naar haar toe ging. Hij wilde het risico niet lopen om zichzelf geen houding te weten te geven als hij haar op straat tegen zou komen. Ik heb hem gezegd dat hij moest gaan als hij dat voor zichzelf wilde doen. Niet voor mij. Ik voelde die behoefte echt niet. Ik vind dat ik haar geen verantwoording verschuldigd ben. Ik heb slechts mijn gevoelens voor de piloot met hem willen delen, alleen met hem. Toen Mark terugkwam, heb ik hem gezegd dat hij mij niet hoefde te vertellen wat zij besproken hadden. Maar hij wilde dat wel met mij delen. En ik was wel nieuwsgierig. De pilotenvrouw is boos, erg boos. Op mij, uiteraard. Haar man kan er niets aan doen, die heeft niets gedaan, niets gevoeld, niets gezien, naïef als hij is. Hun relatie is er sterker door geworden. Haar man heeft op tijd en eerlijk verteld wat er aan de hand was. Van zo'n man kun je op aan. Van zo'n huwelijk kun je op aan. In de ogen van de pilotenvrouw valt dat bij ons nog maar te bezien. In ieder geval heeft Mark haar advies gekregen om mij goed in de gaten houden. En haar man heeft een verbod tot hardlopen met mij opgelegd gekregen.

Zaterdag 1 september   Door Mark aan Suus

Het gesprek met de pilotenvrouw vanmiddag heeft wel een en ander bij mij los gemaakt. In haar ogen heeft haar man niets in de gaten gehad van het spelletje dat jij met hem speelde. Het feit dat haar woede vooral jou treft, doet mij eigenlijk goed. "Eigen schuld, dikke bult!" en "Lekker puh!"
Dit gevoel doet mij beseffen dat ik je niet zomaar kan vergeven. Mijn loyaliteit ligt wel bij jou, maar ik ben ook echt boos op je. Ik heb je niet verdedigd ten opzichte van de pilotenvrouw en zal dat ook niet doen als andere mensen mij over dit onderwerp gaan aanspreken.

Zondag 2 september

Eerst moest ik lachen om het verhaal. Ik vraag mij af waarom de piloot niet meer met mij mag hardlopen dan. Hij is toch geen kansloos slachtoffer als ik hem bespring in de bosjes van Zandhoven? Kansloos niet. Hij is heus wel een klein beetje sterker dan ik. Willoos? Misschien?
Maar later maakte ik mij ook een beetje kwaad over het gezegde dat Mark mij in de gaten moet houden. Ik ben toch geen hond die aan de ketting gelegd hoeft te worden. Ik heb een eigen vrije wil. En ik leef in een land van vrije meningsuiting. Als ik een bepaalde meneer aantrekkelijk vind dan mág ik dat toch zeggen?
Bovendien, als de pilotenvrouw zo zeker is van haar relatie, dan hoef ik toch niet bij haar echtgenoot uit de buurt gehouden te worden. Zij heeft dan immers niets te vrezen? Zij had toch een goede relatie die hierdoor nog beter is geworden? Haar man heeft haar niet belazerd. Toch?

In mijn ogen is hier sprake van het klassieke verhaal van de sloerie en de echtgenote. De sloerie verleidt een naïeve man. Hij is onschuldig en zij verdient alle ongenoegen van de echtgenote.
Natuurlijk heb ik meer schuld dan de piloot. Ik ben mij niet alleen bewust geweest van de spanning tussen ons, maar ik heb ook willens en wetens geprobeerd die spanning te verhogen. Hij heeft zich dat alleen maar laten welgevallen. Hij heeft zelf geen echte actie ondernomen.
Ik vind het weliswaar moeilijk te geloven dat de piloot geen spanning gevoeld heeft, maar zelfs dat zou nog het geval kunnen zijn. Waar het om gaat is dat hij niets, maar dan ook niets gedaan heeft, om mij te ontmoedigen. Hij heeft het aangewakkerde vuurtje misschien (?) niet opgestookt, maar hij heeft het wel brandende weten te houden en het niet uitgetrapt. Je maakt mij niet wijs dat hij niet genoten heeft van de aandacht. Als hij die niet had gewild dan zou hij niet alleen met mij zijn gaan hardlopen, dan zou hij al korte metten gemaakt hebben met dat cd'tje van mij. En na die brief zou hij zeker niet zó lang koffie zijn blijven drinken.
Ik beken schuld. Ik neem de verantwoordelijkheid voor míjn daden geheel op mij. Maar wat is het ergste dat ik gedaan heb? Het delen van mijn gevoelens voor een andere man dan de mijne, met enkel en alleen die andere man. En dat had helemaal niets met de pilotenvrouw van doen!

Dinsdag 4 september ☾

Vanochtend deelde Mark mij mede dat de piloot hem gezegd had dat hij, de piloot, Sem na schooltijd gewoon mee kon nemen naar de voetbaltraining. Ik scheen geen stem meer in het kapittel te hebben. Dat irriteerde mij. Want het kwam mij helemaal niet goed uit. Ik wilde boodschappen doen. Het liefst met Sem, zodat ik hem op de terugweg zelf bij het voetbalveld kon afleveren. Ik overwoog Sem gewoon mee te nemen en de piloot voor niets te laten zitten wachten op hem waardoor hij te laat op de training zou aan te komen. °°°*(O, ik wist niet dat Sem met jullie mee zou gaan, mij is alleen verteld dat ik mijlenver uit jullie buurt moest blijven.)*°°° Maar dat vond ik een beetje gemeen. En zo wil ik niet zijn. Zonder Sem boodschappen doen, was ook een optie, maar dan moest hij wel bij de pilotenzoon kunnen blijven spelen totdat hij met hen mee kon naar de training. Sem wilde dit niet zelf gaan regelen. Uiteindelijk heb ik de telefoon gepakt. 'Hallo met mij, beetje lastig communiceren zo, maar ik weet anders ook niet ...'

Hij verschuilde zich achter zijn vrouw. Zij wilde het zo. En hij respecteerde haar. Zij voelde zich aangevallen door mij. Dat begreep ik toch wel? 'Ik snap het wel', zei ik, 'maar ik begrijp het niet.'

Ik zie helemaal niet in waarom de pilotenvrouw zich aangevallen voelt. Ik heb mij geprobeerd voor te stellen hoe ik mij zou voelen als Mark een liefdesbetuiging zou ontvangen van een andere vrouw. Het is moeilijk zeker te weten, maar ik denk echt dat ik het oprecht leuk zou vinden voor hem. En ook mijn eigen ego zou een beetje gestreeld zijn. Het is toch leuk om te weten dat je partner nog goed in de markt ligt? En mijn partner mag dan ook wel mijn "man" heten, maar hij is niet ván mij. Het lijkt alsof de pilotenvrouw haar echtgenoot beschouwt als haar eigendom. Want alleen als iemand aan je eigendom wil komen, kun je je aangevallen voelen. Als je je partner niet beschouwt als je bezit, hoef je ook niet jaloers te worden als iemand anders een oogje op hem laat vallen. Dan weet je dat je partner bij je is omdat hij er zelf uit eigen vrije wil voor kiest. Omdat hij zelf het liefst bij jou wil zijn. En als hij daar niet voor kiest? Als hij liever bij die ander wil zijn? Dan hoef ik hem ook niet!

Woensdag 5 september

Vandaag was ík boos. Dat kwam doordat Mark vertelde dat hij tegen de pilotenvrouw gezegd had dat hij mij ook een hardloopverbod had opgelegd. Het was niet waar. Het was een grapje. Maar ik voelde mij steigeren als een merrie die het vuur na aan de schenen werd gelegd. Ik was bereid te vechten als een leeuwin die haar jongen moet beschermen. Niemand legt mij verboden op. Ik realiseerde mij wederom dat ik geconfronteerd werd met een gevoel van beknot worden in mijn vrijheid. Dit is waar het om gaat!
Natuurlijk ben ik bezig geweest grenzen te verleggen. Natuurlijk was het spannend om te fantaseren over een andere man. Natuurlijk was ik ook benieuwd naar een ander mannenlichaam. Maar vooral ging het om het bepalen van de mate van mijn bewegingsruimte, om keuzes durven maken puur voor mijzelf.

♫ *I don't wanna be your baby girl*
I don't wanna be your little pearl
I just wanna what's best for me
To be one with my own star under my own sun ♫

(Nelly Furtado - Baby girl)

Donderdag 6 september

Het heeft hard gewaaid de laatste dagen. Vandaag zag ik dat de eerste kastanjes al van de bomen zijn gevallen. Ik ben altijd zo blij als een kind met een mooie kastanje, maar vandaag raapte ik ze niet op. Ik wil ze nog niet zien. De herfst komt te vroeg dit jaar.

Vrijdag 7 september

Vandaag heb ik Mark gezegd dat hij mij een ultimatum mag stellen. Ik vind dat hij mij mag vragen te kiezen tussen mijn verlangen naar meer vrijheid en mijn trouw aan onze huwelijksgeloften. Op dat moment voelde ik heel sterk dat ik nog liever moederziel alleen in een huurflatje drie hoog achter terecht zou willen komen dan het gevoel te hebben aan de tafelpoot te worden vastgebonden. Ik kan en wil niet bij Mark blijven als ik hem dingen moet beloven waar ik niet meer achter sta. Dat punt ben ik gepasseerd.
Gelukkig heeft Mark mij geen ultimatum gesteld. Maar ik realiseerde mij ineens dat de gedachte aan alleen te komen staan mij lang zoveel angst niet meer inboezemt als eerder. En met het wegvallen van die angst, neemt mijn kracht toe.

♫ *I don't need a man to make me feel good*
I get off do my thing
I don't need a ring around my finger
To make me feel complete ♫

(Pussycat Dolls - I don't need a man)

Zaterdag 8 september

Mijn kracht neemt inmiddels euforische vormen aan. Ik voel mij zelfs machtig. Mijn man voelt zich belazerd, ik heb zijn vertrouwen beschaamd en dat maakt hem bang. De pilotenvrouw is boos, zij voelt zich bedreigd en dat maakt haar bang. En de piloot is misschien nog wel het allerbangst. Doodsbenauwd zijn zij dat hun schijnveilige wereldje in elkaar stort. Allemaal rennen ze terug naar de basis, het eigen gezin, de hoeksteen van deze samenleving.
De wetenschap dat zij bang zijn en ik niet, maakt dat ik mij machtig voel. Zij hebben allemaal nog van alles te verliezen en willen hun bezittingen veilig stellen. Maar ik ben niet bang. Niet meer. Ik heb niet veel meer te verliezen. Mijn eer is al verloren. En ik ben niet veilig. Niet meer. Er zijn al te veel mensen die weten van mijn daden. Ik heb mijn straf. Ik ben een gevallen vrouw, een gevaarlijke vrouw, een verdorven vrouw. Ik ben het doelwit van de pilotenvrouw. Zij kan mij wel schieten. Als meer mensen kennis nemen van mijn daden, dan willen er vast nog wel een paar op mij schieten. Onze samenleving tolereert dit niet. Onze samenleving zal mij vogelvrij verklaren.

Vogel
Vrij
Op
In de lucht

Vogelvrij
Opluchting

Maandag 10 september

Iedere avond bid ik tot de Godin en vraag haar of zij mij in mijn slaap wil laten weten welke weg ik in mijn leven moet gaan. En vannacht verscheen zij in mijn dromen. Ik droomde dat ik aanwezig was bij een saaie vergadering. Mij was gevraagd te notuleren. Ik zat naast een aardig heerschap. Ik weet niet wie het was. Ik kende hem niet. Hij en ik kropen steeds dichter naar elkaar toe. Onder de tafel raakten onze handen elkaar en werd het tussen onze dijen steeds warmer. Maar hij wilde hij niet toegeven mij wel een leuke dame te vinden. In het gezelschap van de andere aanwezigen wilde hij dat niet zeggen. Echter, toen opeens, waren wij tweeën in een andere ruimte. Het was daar heel krap en we moesten ons schuil houden voor andere mensen. De meneer en ik stonden tegenover elkaar, en tegen elkaar aan. We voelden ons op ons gemak. Hij nu ook. En we wilden elkaar kussen. En ineens stond er nog een persoon rechts naast mij. Een vrouwelijke persoon. En zij zei ons dat alles goed was en veilig.

> ⓘ **Vrijheid:**
> Volgens Starhawk is het in de traditie van verschillende indianenstammen gebruikelijk dat wanneer je over de Godin droomt of een visioen van haar krijgt, je de rest van je leven voor haar moet werken. Vervolgens doen de indianen dan het werk dat nodig is om dienstbaar te zijn aan de cycli van groei, verval en vernieuwing. Vroeger werd over de godin Isis gezegd dat dienstbaarheid aan haar perfecte vrijheid betekende. De weg van dienstbaarheid aan de godin is niet verschoond van ontbering, ongemak en opoffering. Maar degenen die ervoor kiezen deze weg te gaan worden gevoed door een dieper gevoel van vrijheid; de vreugde van het handelen volgens onze diepste idealen.

Dinsdag 11 september ●

Marks belangrijkste vraag aan mij was waarnaar ik op zoek was. Ik denk het antwoord nu gevonden te hebben. Het gaat om vrijheid. Natuurfilosofie, tekenen, hardlopen en een minnaar bevrijden mij van een keurslijf. Natuurfilosofie verheft mij boven het aardse bestaan. Tekenen maakt mij los van deze werkelijkheid. Hardlopen leidt tot onthechting van tijd en ruimte. Een minnaar bevrijdt mij van het patriarchaat. In het patriarchaat is het geen Leven.

♫ *I wanted to see*
Wanted to be
Free ♫

(Sarah Brightman - Free)

Woensdag 12 september

In een patriarchaat wordt de bron van het leven, de Liefde, onderdrukt. Natuurlijk, je mag liefde voelen voor je kinderen, je ouders en misschien zelfs ook nog wel voor vriend(inn)en. Maar in elk geval mag dat niet voor een andere vrouw of man dan de levenspartner waarvoor je eens gekozen hebt. In een patriarchaat heerst de opvatting dat de beste manier om gelukkig te zijn een langdurige monogame relatie is. Eens maak je een keuze en daar moet je voor de rest van je leven bij blijven.
Van seks mag je niet genieten. En lust moet worden uitgebannen.

ⓘ **Religie en seksualiteit**
Het jodendom en het christendom zijn patriarchale geloofsmodellen waarbij alleen de Vader en de Zoon goddelijk zijn. Moeder Maria is sterfelijk. In de niet monotheïstische Keltische religie is de Godin de bestaansreden van de God, echter de God is net zo belangrijk. Volgens Jacob Slavenburg was er binnen de eerste stromingen van de christelijke kerk nog geen sprake van onderscheid tussen mannen en vrouwen. Uit zijn onderzoeken blijkt dat Christus juist probeerde het vrouwelijke te verenigen met het mannelijke. In de vroegste kerken waren vrouwen ook priester, leraar of apostel. In de esoterische stroming ging men zelfs uit van de persoonlijke godsbeleving, niet de godsbeleving via de priester of dominee, maar door innerlijk contact met de eigen kern. Uiteraard waren zulke denkwijzen een bedreiging voor de machtspositie van de kerk.
In latere perioden van het christendom diende het huwelijk om mensen in toom te houden. Seks werd als immoreel beschouwd. Men wist dat het nodig was voor de voortplanting, maar het was zondig om ervan te genieten. Het onderdrukken van behoeften doet deze niet verdwijnen. De kans dat zij zich uiten in een vorm van agressie is groot.
Volgens Maarten 't Hart is er geen boek waarin zoveel mensen op speren worden gespietst, van een rots gedonderd, met de builenpest geslagen, verbrijzeld, met zwaarden afgeslacht of met tentpinnen doorboord als in de Bijbel. In geen enkel ander boek wordt zoveel door God gesanctioneerd wapengekletter beschreven als in het Oude Testament.

Donderdag 13 september

Afgelopen nacht had ik een nachtmerrie. Ik droomde dat iemand met grote letters het woord "hoer" op de muur van ons huis had gekalkt. In mijn droom hing ik er toen eigenhandig een grote foto van mijzelf naast. Kennelijk is ook mijn onbewuste van mening dat ik niets slechts gedaan heb. Misschien is de wijze waarop ik het aangepakt heb, niet handig geweest. Maar ook al probeert iedereen het tegendeel te bewijzen, ik vind het nog steeds niet verkeerd dat ik mijn gevoelens heb willen delen. Ik vind liefde iets moois en puurs. Seks kan een manier zijn om uiting te geven aan de liefde die je voor een ander voelt. In dat geval kan seks ervaren worden als een spirituele beleving. Maar ik denk dat de meeste mensen in

onze huidige maatschappij van mening zijn dat seks niks te maken heeft met religie.
Patriarchale godsdiensten hebben seks tot een schaamtevolle en weerzinwekkende daad gemaakt. En dat is allemaal de schuld van de vrouw. Zij wordt gezien als de veroorzaakster van de zonde. Zij is een verleidster, een valkuil voor de "heiligere" sekse.

ⓘ Madonna versus hoer

In de meeste natuurfilosofische stromingen wordt seksualiteit gezien als heilig. Het is een manier om contact te maken met het leven, met de aarde. Seksualiteit wordt niet gezien als iets verdorvens, iets vies of als iets dat streng in bedwang gehouden moet worden. Er is ook niet slechts één juiste vorm of manier van seksualiteit beleven. Zolang er bij het uiten van liefde sprake is van respect en eer is alles geoorloofd.
www.dirah.dds.nl: In de natuurmagie hebben de Godin en de God, door hun begeerte, liefde en passie samen Het Leven gemaakt. Daarom is seksualiteit voor heksen een heilige levenskracht, die beleefd kan worden als een spirituele ervaring.
In onze maatschappij kunnen vrouwen door veel mensen veelal maar op twee manieren gezien worden; als madonna of als hoer. Daardoor durven veel vrouwen zich niet over te geven aan de seksuele driften die ook zij hebben. En genieten van seks is er al helemaal niet bij. Zij zijn bang dat wanneer de madonna gevallen is, zij een hoer worden. Daarbij zijn vrouwen niet alleen bang voor de veroordeling van de man, maar vooral ook van hun eigen seksegenoten. De andere vrouw is immers altijd de slet. De natuurmagie leert je dat in iedere vrouw een godin schuilt. Die godin kan pas tot volle bloei komen als zij heeft mogen groeien door de hoer in zichzelf te hebben herkend én erkend. De godin is de vrouw die zichzelf totaal heeft weten te ontplooien en in contact staat met de goddelijke natuur van zichzelf en van de kosmos. Een vrouw hoeft niet te kiezen. Haar streven moet zijn om zowel de hoer als de madonna gelijktijdig te ervaren. Wanneer een vrouw de liefde bedrijft en zich hieraan volledig over kan geven dan krijgt zij niet alleen een orgasme maar dan zal zij ook de liefde van de godheden, van de schepping, beleven. Een vrouw moet de weg terugvinden naar haar eigen ongeremde innerlijke natuur. Een vrouw is een hoog intuïtief wezen en door haar lichaam staat zij direct in contact met de krachten van de Godin. Het menstrueren en het baren van kinderen is immers bij uitstek dé scheppende daad.

♫ *You can call me a sinner*
You can call me a saint
Celebrate me for who I am
Dislike me for what I ain't. ♫

(Madonna - Like it or not)

Zaterdag 15 september

Vanochtend werd ik weer badend in het zweet wakker. Ik had gedroomd dat ik als een soort van moderne heks in het midden van onze straat aan de schandpaal genageld werd. Naast mij stonden manden met rot fruit uit mijn eigen moestuin. Daarmee mochten de buurtbewoners gooien. Naar mij.
Ik droom mijn dromen natuurlijk niet voor niets. Zij komen voort uit het feit dat ik denk dat er over mij geroddeld wordt. Of verbeeld ik mij dat alleen maar? Mensen lijken anders naar mij te kijken. Of verbeeld ik mij dat alleen maar? In ieder geval kijkt de pilotenvrouw mij niet meer aan. Mij groeten is duidelijk beneden haar waardigheid. Als ik haar passeer, draait zij met haar neus in de lucht haar hoofd de andere kant op. Ongeacht of zij in gesprek is met een andere buur die mij wel groet. Zich arrogant van mij afwenden is kennelijk haar manier van mij proberen en plein public te vernederen. Ze mag van mij. Ik doorzie haar. Zij doet zich voor als trots. Ze wil laten zien dat zij beter is dan ik. Ik vind mijzelf niet beter dan de rest. Ik heb tekortkomingen. Ik maak fouten. Want ik leef.

♫ *Animal City*
It's an animal city
It's a cannibal world
So be obedient, don't argue
Some are ready to bite you ♫

(Shakira - Animal city)

Zondag 16 september

En wat de piloot betreft: het is niet gewoon zomaar een muurtje dat hij gestapeld heeft. Het lijkt de Berlijnse Muur wel!

Maandag 17 september

Ik word een beetje melig van het hele gedoe. In mijn hoofd spelen zich allerlei komische taferelen af. In mijn fantasie zie ik mijzelf in een boerka over straat lopen. Met een waarschuwingsbordje achterop mijn rug waarop staat: **Pas op, gevaarlijke vrouw. Houd uw mannen binnenshuis.**
Ik zie mijzelf een briefje in de brievenbussen van alle huizen in de straat gooien waarop ik mijn schuld beken. **Ik was het. Ik heb het gedaan. Ik heb mijn gevoelens gedeeld. Ik schaam mij niet, want ik ben onzedelijk. Ik heb geen spijt, want ik heb geen moreel.**

Dinsdag 18 september

De slet in mij is misschien nog niet helemaal opgestaan, maar wakker gekust is zij toch zeker!
's Ochtends als ik wakker word, kruip ik tegen Mark aan. Hij draait zich om. Ik lig met mijn rug tegen zijn buik. Mijn billen voelen zijn ochtenderectie. Ik duw en draai een beetje met de rondingen van mijn achterwerk tegen hem aan. Mark gromt een beetje. De leeuw komt los. Zijn hand glijdt tussen mijn benen. Hij trekt mijn slipje naar beneden en kan voelen hoe klaar ik voor hem ben. Van achteren leid ik Marks kloppend lid naar binnen, waar mijn verlangen wacht. Mark komt klaar. De honger van de leeuw is gestild. Maar ik heb nog altijd dorst. Want ik ben een Venusdier.

Woensdag 19 september ☾

Ik was wel blij dat Mark en ik weer vreeën. Het is nog lang geen koek en ei tussen ons. Het gaat een beetje op en neer. We proberen er wat van te maken. Dat wel.

Donderdag 20 september

Zojuist is er een nationaal weeralarm afgekondigd. De gehele Nederlandse bevolking is gesommeerd binnen te blijven vandaag. Het waait een beetje.

ⓘ Weeralarm
Het weeralarm is in het leven geroepen om de burger te waarschuwen voor extreme weersomstandigheden die het maatschappelijke leven kunnen ontwrichten. Voor het afgeven van een weeralarm zijn afspraken gemaakt tussen het KMNI en alle Nederlandse weerproviders. Ook in andere Europese landen worden bij extreem weer waarschuwingen gegeven. Een weeralarm mag worden afgegeven bij een storm met een windkracht van 9 of meer, bij zeer zware windstoten, ijzel of ijsregen, zware sneeuwval, sneeuwjacht, sneeuwstorm of zwaar onweer. Toch is er veel commentaar op het weeralarm. De meningen over de noodzaak van het weeralarm zijn verdeeld.

Het waait een beetje. *What else is new*? In mijn hoofd is het ook echt herfst. De kastanjes kunnen worden opgeraapt.

HOOFDSTUK 6

Mabon,

laat mijn emoties stromen

en weer gaan.

Vrijdag 21 september

In deze tijd van het jaar vind ik het altijd heel fijn om te wandelen. Het is heerlijk om door het afgevallen blad te stampen en de herfstige geur die daardoor verspreid wordt op te snuiven. De zon heeft veel geschenen de laatste weken, maar het is geen zweetweer meer. 's Ochtends is het zelfs heel fris en vochtig. Je kunt je eigen uitgeblazen adem al zien. En de spinnenwebben die nog nat zijn van de dauw. Het is zó mooi buiten. De bladeren aan de bomen beginnen te kleuren. En los te laten van de takken. Net als de appels en de walnoten. Die ik hebberig opraap en met volle tassen naar huis toe draag. De herfst is paradoxaal. Want alhoewel deze echt een periode van versterving en afscheid nemen betekent, is hij ook de tijd van de oogst. Misschien is het juist deze tegenstrijdigheid waarom ik zo houd van dit seizoen.

Zaterdag 22 september

Poes is wederom moeder geworden van vier kittens. 't Zijn net muizen. Klein en kaal. Eigenlijk vind ik het een beetje tegennatuurlijk dat zij in deze tijd van het jaar nieuw leven op aarde zet. In de wilde natuur zouden dieren die nu nog geboren worden weinig overlevingskans hebben. Poes is gecultiveerd, vrees ik. Maar ik heb zelf ook nog veldsla en spinazie gezaaid. Voor de wintermaanden. Dat kan. In ons land, in de tegenwoordige tijden. Verder is er niet zoveel meer te doen in de moestuin. Ik heb er een beetje opgeruimd. De gewassen die uitgebloeid zijn en hun vruchten hebben opgebracht, heb ik op de composthoop gegooid. Van de gewassen die nog produceren, zoals de courgette- en de tomatenplanten, heb ik geoogst. Terwijl ik hiermee bezig was, zag ik de parallel. Tuinieren is als het leven. Ik kan loslaten wat niet meer nodig is. Ik mag genieten van de vruchten van mijn oogst. Ik moet mij voorbereiden op de koudere periode die komen gaat.

Zondag 23 september Mabon

Ter ere van Mabon heb ik de kinderen vandaag uitgenodigd een oogst- en dankritueel met mij mee te vieren. Ze vonden het reuze spannend. Sem maakte zich bezorgd dat hij niet mee zou kunnen gaan vliegen omdat we maar twee bezemstelen hebben. Ik verzekerde hem dat we allemaal gewoon met alle voeten op aarde zouden blijven staan. Ik liet Nonna en Sem een stuk fruit uitkiezen dat zij lekker vinden. Zelf nam ik wat noten, zaden, kastanjes en eikeltjes. Daarna vulde ik een grote bloempot met aarde en zette die in de tuin op de grond. We maakten een kringetje om de pot. Ik vroeg Nonna en Sem om eventjes niet te praten en wierp toen in stilte de heilige cirkel. Daarna vertelde ik de kinderen dat wij de herfstgodinnen en -goden gingen uitnodigen om met ons mee te vieren. Ik deed hen voor hoe we drie maal om de pot heen moesten lopen en daarbij veel lawaai mochten maken om de goden wakker te roepen. Het was maar goed dat ik gecheckt had of onze buren echt wel naar de kerkmis vertrokken waren. Want Nonna en Sem leefden zich helemaal uit. Daarna nam ik een stuk fruit en zei hardop dat ik de goden wilde bedanken voor alles wat ik de afgelopen tijd heb mogen meemaken. Nonna volgde mijn voorbeeld alsof dat voor haar vanzelfsprekend was. Sem vergiste zich. Toen hij zijn appel oppakte, nam hij er meteen een grote hap uit. Dat is immers zoals hij gewend is te doen met een appel.

Toch leek ook hij het de normaalste zaak van de wereld te vinden om op zondagochtend met zijn moeder om een pot aarde in de tuin goden te staan aan te roepen.
Ik vroeg Sem wat van zijn appel met Nonna en mij te delen. Nonna mocht een stukje van haar kiwi aan mij en Sem geven en ik gaf hen wat nootjes. Alles wat overbleef, klokhuis, schillen en pitjes stopten wij toen samen met de noten, kastanjes en eikeltjes in de pot. Terwijl we alles afdekten met een laagje aarde, vroeg ik de kinderen een wens te doen voor de komende winter. Nonna wenste veel sneeuw. Sem vroeg om een bezemsteel. Ik verbrak de heilige cirkel.
Mijn wens deed ik 's avonds voordat ik naar bed ging. Ik had hem verpakt in een gedicht.

Grote Vrouwe, mijn ware moeder en Grote Gehoornde Bosgod, ik roep u aan.
U bent de Vrouwe des Overvloeds en de Heer van de Oogst.
U laat ons genieten van de vruchten die wij kunnen plukken.
U leert ons om te gaan met het moment van de afrekening.
Dit is de tijd van de oogst.
Ik vier feest vanwege hetgeen ik verworven heb,
En ik dank u voor alles wat ik heb mogen ontvangen.
Dit is de tijd van het evenwicht.
Ik probeer mij te verzoenen met mijn verlies.
En ik hoop te leren van mijn fouten.
Dit is de tijd waarop dag en nacht weer even lang zijn.
Ik dank u voor alle zonne-uren van de warme tijden.
Ik hoop dat u ons bijstaat in de koudere periode die komen gaat.
Zegen ons allen op aarde.

ⓘ Mabon
Mabon wordt ook wel het oogstfeest of de herfstnachtevening genoemd. Het wordt gevierd op het hoogtepunt van de herfst. Net als alle andere seizoenshoogtepunten wordt deze viering niet ieder jaar op dezelfde dag gevierd, daar het hoogtepunt van een seizoen afhankelijk is van de stand van de hemellichamen. De data kunnen variëren van 20 tot 23 september. In het verleden hadden onze voorouders de oogst nu geheel binnengehaald en tijdens Mabonviering werd daarvoor dankbaarheid getoond. In de herfstnachtevening zijn de dag en de nacht weer even lang, maar vanaf heden zullen de dagen korter en donkerder worden. Daarom was dit vroeger ook het moment waarop de goden om bescherming voor de wintermaanden werd gevraagd. Mabon is dus een tweeledig feest; er wordt feest gevierd en dank gebracht maar ook vindt de opmaak voor de winter plaats.
Heden ten dage kan rond Mabon worden afgewogen welke winsten in werk, liefde, geluk en Leven er behaald zijn. Dat wat je verworven hebt, kun je zien als voeding en bescherming voor de koude wintermaanden. Maar Mabon is ook de periode waarin we ons kunnen proberen te verzoenen met onze verliezen en waarin we kunnen leren van onze fouten. Het is het moment om het kaf van het koren te scheiden en ongewenste zaken de deur uit te ruimen.

ⓘ De Godin en de God
De Godin is nu de Vrouwe des Overvloeds. Haar kookpot heet de Hoorn des Overvloeds en daarin kookt zij alle goede dingen uit het Leven die als een overvloed aan zegeningen uit de pot stromen. Haar namen zijn Eva, Persephone, Anat, Durga en Nehalennia. Haar vereniging met de God draagt rijke vruchten en heeft het Leven op aarde voortgebracht. De God is nu nog de Heer van de Oogst, maar hij is heel wat ouder geworden en bijna aan het einde van zijn cyclus gekomen. Zijn vurige heerschappij is bijna afgelopen en van Zonnekoning verandert hij in de Heer der Schaduw. De Godin wacht op hem in haar appelparadijs, waar zij hem de liefdesappel zal schenken. Deze appel is echter ook de doodsappel waardoor de Godin de God kan meevoeren naar de onderwereld waar hij kan verblijven tot de volgende levenscyclus. De appel en het appelparadijs verwijzen naar de "andere wereld" die door de Kelten "Avalon" genoemd werd. Avalon betekent "Appelland".

Dinsdag 25 september Door Mark aan Suus

Wat mij het meest dwarszit is dat jij eenzijdig een experiment bent aangegaan waarvan je de uitkomst niet kon inschatten.

Ik vind dat je door dat te doen ook geëxperimenteerd hebt met onze relatie. Je hebt ook de zekerheden van mijn leven op het spel gezet. Ik wil graag dat je dit begrijpt, voordat we gaan nadenken over hoe we hier sterker uit kunnen komen.

Zojuist heb ik weer een lang gesprek gehad met Mark. Hij vindt dat hij slachtoffer is van een situatie die ik over hem heb afgeroepen. Ik ben het met hem eens dat hij in deze het recht heeft op die rol. Maar ik blijf er wel bij dat het willen onderzoeken van mijn gevoelens niets te maken heeft met dat wat ik voor Mark voel. Ik vind nog steeds dat ik het recht heb de uitdagingen die op mijn levenspad komen, aan te gaan. En ik wil niet meer hard weglopen, ik wil niet meer onderdrukken, ik wil voelen. Ik wil het Leven leven.

Woensdag 26 september ○

Há, ik ben weer gaan menstrueren. Ondanks alle stress toch mooi op tijd. Door het lezen van het boek "Dochters van de maan" denk ik begrepen te hebben waarom mijn cyclus de afgelopen maanden veranderd is van een menstruatie bij nieuwe maan naar een menstruatie bij volle maan.

> **ⓘ Rodemaancyclus**
> Volgens Annemarie Peters lijkt een menstruatie die rond volle maan plaatsvindt extra heftig te zijn. Dit zou te verklaren zijn doordat de introverte fase van de vrouwelijke menstruatiecyclus nu samenvalt met de periode waarin de energie van de maan het meest geladen voelt. Daardoor zou het proces van uitzuivering (de menstruatie) als zeer intens ervaren kunnen worden. Alle weggestopte frustraties komen nu extra heftig naar buiten.
> De rode cyclus wordt ook wel de cyclus van de wijze vrouw of van de boze heks genoemd. Daarbij wordt verwezen naar het archetype van Lilith. Volgens joodse mythen is Lilith zowel de maangodin als de slang van het scheppingsverhaal.

Maitreyi Piontek stelt dat vrouwen met een rodemaancyclus hun seksuele energie gebruiken voor hun innerlijke ontwikkeling. Wanneer de energetische geladenheid van de volle maan wordt gecombineerd met de Lilith-energie ontstaat er een bijzonder intense seksuele lust. Daardoor komt de vrouw nog dichter bij haar oerdiepte en wordt ontvankelijker voor onbewuste (soms visionaire) ideeën. Deze vrouwelijke oerkracht wordt ook wel kundalini genoemd. Hierbij wordt de vrouwelijke goddelijke energie voorgesteld als een opgerolde slang die onder aan de wervelkolom ligt. Bij bijvoorbeeld yoga en tantra wordt deze kracht bewust opgewekt. Als de kundalinikracht opstijgt via de chakra's kan men in een toestand van zuivering en verlossing komen. Tijdens de rodemaancyclus is sprake van eenzelfde soort krachtige energie. Om zich in het dagelijkse, bewuste, leven staande te kunnen houden is een zekere egosterkte en rijpheid van de vrouw nodig.

Donderdag 27 september   Door Mark aan Suus

Toen ik onder de douche stond bedacht ik mij dat ik altijd al wel gevallen ben voor vrouwen die niet bepaald doorsnee zijn. Ik mag dan zelf wel gelijkmatig, behouden en ouderwets zijn. De vrouwen van wie ik gehouden heb waren allemaal wispelturig, emotioneel en spiritueel. Misschien weet ik diep van binnen wel dat ik het nodig heb om af en toe eens flink wakker geschud te worden. Het maakt het leven in elk geval een stuk minder saai. En ik vind jou de laatste weken ineens weer zo verdomd aantrekkelijk.

Zaterdag 29 september

Ik heb Mark voorgesteld een andere vrouw voor hem uit te zoeken. Niet dat ik bij hem weg wil, dat niet. Maar dan zouden we een soort van quitte staan. En uit zichzelf gaat Mark zo'n experiment toch niet aan. Maar ik gun hem die vlinders in zijn buik. En de ervaring om verliefd te zijn op iemand met wie je niet getrouwd bent. En voor mij zal het zeker heel goed zijn om te leren hoe het voelt als je vaste partner niet alleen meer oog heeft voor jou. Ik ben benieuwd óf en hoe jaloers ik zal zijn. Mark vond mijn idee belachelijk.

♫ *But the costume makes the clown*
That's just life's anatomy
Don't be so hard, don't be so hard on it
It's your turn now to cheat on me ♫

(Shakira - Costume makes the clown)

Zondag 30 september

Grappig is dat wel. Iedereen die ik mijn denkbeelden over relaties uit de doeken doe, vindt mij vernieuwend, vooruitstrevend of idealistisch. Maar mijn ideeën zijn niet nieuw en zeker niet door mijzelf bedacht. Mijn gedachten over hoe mannen en vrouwen met elkaar zouden moeten omgaan zijn al zo oud als de wereld. Heel héél lang geleden al, was het normaal dat men zich niet voor het leven aan elkaar verbond. Dat vrouwen en mannen seksuele omgang hadden met meerdere verschillende partners. Dat met name de vrouwen kozen welke man de nacht met hen mocht doorbrengen. Mannen en vrouwen genoten van elkaar, zoals bedoeld is van elkaar te genieten. Eigenlijk ben ik heel conservatief.

Maandag 1 oktober

Vandaag kwam ik de pilotenvrouw tegen in de supermarkt. Ze zag er kek uit. Heel anders dan ik haar kende. Nu ik er goed over nadenk, ze droeg eigenlijk altijd nogal wijde slobberkleding. Maar vandaag kon ik haar kont zien. Ze had een kort zwart leren jasje aan en een strakke zwarte pantalon. Het leek alsof ze 25 kilo was afgevallen deze afgelopen weken.

Dinsdag 2 oktober

Ik ken een goed dieet. Het heet "Suseanne Bakker". Het werkt alleen voor vrouwen en het gaat als hierna beschreven. Wanneer je een aantal kilo wilt afvallen hoef je daar zelf niet veel moeite voor te doen. Sterker nog, je mag jezelf totaal verslonzen. Op het moment dat je eruitziet als Ma Flodder in levende lijve, roep je de hulp in van Suseanne Bakker. Je vraagt haar om samen te gaan hardlopen. Nee, je hoeft echt niet zelf in beweging te komen! Sterker nog, je moet vooral op je dikke krent blijven zitten. Je echtgenoot mag het werk doen. Jij stuurt hem namelijk samen met Suseanne het bos in om een aantal keren met haar een paar rondjes te gaan rennen. Het kost geen geld en het hoeft niet eens vaak. Het zal niet lang duren voordat de lichtontvlambare Suseanne voor je man gevallen is. En dan gaat zij vanzelf gekke dingen doen. En dan hoef jij alleen je man nog maar terug te trekken uit het rampgebied. Jouw extra kilootjes zullen inmiddels als sneeuw voor de zon verdwenen zijn zonder dat je er zelf erg in had. Dat kwam omdat je het te druk had met jaloers en kwaad te zitten wezen.

Maar daar krijg je dan ook wel wat voor terug! Een fitte man. Een man die letterlijk weer strak in zijn vel zit. Een man die, na de egoboost die Suseanne hem gegeven heeft, ook figuurlijk weer lekker in zijn vel zit. Een potente man, die wel weer eens van bil wil. Een viriele man die weer oog heeft voor jou. Want jij zit immers ook weer wat strakker in je velletje. En je hebt jezelf inmiddels een nieuwe kekke garderobe aangeschaft.
"Suseanne Bakkeren" helpt. Het werkt echt. Dat is bewezen. Het is de pilotenvrouw ook gelukt. Voorwaarde is wel dat je echtgenoot een lekker ding is. Anders trapt Suseanne er niet in.

Woensdag 3 oktober ☾

Toch vraag ik mij serieus af hoe dit allemaal werkt. Hoe kan het dat een vrouw zich jaren weinig moeite getroost om er een beetje leuk uit te zien? Ik vind niet dat iedereen er altijd even leuk uit moet zien. Maar het gaat mij om de vraag waarom zij zichzelf zo weinig aandacht geeft. Vindt zij niet dat zij, naast de tijd en aandacht die zij aan haar gezin, huishouden en werk besteedt ook recht heeft op tijd en aandacht voor zichzelf. En waarom gaat een vrouw op het moment dat zij zich bedreigd voelt door een andere vrouw zichzelf wel weer wat opkalefateren? Doet zij dat dan voor haar man? Om hem te behouden? Is het om beter te kunnen concurreren met die andere vrouw?
Eigenlijk ben ik principieel tegen diëten. Volgens mij word je van diëten alleen maar dikker. En meestal ook chagrijniger. Maar mijn voornaamste reden is dat ik vind dat iedere vrouw mooi gevonden moet worden, ongeacht haar gewicht. Iedere

vrouw moet geëerd worden, alleen al om het feit dat zij vrouw is en Leven kan scheppen.
Ik ken behoorlijk wat vrouwen met meerdere vetrollen. Toch vind ik hen oprecht mooier dan willekeurig welk topmodel. Niet omdat deze vrouwen vanbinnen mooi zijn. Dat klinkt zo langzamerhand ook maar als een cliché. Deze vrouwen zijn echt mooi, ook vanbuiten. Dat komt omdat zij uitstraling hebben. Omdat zij weten wat zij willen. Omdat zij weten wat ze nodig hebben. En omdat zij ervoor zorgen dat ze het krijgen. Omdat ze zelfvertrouwen hebben. Omdat zij zichzelf de moeite waard vinden.

Donderdag 4 oktober

Veel te weinig mensen zijn trots op hun lichaam, gewoon omdat het hun lichaam is. Natuurlijk, ze zijn er wel. Dat zijn dan de levende barbiepoppen, de eeuwig aan een dieet onderworpen topmodellen, de zichzelf kastijdende gezondheidsfreaks, de spartaanse sporters, en de zichzelf adorerende bodybuilders. Maar dat zijn geen gewone mensen, met een gewoon lichaam. Dat zijn mensen die proberen te voldoen aan het heersende schoonheidsideaal. Een ideaalbeeld dat voor de meeste vrouwen én mannen niet haalbaar is. En wat mij betreft ook niet wenselijk. Want het is niet zoals de natuur ons geschapen heeft. Volwassen vrouwen zagen er de langste tijd van de geschiedenis niet uit als slanke, nog niet menstruerende meisjes. Een echte vrouw is voluptueuzer. Haar vruchtbaarheid is haar aan te zien. En als zij in de overgang komt zullen haar rondingen nog voller worden. Dat is biologisch gezien ook nodig. Want haar botten moeten meer gewicht te dragen krijgen om het proces van botontkalking niet te snel te laten verlopen.

Waarom verzetten wij ons tegenwoordig toch massaal tegen het beeld van de Rubensvrouw? Waarom zijn wij gaan geloven dat met name vrouwen tot aan hun dood zo slank als een tienermeisje moeten blijven? Ik heb hier wel een idee over. Vrouwen zijn door de hele geschiedenis heen op allerlei manieren onderdrukt. Pas als gevolg van de tweede feministische golf, die opkwam in de zestiger jaren van de vorige eeuw, zijn vrouwen in grotere gelederen gaan strijden voor financiële én seksuele gelijkheid. In diezelfde zestiger jaren maakte de westerse wereld voor het eerst kennis met het fenomeen "topmodel". Haar naam was Leslie Hornby. Maar dat weet bijna niemand. De Engelse Leslie kreeg al snel de bijnaam Twiggy omdat zij zo dun was als een twijgje. En met haar bijna jongensachtige figuur stootte zij Marilyn van haar troon.
Eerst waren de vrouwen vol en rond en werden zij onderdrukt. Toen wilden zij slank en jongensachtig zijn en ten strijde trekken. Ik ben geen socioloog, dus niet bij machte noch bij kennis om hier harde conclusies uit te trekken. Maar opmerkelijke feiten vind ik het wel. Het is bijna alsof wij, vrouwen, dachten dat wij de mannen de baas zouden kunnen worden als wij eruit gingen zien zoals zij. Waarschijnlijk was het nodig dat een aantal vrouwen zich opwierp als krijgers. Zij waren onze verkenners. Maar nu het nieuwe gebied van gelijke rechten en kansen voldoende verkend is, wordt het tijd om in te zien dat de kracht van een vrouw juist in haar vrouwelijkheid ligt. En met het verlies van onze rondingen hebben wij ook aan kracht verloren. Want waar strijden wij heden ten dage tegen? Tegen een paar kilootjes meer. Aan ons eigen lichaam nota bene. Onze energie lekt weg aan een strijd die wij reeds aan het verliezen zijn. Het percentage mensen met overgewicht in ons land was nog nooit zo hoog. En dat komt alleen maar door dat stomme diëten. Lichamen

willen niet diëten. Dat ervaren zij als onderdrukking. Door het gevecht tegen de Rubensvrouw onderdrukken wij onszelf. En het is een gevecht tegen de bierkaai. Gelukkig.

Vrijdag 5 oktober

Iedere vrouw zou toch trots moeten zijn op haar eigen lichaam. Al is het alleen maar om het feit dat het je eigen lichaam is en je er zelf in zit. Maar er zijn nog zo veel andere goede redenen.
Je lichaam doet je voelen, ruiken, horen, zien, proeven, waardoor je kunt ervaren wat genieten is. Je lichaam stelt je in staat te bewegen, waardoor je verder komt. Met je lichaam kun je communiceren. En krijg je contact met anderen. En met jezelf.

Ik leer van mijn lichaam
want het is eeuwenoud.
Mijn lichaam is altijd bij mij.
Ik kan erop vertrouwen.
Het beschermt mij
tegen koude en tegen warmte.
Het waarschuwt mij
als er gevaar dreigt.
En het vertelt het mij
wanneer ik rust nodig heb.

Maar vaak horen wij ons lichaam niet meer. We luisteren er niet meer naar. We onderwerpen het aan diëten, stellen het bloot aan milieuvervuiling, vergiftigen het met voedsel zonder voedingswaarden, en we belasten het met het

onnatuurlijke ritme van de maatschappij. We raken steeds verder vervreemd van ons eigen lichaam. En daardoor uiteindelijk ook van onszelf.
Ten slotte raak je overspannen. En zie dan de weg terug nog maar eens te vinden. Dat is niet makkelijk. Want waar moet je eigenlijk naartoe?
Laatst las ik in een tijdschrift dat het pas mogelijk is om je ware natuur weer te vinden en echt te worden wie je werkelijk bent als je je eigen lichaam weer een lofzang gaat brengen. Door het opnieuw waarde toekennen aan ons lichaam en de natuurlijke vorm en expressie, schijn je je te kunnen vrijmaken van oude ballast. Door vrede te sluiten met je eigen lichaam, ernaar te luisteren en te laten doen waar het van nature toe geneigd is, kun je een nieuwe weg inslaan. Eigenlijk is het geen nieuwe weg, maar een oeroud pad. Het is het pad van de moeders, het pad van de vrouwelijkheid als natuurlijke krachtbron. Het pad waarop man en vrouw samen kunnen zijn en elkaar kunnen inspireren. Het is het natuurlijke pad waar we simpelweg vreugde ervaren, bezieling voelen, en verlichting ervaren. Het pad van heling en genezing.

Zaterdag 6 oktober

En op het pad van heling en genezing zijn er velen die je de weg wel willen wijzen. Maar al te graag. Vandaag was ik op een spirituele beurs. Meegesleept door een paar collegaatjes. 'Jij doet toch ook weleens iets met wichelroeden en zo, dan is dit echt iets voor jou.' Nou, ik had al zo'n donkerbruin vermoeden, maar nu weet ik zeker dat dit soort evenementen dus echt niets voor mij is.

De hal was overvol. En overal liepen mediums, goeroes en andere opgeblazen mega-ego's. Allemaal even welwillend om de bezoekers te "scannen". Want ze hoeven maar naar iemand te kijken of ze "krijgen iets door". En dan volgen steevast uitspraken als 'Jij bent de laatste tijd weleens teleurgesteld', of 'Je hebt in je jeugd iets vervelends meegemaakt.' Inkoppertjes lijken mij dat. Iedereen is weleens teleurgesteld en geen kind is zijn hele jeugd alleen maar gelukkig. Maar mensen schijnen zichzelf graag te willen herkennen in algemene uitspraken. Daar is zelfs een naam voor: het barnumeffect.

> ⓘ **Barnumeffect**
> Volgens vertalingen door Herman Boel uit *The Skeptic's dictionary* van Robert T. Duvall die op het internet te vinden zijn, was P.T. Barnum een circusartiest én een meester in de psychologische manipulatie die menige truc van mediums openbaar maakte. Met het barnumeffect wordt bedoeld dat mensen aan algemene beweringen een persoonlijke inhoud kunnen ontlenen als zij dat willen.

Ik heb begrepen dat deze barnumuitspraken slechts onderdeel zijn van een uitgebreider repertoire van vele mediums, astrologen, en andere paranormalen. In hun zogenoemde lezingen gebruiken zij nog meer technieken waarmee zij cliënten verleiden tot subjectieve validatie. Door middel van verschillende manieren van vraagstelling kan het medium de cliënt laten denken dat hij een speciaal talent heeft waardoor hij op onverklaarbare wijze dingen weet van iemand. Vaak zijn vragen tweeërlei op te vatten. De vraag "Jij houdt niet van koffie, is het wel?" kan zowel met een ontkenning als met een bevestiging beantwoord worden. Maar in beide gevallen komt het medium er wel mee weg. 'Nee, dat dacht ik al.' Of: 'Ja, ik zag een espressomachine.' Met beweringen die in zichzelf al een ontkenning hebben, kan een medium altijd alle kanten op. "Jij hebt behoefte aan gezelligheid en mensen om je heen

die van je houden, maar op andere momenten heb je er ook behoefte aan even alleen te zijn." Deze bewering geldt voor bijna iedereen, het is maar net in welke mate de cliënt de extraversie of introversie interpreteert. Soms hoeft een medium alleen maar vragen te stellen in de trant van "Krijg ik iets door over een boek, een overlijden, een huisdier ...", en geeft de cliënt zelf het antwoord al. De meeste mensen lezen weleens een boek en maken een overlijden mee. Het schijnt dat veel bezoekers van een medium zó welwillend zijn dat zij zelf nog de meeste informatie prijsgeven. Als ze het al niet bewust doen door vragen te beantwoorden, dan gebeurt het wel doordat zij op bepaalde momenten onbewust nonverbale signalen afgeven. Als een cliënt een kettinkje aanraakt wanneer het over een dierbare overledene gaat, is de link voor een oplettend medium gauw gelegd. "Je vader zegt iets over een sieraad." De meeste mensen die een medium bezoeken zullen voor de spirituele sessie openstaan. Vooral voor hetgeen zij daar willen horen. En ook voor hetgeen zij ervan willen onthouden. Want onthouden doet de mens bij voorkeur alleen de voltreffers en niet de missers.
De eerlijkheid gebiedt mij te vermelden dat ik helemaal niet weet of alle mediums gesprekstechnisch zo goed onderlegd zijn. Ik weet wel zeker dat er werkelijk mensen zijn die gevoelig zijn voor het opvangen van informatie die wellicht niet door iedereen opgepikt kan worden. En ongetwijfeld heb je allerlei gradaties in gevoeligheid. Ik vraag mij alleen af of dit de mensen zijn die een medium menen te moeten worden. Ik weet het antwoord niet. Ik heb nooit een medium bezocht. Ik had genoeg aan de psychologen. En hoogstwaarschijnlijk heb ik daardoor een behoorlijke allergie opgelopen voor alle mensen die mij menen te kunnen analyseren. 'Jij bent gevoelig, getraumatiseerd ... Jouw valkuilen zijn ... Je moet ...' °°°(*Ik ben en ik moet helemaal niks. En jij al helemaal*

niet, niet met mij in ieder geval.)[°°°] Ik zoek het zelf wel uit. Ik kan het op eigen houtje ook wel vinden. Het is er namelijk al. In mijzelf. Ik hoef er alleen maar naar te luisteren. Dat heet natuurfilosofie.

Zondag 7 oktober

Maar ik vind het wel moeilijk hoor, om altijd te luisteren naar mijzelf. Ook ik wil er graag goed uitzien en ga daarbij uit van het algemeen heersende schoonheidsideaal. En dus negeer ik regelmatig mijn vermoeidheid om toch een rondje te gaan hardlopen. En dus doe ik trouw mijn fitnessoefeningen zelfs als ik al spierpijn had. Maar met het klimmen der jaren merk ik wel dat het steeds moeilijker wordt om mijn lichaam slank en strak te houden. Niet alleen lichamelijk. Mentaal begin ik ook te protesteren. Ik vind dat ik mijzelf moet accepteren zoals ik eruitzie. Nee, sterker nog, ik vind dat ik mijzelf mag liefhebben om hoe ik eruitzie.
Ik pleit voor verwezenlijking van zelfliefde en zelfkoestering. Iedereen zou zichzelf meer moeten vertroetelen. Een ander doet het immers ook (meestal) niet. De meeste kinderen ontvangen, gelukkig nog steeds, de liefdevolle zorg van hun ouders. Als je ouder wordt dan hoop je die onvoorwaardelijke liefde te vinden bij een partner. Maar velen van ons komen hier bedrogen uit. Eigenlijk zou iedereen zijn behoefte aan koesterende liefde in zichzelf moeten kunnen vinden. Ik ben er ook van overtuigd dat wanneer je jezelf werkelijk liefhebt, het makkelijker wordt om van een ander te houden. Vooral ook om van andere vrouwen te houden. Als je trots bent op jezelf, kun je een andere vrouw ook waarderen om haar schoonheid. Dat lukt niet als je in wezen jaloers op

haar bent. Dan heb je iets te vrezen van haar. En dan ontstaat de behoefte te concurreren. Dan ga je op dieet. En kekke zwarte jasjes dragen.

Maandag 8 oktober

En met dit alles gezegd en geschreven te hebben, ben ik zelf ook geen haar beter dan de pilotenvrouw. Tot mijn schaamte moet ik bekennen dat ik, waar het haar betreft, eigenlijk niets anders doe dan haar bekritiseren op haar uiterlijk. Als zij eruitziet als Ma Flodder heb ik wat op haar aan te merken. En als zij een kek zwart jasje aantrekt, maak ik er ook een opmerking over. Waarschijnlijk valt mijn gedrag ten opzichte van haar nog te verklaren.
Ik moet toch íéts doen of voelen om mij staande te houden in de ijskoude sneeuwstorm waarmee zij mij telkens als ik haar tegenkom laat weten hoezeer zij mij afwijst. Haar zwijgen is oorverdovend en haar negeren zeer aanwezig. Mijn kritische houding ten opzichte van deze vrouw is puur zelfbehoud. Echter, gisteravond herinnerde ik mij ineens de volgende passage in mijn brief aan de vliegenier.
...Omdat je mij niet gemaild hebt, én vooral ter bescherming van mijzelf, ga ik er vanuit dat je niet meer interesse in mij hebt dan in welke andere buurvrouw uit onze straat dan ook. Dat is niet erg. (Ik kan het mij niet voorstellen hoor, maar het is niet erg. Ik bedoel ik kan mijzelf geen leukere vrouw in onze straat voor de geest halen, maar het is niet erg. Zeg nou zelf, je kunt mij toch niet vergelijken met, nou ja, ik zal maar geen namen gaan noemen, 't is niet erg) ...
Ook ik heb andere vrouwen, onschuldige vrouwen, die niets van doen hadden met de compromitterende situatie waarin

ik mijzelf begeven heb, betrokken in een concurrentiestrijd. Een oneerlijke strijd omdat zij van niets wisten en ik als enige doel had zelf beter uit de verf te komen ten koste van hen. Ook ik ben een product van deze maatschappij.

Dinsdag 9 oktober

Toen ik vandaag naar de buurtsuper ging, kwam ik daar een dame tegen die ik ken van de tijd dat Nonna nog in de wieg lag. We volgden toen dezelfde cursus babymassage. Later kwamen we elkaar weer tegen op de peutergym van onze kinderen. We hebben nog weleens een kop koffie gedronken bij elkaar. Maar toen onze kinderen naar verschillende basisscholen gingen, kwamen er weer andere jonge ouders met andere gemeenschappelijke delers voor in de plaats. Zo gaan die dingen. Soms kom je elkaar dan nog eens tegen. Bijvoorbeeld in de supermarkt. Nog voor ik haar gevraagd had: "Hé, hoe gaat het met jou?" wist ik dat haar antwoord niet positief zou zijn. Ik werd ineens bevangen door een heel akelig gevoel. Het werd helemaal koud om mij heen. Het voelde alsof ik geïsolcerd werd van de rest van de wereld. Alles om mij heen draaide wel door, maar ik werd omgeven door een soort tijdloze en ruimteloze cocon. Ik verkeerde in het luchtledige. Heel even maar. Toen kwam ik weer terug op aarde. Als in een wervelwind. En de wind fluisterde. Het klonk als "kanker".
Het bleek in haar linkerborst te zitten. Beter gezegd: daar had het gezeten. De borst was er al af. Naar omstandigheden ging het goed met haar. Ze had haar eerste chemo gehad en was er niet al te ziek van geweest. Nu was het afwachten. Ik vroeg haar hoe dat eraan toe ging in haar gezin. Met haar

man en kinderen. En ik vroeg of zij een beetje steun had aan vriendinnen en familie. 'Vriendinnen wel, maar mijn ouders leven niet meer.' Maar dat wist ik al. Ik zag hen achter haar staan.

Donderdag 11 oktober ●

Ik merk dat ik nu toch een beetje kwaad en geïrriteerd begin te raken ten opzichte van de piloot. Hij mijdt mij. Vanochtend zag ik hem de straat uitlopen om zijn kinderen naar school te brengen. Hij liep een stukje voor mij uit. Hij moet mij gezien hebben, maar deed alsof dat niet zo was. Hij liep niet zo hard dat ik hem niet had kunnen inhalen, maar dat deed ik ook niet. Ik vind hem een eikel, een lafaard, een watje en een lulletje rozenwater.
Mij is gesommeerd afstand te houden, dus dat doe ik dan ook. Al is het maar om mijzelf in bescherming te nemen. Maar ik heb wel allerlei sarcastische opmerkingen ingestudeerd voor het geval dat de piloot mij toch mocht groeten. Bijvoorbeeld leg ik dan mijn oor tegen een denkbeeldige muur te luisteren en zeg: "Hallo hoor ik daar iemand iets zeggen aan de andere kant van de muur?" Of ik ga angstig om mij hen kijken alsof er groot gevaar dreigt en zeg dan: "Pas op hoor je mag niet spreken met de vijand, zelfs al is zij kamikazepiloot!" Of ik ga verwoed om mij heen kijken of de pilotenvrouw niet op de loer ligt en doe dan alsof ik door haar neergeschoten word en val theatraal op de grond.
Andere momenten vind ik het allemaal weer een stuk minder lollig. Gisteravond sprak ik mijn broer Marijn. Hij wist nog niet van mijn brief aan de piloot. Ik had gedacht dat hij mij hard zou uitlachen als ik hem zou vertellen wat ik

nu weer uitgespookt heb. Maar dat viel tegen. Hij hoefde niet zo hard te lachen. Hij noemde mij naïef en impulsief. Hij vond dat ik geen "derde" had moeten gebruiken om een doorbraak of wijziging van koers binnen mijn eigen relatie te bewerkstelligen.
Het is sneu voor mijzelf, maar ik moet Marijn wel een beetje gelijk geven. Natuurlijk had ik met Mark moeten gaan praten over mijn gevoelens. Natuurlijk had ik het verlangen naar meer (seksuele) vrijheid met hem moeten bespreken. Natuurlijk had ik hem de kans moeten geven om samen vooraf nieuwe of andere grenzen te bepalen. Natuurlijk had ik daarvoor de relatie en het levensgeluk van een ander echtpaar niet in de waagschaal mogen stellen.
Ter verdediging van mijzelf voer ik aan dat het moeilijk is te voorzien met welke vraagstukken iemand in zijn relatie te kampen gaat krijgen, laat staan erop te anticiperen. Het vraagstuk ontstond pas toen mijn eigen verlangen naar een andere man er al wás. Het zou mooi zijn om altijd vooraf alle kennis en theorie over een bepaald vraagstuk tot je te kunnen nemen en dan te beslissen óf en hóé je iets wilt gaan ervaren. Maar men ervaart niet door te leren. In de realiteit werkt het meestal andersom. Men leert door ervaring.

Vrijdag 12 oktober Door Mark aan Suus

Dat Marijn op mijn hand is, heeft mij gesterkt in mijn gevoel. Eerlijk gezegd vind ik het net goed voor jou dat hij je eens flink de waarheid heeft gezegd. En je moet dat maar even zelf uitzoeken.

Zaterdag 13 oktober

Misschien had ik ervoor moeten kiezen om mijn gevoelens met Mark te bespreken. Natuurlijk heb ik ook vaak op dat punt gestaan. Maar telkens weer vond ik dat ik hem niet mocht belasten met mijn vraagstuk waar ik zelf nog niet uit was. Hij zou zich niet meer prettig hebben gevoeld in deze straat, wetende van een buurman voor wie ik bepaalde gevoelens koesterde. Ik heb de kans dat niemand anders dan ik en de buurman het zouden weten heel groot ingeschat en ik heb het risico genomen. Voor dat stukje ben ik verantwoordelijk. Evenals voor het feit dat ik Mark verdriet heb gedaan. Maar ik vind niet dat ik verantwoordelijk ben voor het feit dat de piloot zijn vrouw heeft ingelicht. Net zo min als ik vind dat ik verantwoordelijk ben voor haar boosheid op mij. Daar kiest zij zelf voor.

Maandag 15 oktober

Sem is niet uitgenodigd voor het verjaarsfeestje van ons buurmeisje. Nonna wel. En ook alle andere kinderen uit de beurt. Met hun ouders. Toen ik de buurvrouw vroeg of het de bedoeling was dat ik Nonna zou vergezellen, antwoordde zij dat dat wel mocht, maar niet hoefde. Op het verjaarsfeestje waren kinderen uit de straat die nooit met het buurmeisje spelen. Er waren ook ouders die nooit voor mijn buurvrouw klaarstaan als haar kinderen onverwacht opgevangen moeten worden. Daar heeft de buurvrouw mij immers voor. Maar op het verjaarsfeestje zat men dus kennelijk niet echt op mijn aanwezigheid te wachten. Net zomin als op die van Sem.
De dag na het verjaarsfeestje kwam dezelfde buurvrouw de

oude skeelers van haar dochter langs brengen. Sem mocht ze hebben. Want ze pasten haar dochter niet meer. De buurvrouw maakte meteen maar even van de gelegenheid gebruik om te vragen of ik na schooltijd haar dochter kon opvangen. Sem heeft zijn troostprijs in de hoek van de schuur gegooid. Hij houdt niet van skeeleren. Ik heb gezegd dat ik niet kan oppassen. Ik heb moeite de sociale omgangsregels te begrijpen. Sem is niet teleurgesteld of boos dat hij niet uitgenodigd is. Het gaat langs hem heen. Maar niet langs mij. Ik voel mij gepasseerd en afgewezen. Ik probeer mijn gevoelens niet op Sem te projecteren. Ik realiseer mij dat mijn gevoelens wellicht meer te maken hebben met het feit dat de piloot mij zo in de kou heeft laten staan. En wellicht hebben mijn gevoelens ook met Mark te maken. Hij gaat zijn eigen gang.

Woensdag 17 oktober

De pilotenvrouw is nog steeds boos, erg boos. Als ik haar per ongeluk tegenkom in de straat, kijkt ze mij niet aan. Ik bleef haar dapper groeten, maar zij groette nooit terug. Tot gisteren. Toen zei ze in het voorbij gaan: 'Ik zeg echt nooit meer iets tegen jou! Ik ben niet zo hypocriet!' Daar zakte mijn broek echt van af. Pardon? 'Ik ben ook niet hypocriet', kon ik niet nalaten te zeggen. Denkende aan mijn openhartige brief aan de piloot vind ik dat, als er iemand eerlijk is geweest, ík dat toch wel ben!
Het wordt misschien ook tijd voor de pilotenvrouw om eens eerlijk te zijn tegen zichzelf. Ik heb haar afgunst ten opzichte van mij al gevoeld. Allang voordat ik mijn oog op haar echtgenoot had laten vallen. Pilotenvrouw heeft nooit onder stoelen of banken gestoken dat zij mij benijdde om mijn

sportieve prestaties en atletische uiterlijk. Alsof de rest van mij er niet toe deed. Ik denk dat zij in werkelijkheid altijd al een hekel aan mij had. En die hekel is nu legitiem. Want ik heb haar een reden gegeven.
Maar alhoewel de boosheid van de pilotenvrouw waarschijnlijk meer over haarzelf zegt dan over mij, vind ik toch dat ik haar excuses moet maken. Ik heb haar immers gekwetst en dat vind ik werkelijk vervelend. Persoonlijk zou ik het wel prettig vinden om met haar het gesprek aan te gaan. In haar plaats had ik dat ook allang gedaan. Als ik mij boos of gekwetst voel dan wil ik verhaal halen. Ik had gedacht dat zij dat ook wel een keer zou komen doen. Ik zou dat zelfs wel fijn gevonden hebben. Niet om haar mijn kant van het verhaal uit de doeken te doen. Ik hoef geen gelijk te krijgen. Maar als zij gekomen was dan had ik tenminste een kans gekregen. Om "sorry" te zeggen bijvoorbeeld. Want dat wil ik best aan haar kwijt.

Donderdag 18 oktober

Vergeefse moeite. Gistermiddag al kwam ik de pilotenvrouw tegen bij het fietsenrek voor de buurtsuper. 'Ik weet dat ik afstand moet houden maar ik wil je toch even zeggen dat het mij spijt dat ik je gekwetst heb en als er iets is dat ik voor je kan doen om het gemakkelijker voor je te maken, dan ...' Ik kreeg de kans niet om mijn zorgvuldig uit het hoofd geleerde monoloog af te maken. 'Jij hebt al genoeg gedaan, je hebt mij moedwillig pijn gedaan met je brief, waarin je schrijft dat je jezelf zo mooi vindt, je hebt je in mijn gezin naar binnen gedrongen, de piloot heeft er ook geen woorden voor, moet je hem horen over jou, blablabla ...'

Ik kreeg er geen speld tussen. Ja, ik heb nog net mijn verbazing kunnen laten blijken over het feit dat de ironie van mijn schrijfsels haar kennelijk volledig ontgaan is. Pilotenvrouw vond mijn opstel duidelijk niet grappig. Op haar opmerkingen over haar echtgenoot en zijn gedachten over mij ben ik maar niet ingegaan. Ik geloof niet dat ik hoef te weten wat de piloot binnenshuis over mij gezegd heeft. Ik weet wat hij tegen mij gezegd heeft. En ik weet wat ik gevoeld heb dat er was tussen ons. En het lijkt mij verstandiger dat ik de pilotenvrouw daar geen deelgenoot van maak.

♫ *Sorry if I ain't perfect, sorry I don't give a damn*
Sorry I ain't a diva, sorry just know what I want
Sorry I'm not a virgin, sorry if I'm not a slut
I won't let you break me, think what you want ♫

(Christina Aquilera – Stripped part 2)

Vrijdag 19 oktober ☽

Okay, ik ben schuldig. Maar ik vind het vervelend dat de pilotenvrouw doet alsof ik iets gedaan heb, waarvoor ik mij moet schamen. Waarom? Waarvoor? Ik heb iets moois gevoeld. Verliefdheid en lust, dat zijn mooie menselijke gevoelens. Dat vindt iedereen. Behalve als het gaat om iemand anders dan je eigen vent, dan wordt het ineens smerig en vies. Waarom maken we van iets dat zo natuurlijk is zoiets zwaar beladens? Waarom moeten we die mooie gevoelens onderdrukken? Alle dieren kennen drie primaire levensbehoeften: eten, drinken en seks. Mensen zijn ook dieren. We genieten van alles het meest als we deze dingen kunnen delen met anderen. Eten en

drinken mogen we delen met anderen, liefst met meerderen. Seks alleen met een eigen vaste partner.
Eerlijk gezegd vraag ik mij wel af, hoor, wat het is dat de piloot over mij gezegd heeft tegen zijn vrouw. Maar fraai zal het niet zijn. In zijn geval is het maar beter niet té positief over mij te zijn. Pilotenvrouw bijt zijn kop er af! Waarschijnlijk krabt hij zich deze dagen ook weleens op zijn kop en vraagt zich af of die hele heisa om niks zijn biecht nu wel waard is geweest.
Afgezien van het feit dat ook hij niet eerlijk tegen mij, noch zijn vrouw, noch zichzelf is geweest, heeft hij vrij weinig op zijn kerfstok. Als ik hem was, dan zou de gedachte "Was ik maar met d'r het bed ingedoken, dan had ik er tenminste nog iets aan gehad," toch geregeld door mij heen gegaan zijn. De sukkel!
Ik vraag mij niet af of de piloot zich op enig moment een lustobject gevoeld heeft. Ík weet wel beter. En híj is een man.

♫ *When a female fires back suddenly big talker don't know how to act*
So he does what every little boy would do
Makin' up a few false rumours or two...
...If you look back in history it's a common double standard of society
The guy gets all the glory the more he can score
While the girl can do the same and yet you call her a whore ♫

(Christina Aquilera – Can't hold us down)

Maandag 22 oktober

Ondanks het feit dat ik weinig respect meer kan opbrengen voor de piloot, voel ik mij klote. Ik vind dat hij mij in de rug gestoken heeft. Eerst zegt hij tegen mij dat hij mijn gevoelens begrijpt en tot op zekere hoogte ook deelt. Hij beloofde dat er heus geen muurtjes opgetrokken zouden worden. Maar daarna is hij hard naar zijn vrouw gehold om mij de schuld in de schoenen te kunnen schuiven en zelf de onschuld te kunnen spelen. Dat maakt dat ik mij belazerd voel. En belabberd.
Het gevoel afgewezen te zijn, is een welbekend en zeergevreesd thema in mijn leven. Het is een meerkoppige draak tegen wie ik altijd gestreden heb. Soms dacht ik hem gedood te hebben, maar telkens steekt hij zijn kop toch weer op.
Een therapeut heeft ooit eens geopperd dat ik de dood van mijn vader als een verkapte afwijzing van zijn kant heb ervaren. Maar daar geloof ik zelf niks van. Allang voor zijn dood heb ik met dit gevoel geworsteld. Ik kan mij verschillende vriendinnetjes en gebeurtenissen voor de geest halen waarbij ik mij afgewezen voelde. Misschien is in mijn vroege jeugd iets misgegaan op dat gebied. Maar meer nog denk ik dat het te maken heeft met een vorig leven. Én, kijkende naar de rest van mijn familieleden, staat vast dat dat deel ook in de genen zit.
Maar hoe ouder ik word, hoe vervelender ik het vind dat ik er niet in slaag om dat gevoel te overwinnen. Ik erger mij eraan dat ik niet kan denken dat er genoeg andere mensen zijn die mij wél de moeite waard vinden. Volgens mij is de tijd gekomen om deze draak nu eens en voor altijd ál zijn koppen af te hakken. Mijn tekenjuf geeft niet alleen praktische tekenlessen. Zij is ook gespecialiseerd in het lezen van de “taal” die uit tekeningen spreekt. Aan de hand daarvan kan

zij problemen ontrafelen en wellicht oplossen. Vanochtend had ik een afspraak met haar.
Mijn therapeutische tekentaaljuf was er al snel achter dat ik niet echt met beide voeten stevig op de grond sta. Ik tekende een boom zonder wortels. Vervolgens vroeg zij mij om thuis mijn gevoelens er eerst maar eens lekker uit te gaan krassen. Ik mocht alleen maar groene en bruine potloden gebruiken, de aardetinten. Daarmee mocht ik op een groot vel papier vanaf de onderkant tot halverwege het vel gaan krassen. Horizontale halen waren evengoed als verticale strepen. Ik pakte eerst de groene potloden, maar ruilde die vervolgens in voor bruin. Eerst begon ik heel voorzichtig, op de maat van de muziek, horizontale strepen te zetten onderaan het blad. Daarna maakte ik verticale krassen. De muziek werd heftiger, en mijn bewegingen ook. Mijn rechterarm werd moe van het krassen en ik ging verder met mijn linkerhand die meteen nog veel feller tekeerging. Ineens voelde ik een enorme boosheid opkomen. Ik pakte mijn potlood steeds vaker over van links naar rechts en vice versa en mijn krassen werden steeds wilder. Het was de bedoeling dat ik zou stoppen als ik op de helft van het papier aangekomen zou zijn. Maar dat was ik even vergeten. Zes bruine potloodpunten heb ik stomp gekrast. Het hele vel vol. Helemaal bruin. Er was geen plek voor bloemen.

Dinsdag 23 oktober

Vandaag werd ik met een smak teruggeworpen op de aarde. Ik heb te veel in mijn hoofd gezeten de laatste tijd. Ik was naar mijn werk geweest. Met veel tegenzin en met weinig betrokkenheid. Ik ben met mijn hoofd overal elders. Ik ben

bij de piloot natuurlijk. En bij Mark en mijn relatie met hem.
Ik ben bij Sem met wie het op school niet zo lekker loopt. En bij Nonna die de laatste tijd zonder aanwijsbare reden met de regelmaat van de klok (of de maan?) niet zo'n best humeur meer heeft. Ik ben bij mijn huishouden, de boodschappen, de was, het eten koken, de ramen zemen, de boekhouding, de foto's van de vakantie inplakken. Ik ben overal, behalve bij mijn werk.
Het was de bedoeling dat ik in de tijd van de therapiebasis zou ontdekken wat ik wél leuk vind om te doen binnen het bedrijf. Maar ik ben er toen niet achter gekomen. Na de zomervakantie moest ik ontslag nemen óf tenminste één vaste dag per week gaan werken. En de intentie hebben om dit in de toekomst weer uit te breiden. Dat wilde ik mijn baas wel wijs maken. °°°*(Wie dan leeft, wie dan zorgt.)*°°° Maar vandaag begon mijn baas erover. Er zijn zieken. Hij wil mij volgende maand vaker kunnen inroosteren. Ik kreeg het er Spaans benauwd van. Het zweet brak mij aan alle kanten uit. °°°*(Hoe ga ik dat doen? Op welke dagen dan? Wanneer moet ik dan de boodschappen doen? Hoe deed ik dat ook al weer met Sem? En wanneer kom ik dan nog aan mijzelf toe?)*°°° Ik vroeg mij niet eens af welke werkzaamheden mijn baas van mij verwachtte dat ik zou gaan verrichten. Dat heb ik ook niet gevraagd. Ik wilde alleen maar zo snel mogelijk naar huis. Om mijn agenda te raadplegen. En mijn gedachten te ordenen. En toen knalde ik tegen die auto aan.
Ik vergat achterom te kijken, toen ik op de parkeerplaats achteruit het parkeervak uitreed. Met mijn trekhaak aaide ik een spiksplinternieuwe Nissan Note over zijn bumpertje. De mevrouw van wie de auto was, reed er die dag juist voor het eerst in. Het huilen stond mij nader dan het lachen. Niet vanwege de schade. Die kras in de glimmende lak en die

deuk in de nieuwe bumper, daar zijn wij immers voor verzekerd. Ik was vooral van slag omdat ik ineens zo ruw wakker geschud was. Ik kreeg ineens een helder moment. °°°*(Waar ben ik nou helemaal mee bezig?)*°°°
Pas op weg naar huis, na het invullen van het schadeformulier, zonk het in. °°°*(Waarom werk ik eigenlijk)?*°°° Ik vind er nog steeds geen bal aan. °°°*(Waar wacht ik op?)*°°° Ik geloof niet dat ik er ooit weer een bal aan ga vinden. In ieder geval niet aan dit werk. En het is niet dat ik mij thuis verveel of zo. Ik heb genoeg te doen. Vooral in mijn hoofd. °°°*(Buitenshuis werken, m'n reet!)*°°°
Ik vind het knap dat zo veel andere vrouwen het doen. Ik vind het bewonderenswaardig dat het hen lukt om alles georganiseerd te krijgen. En toch gelukkig te blijven. Ik ben gewoonweg ordinair jaloers op het feit dat andere vrouwen het ook nog leuk schijnen te vinden om naar hun werk te gaan. Ik wilde dat ook kunnen. Maar het lukt mij niet om al die ballen hoog te houden. Ik vind dat niet leuk. En ik stop ermee!

Woensdag 24 oktober

Mark was niet blij met mijn intieme ontmoeting met de Nissan Note. Hij vond het een goed idee om mijn ontslag in te dienen. Ik weet niet of zijn goedkeuring voortkomt uit medeleven met mij of uit de hoop daarmee meer ongelukken te voorkomen. Maar dat maakt mij ook even niks uit. Nu ik eenmaal de knoop heb doorgehakt met het werk te stoppen, kan ik niet meer terug. Ik wil er zo snel mogelijk vanaf. Vandaag heb ik mijn ontslagbrief geschreven. En mijn baas van mijn beslissing op de hoogte gesteld. Ik was bang voor zijn reactie. Maar hij was niet in het minst in paniek. Sterker nog, hij leek wel een

beetje opgelucht. Waarschijnlijk heeft hij ook niet geweten wat hij met mij aan moest de laatste tijd. Geen wonder. Want dat weet niemand. Ikzelf net zo min.
Ik heb ook geen zin meer om hard te lopen. Al weken lijkt het of ik te kort kom aan energie. Ik ben wel gegaan. Natuurlijk ben ik gegaan. Mijn discipline is ijzersterk. Maar ik heb er weinig plezier aan beleefd. Ik sleep mijzelf voort, alles voelt zwaar, mijn benen, mijn adem. Ik wil gewoon graag lekker binnen blijven, met een dikke trui aan en een warm kopje thee achter de computer. Tegelijkertijd weet ik dat het goed voor mij is om buiten te zijn. Juist in de koudere maanden van het jaar moet ik proberen om tenminste iets van het daglicht en de buitengeur op te vangen. En ik wil ook wel naar buiten, maar ik heb even geen zin meer in de inspanning. Misschien is het tijd om even een stapje terug te doen en tijdelijk wat minder hard te lopen. Misschien moet ik maar eens een poosje gaan wandelen. Om mij tegen mijn eigen discipline in bescherming te nemen heb ik in ieder geval mijn lidmaatschap van de hardloopvereniging opgezegd. Ik heb geen zin meer om 's avonds nog naar training te moeten, alleen omdat ik er voor betaald heb. Ik wil mij terugtrekken in mijn cocon.

Donderdag 25 oktober

Ook Mark trekt zich steeds verder terug. Dat voelt vreemd. Soms voelt hij als een vreemde. Wij waren gewend om de gedachten die ons parten speelden met elkaar te bespreken. Maar in dit geval is dat onmogelijk. Mark voelt zich belazerd door mij. Ik ben de oorzaak van zijn ellende, dus hij kijkt wel uit om zich al te kwetsbaar op te stellen naar mij. Ik kan hem niet helpen. Zelfs al zou ik het willen. Ik lik mijn eigen wonden. Ik ben afgewezen door de piloot. En hoe ik het ook draai of keer het voelt toch als een soort van liefdesverdriet. Mark is uiteraard de laatste persoon bij wie ik mijn hart kan uitstorten.

♫ *Got to ask yourself the question*
Where are you now? ♫

(James Blunt - Wisemen)

Vrijdag 26 oktober ○

Vanmorgen toen ik wakker werd, wist ik al welke dag het was. De zoete weeïge krampen in mijn buik zeiden mij genoeg. Op het toilet kwam het bloed.
En de rest van de dag al de andere shit. Mijn dochter had het laatste restje kwark opgegeten dat ik zorgvuldig bewaard had om te kunnen eten als ontbijt. Er was ook geen yoghurt meer, die had Mark maar opgegeten. Iedereen hier in huis weet dat ik nooit ontbijt met brood. Iedereen heeft op donderdagavond gewoon de zuivelvoorraad opgemaakt, zonder zich te bekommeren om een ander. Ze hebben zelfs niet eens gemeld dat alle zuivel opgegaan was, zodat ik tenminste nog de gelegenheid gehad zou hebben om naar de winkel te gaan voordat ik mijn ontbijt zou gaan nuttigen. Nee, nu kwam ik er pas achter op het moment dat ik al terugkwam van de markt, moe, koud en hongerig, met pijn in mijn rug en buik. Omdat ik zo goed was om voor ieder ander in dit gezin al weer van alles naar wens binnengehaald te hebben. Ik vervul mijn zorgtaken meestal met plezier. Ik vind het leuk om voor elk wat wils te koken, ik vind het gezellig om lekkere

hapjes te halen, ik vind het fijn om de rest te plezieren met een nieuw gerecht. Maar zo af en toe, misschien één keer per maand zou ik het toch weleens heel erg fijn vinden als er een beetje voor mij gezorgd werd.
Nu heb ik een knallende koppijn. En als ik nog één keer moet bukken om iets op te rapen dat een ander gewoon uit zijn handen heeft laten vallen, ga ik gillen. Heel hard!

Zaterdag 27 oktober

Bij het zien van mijn bruine krastekening zei mijn tekenjuf dat er nog heel veel boosheid in mij zit. °°°*(Gôh?)*°°° Die boosheid is volgens haar het gevolg van een heleboel andere opgekropte emoties. Tijdens onze sessie moest ik proberen te ontdekken welke gevoelens er nog meer zijn. In gedachten haalde ik een moment terug waarop ik mij heel erg afgewezen voelde. Deze emotie voelde als een zware oranjeroze bal in mijn onderbuik die zich een weg naar boven probeerde te banen. Op papier tekende ik een oranjeroze gekleurde bal. Ik voelde misselijkheid opkomen. En een gevoel van er niet meer willen zijn, alleen nog maar weg willen, transparant willen zijn. Dat gevoel bracht ik op papier met een witte verf die de oranjeroze bal gedeeltelijk bedekte. Toen werd ik ordinair boos op degenen die mij verdriet hebben gedaan. Met rode en zwarte wasco kraste ik om de oranjeroze bal met witte verf heen. Daarna voelde ik een soort van sarcastische nijd opkomen, een gevoel van "wacht maar, boontje komt toch wel om z'n loontje". Dat verbeeldde ik met geelgekleurde pastelkrijt die ik met mijn vingers uitwreef rondom de boosheid. Toen merkte ik dat ik gewoon ben om na een afwijzing mijzelf in te prenten boven mijn gevoelens te

moeten gaan staan. En ook boven de mensen die mij verdriet hebben gedaan. Met een zalmkleurig pastelkrijtje tekende ik een aureool bovenaan de tekening.
Het papier was vol en de tekenjuf vroeg mij er eens naar te kijken. Ik was zo bezig geweest met het weergeven van mijn gevoelens dat ik helemaal niet gelet had op hoe de tekening er eigenlijk uit kwam te zien. Eigenlijk was het best een mooi kunstwerk aan het worden. De tekenjuf verzocht mij de tekening thuis op te hangen. Het is de bedoeling dat ik bedenk wat ik zou kunnen toevoegen aan de tekening om al die negatieve emoties om te buigen naar iets positiefs en constructiefs.
En de tekenjuf raadde mij aan om uiting te geven aan mijn boosheid. Volgens haar moet die er eerst uit. Om bij mijn tranen te kunnen komen. Ze opperde om thuis met een tennisracket op een kussen te gaan meppen. En te vloeken en tieren op degenen die mij hebben afgewezen.
Dat heb ik net dus gedaan. Ik mepte en ik vloekte en ik tierde. Ik mepte een heel kussen kapot. Het pok vloog door de kamer heen. Kon ik dat verdorie ook nog gaan opruimen. En mijn rug deed toch al zo zeer. Ik voelde de tranen opkomen. Maar ze wilden er nog niet uit. Voor het eerst verdom ik de prozac die maakt dat ik niet meer kan huilen.

Zondag 28 oktober

Vandaag werkte ik aan een tekening voor de gewone tekenles. We zijn bezig met het tekenen van de chakra's en deze week is het de beurt aan het heiligbeenchakra.

ⓘ Het Heiligbeenchakra
Dit tweede chakra bevindt zich in de onderbuik en heeft te maken met seksualiteit en creativiteit. Het omvat het menselijk verlangen naar gevoelscontact, onze behoefte ergens bij te willen horen, het aangaan van persoonlijke relaties, het al dan niet verbonden zijn met jezelf en je omgeving. Het heiligbeenchakra omvat de ervaring van beweging, lust, seksualiteit, voortplanting, bezieling, verbondenheid en emoties. Bij dit chakra hoort de maan, die ook het symbool van vrouwelijkheid en van de Godin is. Dit chakra kan helpen te leren vertrouwen op je bestaan, je prettig te voelen en je gevoelens te uiten. Het is belangrijk een vertrouwd en veilig gevoel bij jezelf te creëren, want van daaruit is het makkelijker contact te leggen met je omgeving. Een slecht functionerend heiligbeenchakra kan de oorzaak zijn van geslotenheid en een gebrek aan levensvreugde.

Terwijl ik aan het tekenen was, vroeg ik mij af waarom ik eigenlijk meemaak wat ik nu meemaak. Ik vroeg mij af waarom de natuurfilosofie op mijn pad gekomen is. En ook waarom dat gedoe met de piloot gebeurd is. En of dat alles de oorzaak is van de verwijdering die ik voel tussen Mark en mij. In hoeverre heeft het een tot het ander geleid? Was het toeval? Of was het voorbestemd? Is dit mijn pad? Ineens keek ik heel anders tegen de sores in mijn leven aan. Als dit de levensweg is die ik moet lopen om te kunnen komen waar ik uiteindelijk hoor te wezen, dan heb ik geen twijfel meer. Dan loop ik mijn pad. Natuurlijk!
Ik keek op van mijn tekening en mijn oog viel op mijn “Afwijzingswerkstuk”. Opeens wist ik wat er aan ontbrak. Een heleboel groen. Alle negatieve emoties kunnen worden omgebogen tot iets moois door de natuur, door Moeder Aarde, de Godin. En zij is te vinden in mijn eigen natuur. In de kracht van mijn vrouwelijkheid.

Maandag 29 oktober

Eigenlijk moest ik nog een paar keer naar mijn werk. Ik had twee maanden opzegtermijn. Maar vandaag belde mijn baas om mij te laten weten dat afgelopen week "toevallig" een open sollicitatiebrief was binnengekomen. De potentiële kandidate was al op gesprek geweest en meer dan goed genoeg bevonden. Zij wilde graag 24 uur werken. En daarmee zouden in één klap alle problemen van mijn baas opgelost zijn. Of ik er dus mee akkoord kon gaan om met ingang van volgende maand al te stoppen. Ik voelde mij afgedankt. Weer een afwijzing. Maar dat gevoel stopte ik maar even weg. Volgende maand begint namelijk al over drie dagen! En het komt mij "toevallig" wel heel goed uit om nog maar één keer naar mijn werk te hoeven. Om afscheid te nemen.
Ik geloof niet in toeval. Hoe vaak gebeurt het niet dat wanneer je in je hoofd ergens mee worstelt, je geen tijdschrift kunt openslaan of geen televisieprogramma kunt bekijken of het lijkt wel over dat onderwerp te gaan? Of dat je net liep te denken aan iemand die je al lang niet meer gezien hebt, die jou dan vervolgens dezelfde dag nog opbelt? Of dat je piekert over iets waar je maar niet uitkomt en dan zomaar ineens precies de informatie krijgt die je nodig had. Iedereen heeft toch weleens van die momenten waarop je echt heel sterk het gevoel hebt dat alles klopt en zo heeft moeten zijn? In ieder geval kwam ik er kort geleden achter dat ik niet de enige ben die denkt dat alles met elkaar samenhangt. Er schijnt namelijk een theorie over te bestaan. Zo'n samenloop van omstandigheden die niet alleen maar toevallig lijkt te zijn wordt synchroniciteit genoemd.

> ⓘ **Synchroniciteit**
> Volgens Wikipedia is het bestaan van synchroniciteit dat letterlijk "gelijktijdigheid" betekent niet wetenschappelijk bewezen. De term is bedacht door de psycholoog Carl Jung. Het gaat hierbij om het gelijktijdig optreden van twee of meerdere gebeurtenissen waartussen een voor de betrokkene zinvol verband lijkt te bestaan dat niet per se causaal hoeft te zijn. Met andere woorden, waarbij de ene gebeurtenis niet per se een vervolg hoeft te zijn van de andere.

Toeval is in mijn woordenboek dus vervangen door synchroniciteit. Toeval bestaat niet.

Logischerwijs volgt daaruit dat de piloot ook niet toevallig mijn pad gekruist heeft. Ik geloof dat mensen in je leven komen om een speciale reden. Ze komen om je te steunen in een moeilijke periode, om je raad te geven, of om je iets te leren. Ik ga ervan uit dat de relaties die ik in mijn leven met andere mensen heb, mij levenslessen leren. Ik moet wel, want anders heb ik bar bizarre vriendschappen gehad. Ik ben er nog niet achter welke levensles ik precies van de piloot geleerd heb. En ik hoop dat hij mij ook niet voor niets heeft leren kennen.

Soms is het heel duidelijk waarom je deze mensen tegenkomt, soms snap je de reden van de ontmoeting pas veel later. Soms zijn deze mensen er een tijdje, soms een heel leven. Soms sterven ze, soms komt er door een andere reden een eind aan het samenzijn.

Dinsdag 30 oktober

Vandaag heb ik mijn collegae de hand geschud. Wel raar, zo'n abrupt einde. Maar dat komt de laatste tijd wel vaker voor. In mijn leven dan. Ik houd mijn hart vast voor wat Mark en mij betreft. Ik wil hem niet loslaten. En hij mij, geloof ik, ook niet. Maar feit is dat het wel aan het gebeuren is.

Ik weet niet hoe ik dat tij kan keren. Ik heb het gevoel tegen de stroom in te zwemmen. En Mark wordt overspoeld door een andere golf.
Terwijl Mark en ik steeds verder van elkaar verwijderd raken, lijkt mijn zuster Hannah steeds meer naar haar gepensioneerde stratenmaker te trekken. Ze wonen praktisch samen. Hannah blijft maar aandringen op een ontmoeting. Mijn hoofd staat daar helemaal niet naar. Wat moet ik met die man? Door die meneer Talisman zal mijn zus voorlopig niet verhuizen. Door hem kan zij mij niet troosten. Nu ik haar nodig heb.
Mark en ik weten niet meer waar wij het nog met elkaar over moeten hebben. De kinderen en het huis? Koetjes en kalfjes? Maar niet over de dingen die er werkelijk toe doen. We delen niet meer.

♫ *The silence that 's fallen between us,*
Is the loneliest sound I have heard ♫

(Ilse de Lange - When we don't talk)

HOOFDSTUK 7

Samhain,

aarde uit het noorden.

Woensdag 31 oktober

Afgelopen weekend is de klok weer verzet. Toen ik vandaag aan het eind van de middag ging hardlopen, werd ik eerder dan verwacht overvallen door de schemering. Het was ook mistig. De hele dag al trouwens. Deze dagen wordt het niet echt licht meer. Zo lijkt het. De nevelen zijn op aarde neergedaald. Het land gaat gesluierd. En ik ging op in mijn hardlopen. Het liep wel weer lekker vandaag. Op een gegeven moment, toen ik even uit mijn hardlooptrance ontwaakte, kon ik de bomen ongeveer dertig meter voor mij niet goed meer van hun omgeving onderscheiden. Zij leken op te gaan in de schemering, in de mist. De gedachte bekroop mij dat als ik door zou lopen zoals ik deed, ik zelf ook weleens zou kunnen opgaan. Dat ik niet alleen figuurlijk een beetje van de wereld raakte, maar ook bijna letterlijk. Ik leek zo een andere dimensie binnen te kunnen lopen. Maar dat gebeurde niet. De geur van de naderende winter drong mijn neusgaten binnen en daarmee landde ik weer op aarde. Het rook naar natte bladeren. Eigenlijk wordt het deze tijd van het jaar nauwelijks meer droog. Zelfs als het niet regent blijft alles vochtig. Het zweet op mijn voorhoofd liet zich gemakkelijk vermengen met de waterdamp. Het drupte langs mijn wangen naar mijn kin. Ergens onderweg likte ik een paar druppels op. Ik proefde niet alleen het zout van mijn eigen zweet. Het was ook de mist.

Donderdag 1 november Samhain ☾

ⓘ Samhain
Samhain wordt gevierd in de nacht van 31 oktober op 1 november. De Kelten vierden nu niet alleen het begin van de winter, maar ook van het begin van een nieuw jaar. Zij zagen het afsterven van de natuur als het einde van een cyclus. En ieder einde betekent een nieuw begin. De Kelten hadden ook de gedachte dat bij het oplossen van het oude jaar, alle andere grenzen vervaagden. Men geloofde dat in deze tijd van het jaar de sluiers tussen het geestenrijk en de aardse wereld heel dun werden waardoor de zielen van de doden dichtbij konden komen. Daarom werden tijdens dit feest ook de overledenen herdacht en probeerde men met de doden in contact te komen. Vooral dat laatste zie je terug in het feest van Halloween dat in Ierland, Engeland en de VS nog altijd op 31 oktober gevierd wordt. In Nederland en andere Europese landen worden door de katholieken op 1 en 2 november tijdens Allerheiligen en Allerzielen ook nog steeds de doden herdacht.
De belangrijkste thema's van Samhain zijn de dood en de wedergeboorte. Daarmee is deze tijd geschikt om in je eigen leven terug te kijken op het verleden, oude dingen los te laten en voorbereidingen te treffen ten aanzien van de toekomst. Je kunt kijken naar welke eigenschappen je wilt veranderen of welke vriendschappen je wilt loslaten. En tegelijkertijd kun je ook herinneringen aan overledenen ophalen.

ⓘ De Godin en de God
De Godin is nu een Oude Wijze Vrouw geworden. Zij is de Crone die wijsheid brengt. Ze heeft de gedaante van de Zwarte Godin aangenomen, en is heerseres in de onderwereld. Haar namen zijn Morrigan, Holda, Vrouw Holle, Hel, Hekate en Cerridwen. Zij beschermt de zielen van de gestorvenen, de slapende zaden en de dieren in hun winterslaap. De God heet nu Samhain of Wodan. Hij is een slachter en hij doodt het zonnehert waardoor de winter begint.

Vrijdag 2 november

Deze keer wilde ik het jaarfeest niet alleen vieren. Ik wilde in contact proberen te komen met mijn eigen dierbare overledenen. En het leek mij niet verstandig om daarbij alleen te zijn. Ik had mij opgegeven voor een geleide meditatie.

Het was bijzonder. Een waardevolle ervaring. In de meditatie moesten wij proberen een dierbare overledene voor ons geestesoog te halen. Dat lukte heel goed. Ik zag mijn vader meteen. Hij was heel dichtbij. De meditatieleidster verzocht ons in onze gedachten naar een mooie plek te gaan waar wij onze dierbare overledene konden ontmoeten. Maar dat hoefde voor mij niet meer. Ik wist mijn vader allang achter mij. Mijn rug was warm en ik voelde zijn handen op mijn schouders. De meditatieleidster vertelde dat de overledene die wij voor ons zagen een doosje voor ons had meegenomen. Op het moment dat zij het woord "doosje" uitsprak, dacht ik aan een ringetje. Ik hoefde het doosje dus niet meer open te maken om te weten wat erin zat. Het was een ringetje met een turkooisblauw steentje.
Ons was verzocht na de meditatie niet met elkaar te praten voordat we de woorden of beelden die ons het meest bij waren gebleven, hadden opgeschreven. Ik schreef op:

verbintenis, cyclus, doorgaan, communicatie, boodschap, ring, aquamarijn

Vooral van dat laatste woord had ik geen idee waar het vandaan kwam. Laat staan dat ik wist wat het was. Volgens de meditatieleidster is een *ring* het symbool van de *cyclus*, het *doorgaan* van alles, er is geen begin en geen einde. Dát had ik zelf ook wel kunnen bedenken. Toch kreeg ik er kippenvel van toen zij het zei. Een medecursiste wist te vertellen dat aquamarijn een edelsteen is. Ik weet helemaal niets van edelstenen dus toen ik zojuist thuiskwam, heb ik meteen de kenmerken van de aquamarijn opgezocht. Ik ben er een beetje ondersteboven van. Een aquamarijn is een steen waarvan de kleur kan variëren van bijna kleurloos, lichtgroen of lichtblauw, *turkoois* tot diep groenblauw. Hoe meer kleur, hoe

kostbaarder de steen. De steen is goed voor mensen die hun paranormale vermogens willen ontwikkelen omdat het helderziendheid bevordert en tegen het kwaad beschermt. De steen kan blokkades in de keelchakra oplossen en laat opgekropte emoties los. Hij heeft een positieve invloed op humeur, hoop, inspiratie, optimisme, creativiteit en *communicatie.*
Het is niet zo moeilijk om de laatste woorden die ik na de geleide meditatie opgeschreven had een betekenis te geven. Voor mij is deze ring een *boodschap* van *verbintenis.*

♫ *Ooh faraway voice,*
What I would give
To hear that voice. ♫

(Katie Melua - Faraway voice)

Zaterdag 3 november

Het is een trieste toestand in mijn moestuin. De meeste gewassen zijn aan het afsterven. Ze nodigen niet bepaald uit tot "lekker met mijn handen door de aarde woelen". Maar waarschijnlijk is het ook wel de tijd van het jaar waardoor ik er niet zo'n zin meer in heb om buiten in de tuin te werken. Er groeit nog andijvie waarvan ik eens per week een stamppot met spekjes maak. En er staan nog verschillende soorten kolen die ik aan het uitproberen ben, maar vooralsnog beloven zij geen haute cuisine. Iedere dag pluk ik ook nog wel wat rucola, veldsla of winterpostelein voor bij mijn boterham met kaas. Maar daarna ga ik graag weer lekker naar binnen. In mijn eigen stulpje.

Maandag 5 november

Ik denk er al een poosje over om helemaal te gaan stoppen met de prozac. Maar na vandaag weet ik zeker dat ik het ga doen. Toen Mark en ik met de kinderen bij mijn moeder langsgingen, kwam het onderwerp ter sprake. Mijn moeder reageerde, om het zacht uit te drukken, niet zo enthousiast. Ze vroeg of ik nog wel wijs was. Mijn moeder slikt zelf ook. Net als mijn zuster, mijn tantes en nichtjes *(it runs in the family* aan moederszijde). En zij hebben meermalen geprobeerd zonder medicatie door het leven te kunnen. Tevergeefs, en met diepe dalen.
Waarschijnlijk wil zij mij daarvoor behoeden. Maar de wijze waarop zij dat deed, kwam op mij nogal agressief over. En toen zei Mark tegen mijn moeder: 'Als het niet goed gaat met d'r, dan duw ik die pillen hoogstpersoonlijk zelf door haar strotje.' En daar viel mijn strot onmiddellijk en gewillig al vanzelf van open.
Ik heb niets gezegd. Op dat moment stonden zij tweeën samen te sterk in hun mening. Ik kon mij daartegen niet verdedigen en ik had geen zin om een discussie aan te gaan waar de kinderen bij waren. Maar dit voelt helemaal niet goed.
Het is niet leuk als de twee mensen die naar mijn mening de eersten zouden moeten zijn om je aan te moedigen van medicijnen af te komen, zo over je praten waar jezelf bij staat.
Ik realiseer mij wel dat zij bang zijn dat het niet goed zal gaan met mij met alle gevolgen van dien. Maar dat is hun angst en daar moeten zij zelf mee dealen.
Daarnaast komt het op mij over alsof ik als dochter en partner slechts geaccepteerd word als ik in een bepaald plaatje pas. Ik krijg het gevoel dat ik alleen goede eigenschappen ten toon mag spreiden. En dat er geen ruimte is voor de stemmingswisselingen die ik waarschijnlijk in meerdere mate

heb als ik geen medicijnen slik. Ik heb nu het gevoel dat ik niet geaccepteerd word zoals ik ben, of dat slechts een deel van mij geaccepteerd wordt.
Dat stemt mij verdrietig. Maar tegelijkertijd heeft het mij ook gesterkt in mijn idee om helemaal te stoppen met de medicatie. Ik merk dat ik er een beetje opstandig van word. Het is een extra motivatie om mij niet weer in een hokje te laten drukken en andere mensen mijn leven te laten regeren. Na mijn overspannenheid, die vooral voortkwam uit het feit dat ik mijzelf mijn hele leven heb lopen aan te passen aan de wensen van anderen, ben ik echt allergisch geworden voor alles en iedereen die mij in een keurslijf probeert te stoppen.

Dinsdag 6 november

Vandaag heb ik naar Mark toe uitgesproken wat ik al een poosje denk: '*Dit gaat zo niet langer meer.*' Wat heeft het voor zin om samen in een huis te wonen als je met elkaar omgaat zoals wij de laatste tijd doen? Het lijkt niet meer goed te komen. In ieder geval niet op dit moment, niet op de manier waarop we het tot op heden hebben geprobeerd. Ik heb oprecht mijn best gedaan om goed te maken wat ik vind dat ik verkeerd heb aangepakt. Maar Mark duwt mij weg. Bij elkaar blijven lijkt ons juist meer van elkaar te verwijderen. We werken elkaar op de zenuwen. Ik geloof dat Mark iets anders wil in het leven dan ik. Ook al weet ik dan niet precies wat ik wil. Tenminste niet voor de langere termijn. Maar voor dit moment wil ik een time-out. En op dat punt is Mark het met mij eens.

Woensdag 7 november   Door Mark aan Suus

De laatste tijd ben ik vooral boos op je. En zolang ik in jouw buurt ben, lijkt mijn boosheid erger te worden in plaats van minder. Ik heb tijd en ruimte nodig om voor mijzelf wat dingen op een rijtje te zetten. Ik heb zelf nooit de behoefte gehad om bij jou weg te gaan en je met de kinderen te laten zitten. Maar in dit geval ben jij de oorzaak van het probleem. Daarom vind ik dat ik mag gaan en jij het maar even alleen moet zien te rooien. Ik weet niet voor hoe lang, want ik weet nu even niks.

Donderdag 8 november

Het oude opaatje dat altijd naar mij zwaaide, is overleden. Ik had hem al een poosje niet meer gezien, en ik weet dat aan de tijd van het jaar. Het is al lang te koud om buiten op de stoep een kopje koffie te drinken. Maar vandaag zag ik dat het kleine vervallen huisje leeggehaald en uitgeruimd werd. Bij navraag bleek omaatje naar een bejaardentehuis te zijn gebracht. Haar kinderen vertelden mij bang te zijn dat omaatje niet goed genoeg voor zichzelf zou zorgen. Ze verwaarloosde zichzelf sinds de dood van haar man. Mijn opmerking 'Ach, wilde zij alleen niet meer in dit leven blijven?', werd verkeerd uitgelegd. 'Nee, in haar eentje kan zij het leven niet aan.' Ik nam niet de moeite om uit te leggen dat ik had bedoeld dat omaatje kennelijk slechts een ander leven dan dit aardse ambieerde. Ik heb het te doen met omaatje in het bejaardentehuis. Heel haar huwelijkse leven heeft zij met haar metgezel in dat huisje gewoond. Alles heeft zij daar met hem gedeeld: huis, haard en kinderen. En nu haar maatje haar is voorgegaan naar de andere wereld, pakken die laatsten ook alle gezamenlijke aardse bezittingen van hun ouders maar in. Ik hoop dat omaatje ook weet dat deze materiële zaken slechts aards, stoffelijk en vergankelijk zijn. Ik hoop dat zij in het bejaardentehuis haar herinneringen zal koesteren. Haar herinneringen aan het verleden en haar herinneringen aan de toekomst zijn onvergankelijk. Haar herinneringen zullen blijven bestaan. Haar herinneringen, die Zijn.

Vrijdag 9 november

De kogel is door de kerk. Mark is weg. Voor onbepaalde tijd woont hij in het huis van een collega die "toevallig" net op wereldreis ging. Die collega nam een sabbatical. Dat is een eufemisme voor een op handen zijnde burn-out. Maar Mark is weg. En ik ben alleen. Met mijn herinneringen.

♫ *Goodbye my lover.*
Goodbye my friend. ♫

(James Blunt - Goobye my lover)

Zaterdag 10 november ●

Het heeft gevroren vannacht. Eerste echte vorst. Een dun laagje ijs bedekte vanochtend de sloot achter ons huis. En een dun laagje ijs omsluit mijn hart.
Ik heb het koud. Ik voel mij eenzaam, alleen en onbegrepen. Maar ik huil niet. Vandaag dacht ik aan het overlijden van mijn vader. Toen ze mij vertelden dat mijn vader dood was, wilden mijn tranen ook niet komen. Ik probeerde wel te huilen. Ik

dacht dat het zo hoorde. Maar mijn gezicht trok alleen maar een paar rare grimassen en mijn ogen bleven droog. Dus met huilen, daar stopte ik maar mee. Bovendien huilde mijn moeder al voor twee. En er moest toch iemand doorgaan met het Leven van Alledag. Dat was ik.

Je gezicht
zo wit
wanneer je naast me zit
je sproeten lijken groter
kind
ik voel je kou
jouw diep verdriet

Je niet
gehuilde tranen banen
zich een weg
in mij.

(Gerrie Berris-Grisel - En dan opeens verandert alles)

Maandag 12 november

Het zal de tijd van het jaar wel zijn. Een en al dood en verderf. Tot overmaat van ramp is vandaag ook nog een kitten overleden. Waarschijnlijk heeft het poesje haar nekje gebroken toen ze met haar kopje tussen de deur kwam. Het poesje had wat met Sem. Ze liep de hele dag achter hem aan. Zo ook op het moment dat hij de voordeur uitging en de deur hard achter zich dichtsloeg. Wonderlijk om te zien hoe verschillend Nonna en Sem reageerden. Nonna schreeuwde haar kop eraf. Tranen

met tuiten jammerde onze “dramaqueen”. Sem bleef stoïcijns. En praktisch. Hij vond dat ik maar een grafje moest delven in de tuin. Dan kon hij ondertussen mooi een zerkje in elkaar knutselen.
Het is niet dat Sem er geen verdriet van heeft dat het poesje is doodgegaan. Hij verwerkt het alleen op een andere manier. Nonna had na een uur wel genoeg van haar eigen gejammer en vertrok naar haar vriendinnenclub. Sem bleef bezig met het grafje. Hij versierde het met kastanjes en stenen. En maakte zich zorgen dat het kittentje het ’s nachts te koud zou krijgen. ’s Avonds voor hij naar bed toe moest, dekte hij het grafje af met een dekentje.
Sem is een kind van zijn moeder. En zijn moeder heeft het ook koud ’s nachts. Alleen in bed.

Dinsdag 13 november

Ik bedacht mij, misschien komen mijn dwaze verliefdheden wel voort uit het gemis van een vaderfiguur. Een vader is natuurlijk de eerste man die zeer belangrijk is in het leven van een mens. De mijne was al vroeg niet meer binnen handbereik. Is het niet zo dat mensen geneigd zijn hun eigen destructieve levenspatronen te herhalen? Misschien ga ik daarom onwillekeurig steeds weer op zoek naar een man die niet binnen mijn bereik ligt. Het zal mij niet verbazen als Freud of Jung of weet ik welke psychotherapeut dan ook, zegt dat de kiem voor mijn voorliefde voor onbereikbare mannen gelegd is op het moment dat mijn vader overleed.
Toch heb ik het overlijden van mijn vader nooit als een destructieve gebeurtenis in mijn leven beschouwd. Het was wel een gebeurtenis die mijn leven flink aan het wankelen bracht.

Alle zekerheden die ik als kind dacht te hebben, vielen weg. Op het moment dat mijn vader stierf had ik ook geen moeder meer. Zo heb ik dat ervaren. Mijn moeder zal daar ongetwijfeld genuanceerder over denken. Maar destijds was ik een kind. Een gevoelig kind. En ik voelde dat mijn moeder niet veel tijd en ruimte over zou hebben om moeder te kunnen zijn. Intuïtief wist ik dat zij al haar kracht en wijsheid nodig had om haar pas verworven status van weduwe een plek te kunnen geven. Ik besloot dat de dag gekomen was dat ik niet langer kind kon zijn. De knikkers en de barbies gingen in de kast. Ik werd volwassen. De pubertijd, die sloeg ik voor het gemak maar even over.

De beurt om te drogen
is aan haar
ik was af, we zijn bijna klaar.
'Mis jij papa ook zo hard?'
Ze kleurt en kijkt mij aan, verward.
'Natuurlijk mam, maar het moest zo zijn.'
Haar grootheid maakt mij zo klein.
'Kind wat praat en denk jij goed.'
'Ach mam ik weet dat het wel moet.'

(Gerrie Berris-Grisel - En dan opeens verandert alles).

Donderdag 15 november

Ik moest wel. Ik kon niet anders. Het is het overlevingsmechanisme waarmee ik geboren ben. En gezegend, vind ikzelf. Op de meest cruciale momenten in mijn leven heeft mijn overlevingsinstinct mij nooit in de steek gelaten. Het liet mij altijd

zien waar de kansen lagen om een nieuw begin te kunnen maken. En ik kon nooit anders dan mijn kansen te grijpen.
Ik was vastbesloten mij er niet onder te laten krijgen. Ik wilde er beter, sterker, weerbaarder van worden. Die houding heeft mij geholpen. En zal dat weer doen. Alleen door te denken dat alles wat ik meemaak de reden heeft mij als mens te laten groeien, kan ik verder.
Ik mis Mark. En het valt mij zwaar om in mijn eentje voor de kinderen te zorgen en het huishouden draaiende te houden. Maar kennelijk is het nu even nodig. Het is een gewoon een nieuwe beproeving op mijn levenspad.

♬ *Makes me that much stronger*
Makes me work a little harder
It makes me that much wiser
So thanks for making me a fighter
Made me learn a little bit faster
Made my skin a little bit thicker
Makes me that much smarter
So thanks for making me a fighter. ♬

(Christina Aquilera -Fighter)

Vrijdag 16 november

Pas nu, nu ik lees en leer over natuurfilosofie, ben ik in staat om het leven te zien als een spiritueel pad dat continu voortduurt. Het Leven mag, nee moet, gevierd worden. Het hoeft geen lijdensweg te zijn die in één rechte lijn op de dood afstevent om daar onherroepelijk te eindigen. Er is geen absoluut einde. Dood leidt naar een nieuw begin. Dood is onderdeel van de cyclus. En de cyclus is voortdurend in beweging. Soms is dat prettig. Soms ook niet. Er zullen zich hindernissen opwerpen. Dat is goed. Want van hindernissen kun je leren. Het maakt het leven een stuk gemakkelijker als je de minder leuke gebeurtenissen die je tegenkomt, aangrijpt als leersituaties waardoor je jezelf kunt ontwikkelen. De waarachtige inwijding tot de natuurfilosofie is het dagelijks leven.

Zaterdag 17 november ☽

Een poosje geleden ging op het internet zo'n kettingbrief rond over een vlinder. Ik heb een hekel aan kettingbrieven. Ze werken niet. Dat weet ik zeker. Al is het alleen maar door het feit dat ik degene ben die ze eigenhandig verbreek. Maar dit verhaaltje over die vlinder vond ik een prachtige metafoor van het leven. Dat het voor een rups een enorme worsteling is om zich te ontpoppen tot een vlinder, dat wist ik wel. Maar ik had nooit geweten dat wanneer de mens zich bemoeit met het ontpoppingsproces de vleugels van de vlinder dusdanig beschadigd kunnen raken dat zij *nooit* zal kunnen vliegen. De vlinder moet het dus echt zelf doen. Alleen als zijzelf uit de cocon breekt, zal zij haar vleugels kunnen uitslaan. Alleen als je zelf een beproeving doorstaat, zul je tot ongekende hoogten kunnen komen.

Belangrijk lijkt mij dus de houding die je zelf aanneemt ten opzichte van bepaalde gebeurtenissen, met name de minder prettige, in je leven. Het is goed om trieste, boze of depressieve gevoelens te hebben. Op die manier worden gebeurtenissen doorleefd en gevoelens niet onderdrukt. Maar het is ook goed om te proberen de gebeurtenissen objectiever te

bekijken en de bijkomende gevoelens te analyseren. Dan leer je. Over jezelf. Daardoor groei je. En dat geeft het leven zin. In ieder geval voor mij.
Waarschijnlijk komt het daardoor dat ik moeite heb om te begrijpen dat anderen in mijn omgeving hun kansen nu niet grijpen om te leren en te groeien van de gebeurtenis waarin wij ons nu bevinden. Waarom rent de piloot naar zijn vrouw als hem de kans geboden wordt te leren van een vrouw die anders denkt over het echtelijke samenleven dan hij gewend is? Waarom hult de pilotenvrouw zich in stilzwijgen terwijl zij met mij de discussie kan aangaan? Waarom gaat Mark bij mij weg om in zijn eentje te gaan zitten mokken? Waarom gaan zij hun beproevingen niet aan?
Het zou natuurlijk heel wel kunnen dat het alleen voor mij líjkt alsof zij hun beproevingen niet aangaan. Waarschijnlijk worstelen zij ook en doen zij dat op hun eigen wijze. En ik kan mij zo voorstellen dat zij mij daarbij niet nodig hebben. Zeker is, dat ik er niet over kan oordelen.
Toch kan ik mij niet aan de indruk onttrekken dat zij op dit moment vooral bang zijn. En boos.
En ik ben bang dat boosheid niet zo veel oplost.

Maandag 19 november

Boos zijn en wrok koesteren bezorgen je veel stress en ondermijnen je gezondheid. Dat zou ik toch zeker niet over hebben voor iemand die mij al onrecht heeft gedaan. Die liet ik mijn leven niet nog meer vergallen. Ik snap best dat mijn actie Mark en pilotenvrouw in het verkeerde keelgat geschoten is. En zij hebben recht op hun emoties. Maar ik denk niet dat het goed is voor henzelf om te lang in die negatieve

gevoelens te blijven hangen. Dan ga je dorsten naar wraak. En volgens mij kom je daar niet verder mee. Wraak willen nemen, kost je uiteindelijk je eigen krachten.
Op het eerste gezicht lijkt het vaak wel alsof wraak nemen kracht geeft. Maar het is geen werkelijke kracht. Het lijkt je een kick te geven te zinnen op wraak en een ander net zoveel pijn te willen doen als hij (of zij, in dit geval) jou gedaan heeft. Maar daarna gaat het aan je vreten. Wraak vreet je op. Levenskracht verwerf je juist door boosheid en wrok te erkennen. En vervolgens los te laten.
Het is moeilijk om anderen te vergeven voor wat zij je hebben aangedaan. Maar het is nog veel moeilijker om jezelf te vergeven voor wat je een ander hebt aangedaan. In ieder geval is mij dat dikwijls zwaar gevallen. Niet dat ik zo veel rottigheid op mijn kerfstok heb. Maar ik ben een vrouw. En het is vrouwen eigen om het zichzelf al kwalijk te nemen dat ze vergeten zijn op tijd een verjaardagskaart naar een halfvergane oude tante te versturen. Om maar niet te spreken over het niet hebben kunnen voldoen aan de verwachtingen van ouders, broers en zussen, schoonfamilie, echtgenoot, kinderen en vriend(inn)en. En altijd stellen wij wel iemand teleur, want het is ondoenlijk om aan Jan en allemans verwachtingen te voldoen. En zo heb ook ik mij menigmaal schuldig gevoeld.
Maar die tijd is voorbij. Sinds ik mijzelf natuurfilosoof noem, hoef ik geen boete meer te doen voor mijn zonden. Het is belangrijker om mijn tijd te besteden aan het leren mijzelf te vergeven dat ik in gebreke ben gebleven. Want alleen als ik weet hoe ik mijzelf kan vergeven, kan ik ook anderen vergeven wat zij mij hebben aangedaan.
Ik heb ingezien dat het hebben van een schuldgevoel je doet lijden. En ik ben niet in leven om te lijden. Ik ben wel verantwoordelijk voor wat ik in mijn leven doe. En als ik een

ander pijn heb gedaan, dan moet ik ook proberen dat recht te zetten. Voor degene die ik leed berokkend heb, maar óók voor mijzelf. Leven volgens de principes van de natuurfilosofie betekent voor mij dat ik lering moet trekken uit mijn les en dat ik moet proberen het de volgende keer beter te doen.
Als je jezelf vergeeft, zal God, de Godin, de Goden dat ook doen. Zo kom je tot de herontdekking van de liefde, voor jezelf en voor je naaste. En voor wie niets met natuurfilosofie heeft: Jezus heeft het zelf gezegd... *heb uw naaste lief, als uzelf...*

♫ *Forgive us our trespasses.*
As we forgive those who have trespassed against us
Give us our daily bread.
In celle et in terra fiat voluntas tua
Gloria Spiritui Sancto ♫

(Shakira - How do you do).

Woensdag 21 november

Het toeval is mij zojuist weer toegevallen. Zojuist, toen ik eindelijk de luxe had om mij even rustig op het kleinste kamertje van het huis met een tijdschriftje terug te trekken, las ik een artikel dat de spijker precies op zijn kop slaat. Volgens de Amerikaanse psycholoog Robert D. Enright *(what's in a name)* lijkt vergeven wel een beetje op loslaten. In een vergevingsproces namelijk laat je de gedachten los dat een ander verantwoordelijk is voor wat hij (of zij, in dit geval) jou heeft aangedaan en dat die ander bepaalt hoe jouw leven verder gaat. Die ander is en blijft wel verantwoordelijk voor zijn daden. Maar niet voor hoe jij jouw leven verder wil laten verlopen. Wanneer je je eigen welzijn blijft koppelen aan de dader, kom je niet los van hem. Dan lukt het je ook nooit om hem positief te bekijken. Bovendien laat je in een vergevingproces ook het idee los dat je zelf perfect zou zijn. Het is makkelijker om te vergeven als je aan jezelf toegeeft dat je ook weleens dingen gedaan hebt waarvoor vergeving nodig zou zijn. Dat lijdt tot een soort nederigheid waardoor je toch weer op hetzelfde niveau komt met de ander. En dan leidt loslaten juist tot verbinding op een dieper niveau.

Donderdag 22 november

Voorlopig voel ik nog niet veel van verbindingen met wie dan ook. Ik ben alleen en ik voel mij alleen. Het leven dat ik nu leid, is absoluut niet wat ik mijzelf voor ogen had, toen ik de vlinders in mijn buik liet ontpoppen.
Als je het goed beschouwt, is leven eigenlijk ook loslaten. Het enige wat je zeker weet in het leven, is dat je dood zult gaan. Je weet alleen niet wanneer. Dus kun je er beter maar het beste van maken. Als je het leven wilt leven, dan kun je eigenlijk niets anders doen dan je eraan overgeven. Daarvoor moet je alles loslaten, niets meer willen beheersen. Door de controle op te geven, vallen zekerheden weg. Je zult moeten aangaan wat je tegenkomt. Je kunt je niet langer verzetten tegen verdriet en pijn. En dat maakt je dan meteen een stukje kleiner. Nederiger ook. Want door je over te geven aan het Leven, geef je eigenlijk toe dat er "iets" is dat het beter weet dan jij. Ik vond het ook een opluchting. Het was een bevrijding om te beseffen dat ik het niet allemaal zelf hoef te

weten. Maar dat er "iets" is dat het voor mij weet. Sommige mensen noemen dat God. Ik noem het de Godin.

♫ *I am fragile*
I am hopeless
I'm not perfect
But I am free ... ♫

(Maria Mena - Fragile{free})

Vrijdag 23 november

Additie op: ...Het leven dat ik nu leid is absoluut niet wat ik mijzelf voor ogen had, toen ik de vlinders in mijn buik liet ontpoppen ...
Door het Leven te nemen zoals het komt en het pad te volgen zoals het zich voor je uitstrekt, kan er weinig mislukken. Mislukken bestaat dan namelijk niet. Het Leven neemt hoogstens een andere wending dan je had verwacht. Maar kennelijk was jouw verwachting niet wat was voorbestemd. In ieder geval ontrolt zich ineens een ander pad. En op dat paadje bevind ik mij nu. Ik kan niets anders doen dan het te volgen. Ik hoef ook niet bang te zijn. Want mislukken bestaat niet.

Zaterdag 24 november ○

Vandaag is mijn menstruatie weer begonnen. Het bloed vloeit. Net als de tranen. Eindelijk huil ik. Daar is deze maand ook echt wel reden voor natuurlijk. Maar toch geef ik het stoppen met de medicatie het voordeel van de twijfel. De pieken en de dalen tekenen zich weer duidelijker af. Ik voel meer. Gevoelens stromen meer. En emoties banen zich een weg naar buiten.

Maandag 26 november

De afgelopen week heb ik Mark weer een aantal keren gesproken. Niet alleen over koetjes en kalfjes en wat we zullen doen met sinterklaas, maar écht gesproken. Het lijkt paradoxaal dat ons het wel lukt om dichter bij elkaar te komen juist doordat we afstand genomen hebben. Maar per slot van rekening is liefhebben ook loslaten. Echte liefde kenmerkt zich door je geliefde los te kunnen laten om te zijn wie hij of zij is.
Gisteren had Mark het over polyamorie. Hij is nog steeds op zoek naar een verklaring voor het feit dat ik verliefd heb kunnen worden op een andere man. In een artikel in de VPRO-gids meende hij iets gelezen te hebben dat hem aan mij deed denken. Hij vroeg mij of polyamorie mijn drijfveer was geweest. Ik antwoordde, geheel naar waarheid, dat ik daar nog nooit van gehoord heb. Maar ik ben een slimme meid °°°*(... op mijn toekomst voorbereid, dûh...)*°°° Ik ken mijn talen. Poly betekent “veel”. Amorie is “liefde”. Maar veel liefde, dat is toch iets dat alle mensen nodig hebben?!

ⓘ **Polyamorie**
Betekenis: meervoudige liefde of veel liefde.
Definitie: Een levenswijze waarbij wordt erkend dat het mogelijk is om van meer dan één persoon tegelijk te houden. Deze liefde uit zich in relaties waarbij er sprake is van vriendschap, intimiteit, emotionele band, spirituele verbondenheid en/of seksualiteit.
Inhoud: er zijn verschillende relatievormen mogelijk, maar alle zijn gebaseerd op liefde, openheid, eerlijkheid en respect. Hierbij is een goede en open communicatie van groot belang.

Dinsdag 27 november

Er blijkt een hele site gewijd aan polyamorie en er is onlangs zelfs een boek verschenen over dit onderwerp. Het is geschreven door een Nederlandse dame nota bene, Ageeth Veenemans, zelf een actief belijdend polyamoriste. Er gaat een wereld voor mij open. Nee, dat is niet de juiste omschrijving. Ik kende die wereld al. In mijn dromen. Maar zoals met veel dromen het geval is, waren de mijne te warrig om er woorden aan te kunnen geven. Ik ben blij dat mevrouw Veenemans dat voor mij gedaan heeft. Het is een opluchting te lezen dat het mogelijk is om ook in onze huidige maatschappij in alle eerlijkheid en openheid meerdere liefdesrelaties naast elkaar te hebben.
Ik heb te veel ge(dag)droomd over matriarchaten. Ik ben blijven hangen bij voorchristelijke Keltische huwelijkscontracten waarbij pasgehuwden niet gedwongen werden bij elkaar te blijven, en alleen bij elkaar, tot de dood hen scheidt. Maar we leven niet in een matriarchaat en de Kelten zijn dood.

Donderdag 29 november

Toch kan ik er niet over uit dat mannen en vrouwen in onze huidige maatschappij al op heel jonge leeftijd ingeprent wordt dat het maken van, in wezen nogal tegennatuurlijke, keuzes en rare afspraken heel normaal en wenselijk is. Het huwelijk wordt voorgespiegeld als het ware paradijs en het hoogst verkrijgbare goed. Trouwen en getrouwd zijn lijkt een hoger doel te zijn geworden dan streven naar liefde en passie. Vooral vrouwen zijn in onze samenleving niet geslaagd als zij op hun dertigste nog steeds geen vaste relatie hebben met een man. Minimaal wekelijks, zo niet dagelijks, zijn er op televisie verschillende programma's over bruiloften en huwelijken te bekijken. Er gaan miljoenen in om. Zelfs anno begin 21e eeuw. Zelfs terwijl heden ten dage maar liefst veertig procent van de huwelijken uitloopt op een scheiding. Waar zijn we nou helemaal mee bezig? Denk even na.

Want we zijn toch niet dom? Het zijn namelijk ook hoogopgeleide, economisch zelfstandige en zeer geëmancipeerde zo niet zelfs feministische vrouwen die met elkaar wedijveren om de million-dollar-bruid te worden. Ook zij lijken vergeten te zijn dat het huwelijkscontract slechts in het leven geroepen is om mannen ervan te vergewissen dat ze enkel zorg droegen voor uitsluitend hun eigen nageslacht. Ook deze vrouwen kiezen er vrijwillig voor dat met het sluiten van een huwelijk hun eigen keuzemogelijkheden tot nihil beperkt worden. En hun vrijheid ingeperkt.

Vrouwen van tegenwoordig lijken helemaal niet te weten dat zij ooit, in voorchristelijke tijden, wezens waren die zelfstandig dachten en voor zichzelf beslisten. Zo ook welke partner zij in hun bed wensten. Daarbij hielden deze vrouwen in hun achterhoofd (waar zij beslist niet op gevallen waren) dat verandering van spijs doet eten.

Het is die vrijheid van gedachten én die vrijheid om te *veranderen* van gedachten, die in de kiem wordt gesmoord door de huwelijksverbintenis. En het is die vrijheid, juist op seksueel gebied, die van wezenlijk belang is voor het behoud van de zelfstandigheid van een vrouw. Maar daar moet je tegenwoordig niet meer mee aankomen. Een bedpartnerwispelturige vrouw wordt door onze samenleving beschouwd als iemand die haar eigen seksuele eer niet naar waarde weet te schatten. Zij zou te koop lopen met haar lichaam en zich te grabbel gooien. Mijns inziens is dat bezijden de waarheid. Ik denk dat zo'n vrouw in plaats van dat ze iets aanbiedt, zij zelf gewoon precies dat krijgt wat ze wil. Zij ziet zichzelf als sensueel, begeerlijk, en ieders aandacht waardig. Haar seksuele ervaringen geven haar kracht en energie.
Maar wij zijn bang gemaakt voor vrouwen die zich bewust zijn van hun eigen seksualiteit. In onze patriarchale samenleving is vrouwelijke seksualiteit bedreigend omdat het een vrouw macht kan geven over de man. En zie hier, het begrip feminisme blijkt mij ineens niet eenduidig meer. Feminisme is niet alleen een clubje vrouwen zonder beha die te ver zijn doorgeschoten in het willen imiteren van de man. Feminisme heeft wortels in een veel verder verleden. Feminisme is ook het geloof in de Godin.
Een tikje ironisch is dat wel. Ik, die de Dolle Mina uitmaakte voor carrièrebitch, ben eigenlijk zelf een aanhanger van de feministische ideologie van het eerste uur. En de hardwerkende feministe die geen tijd heeft voor dat zweverige moedergedoe, strijdt in wezen voor het behoud van de Godin. Allen vrouwen. Allen dochters van de maan.

Vrijdag 30 november

Tikje ironisch ook, dat nou juist Mark mij attent heeft gemaakt op het fenomeen polyamorie.
Het woord fenomeen lijkt mij hier wel op zijn plaats, daar de definitie luistert naar "waarneembaar verschijnsel" of "iets buitengewoons".
Het boek van Ageeth Veenemans ligt inmiddels op mijn nachtkastje. Van de eerste pagina's heb ik geleerd dat geheime buitenechtelijke verhoudingen en een polyamorfe relatie niet samengaan. Volgens Ageeth leidt stiekemheid er alleen maar toe dat partners uit elkaar groeien. Wat mij betreft heeft zij gelijk. Ik hoop dat zij ook een punt heeft als zij zegt dat door met elkaar te kunnen praten over de gevoelens en behoeften die je hebt je juist dichter tot elkaar kunt komen.
Ik zie het nog niet zo voor me dat ik na een "inspirerende" ontmoeting met een aardig manspersoon 's avonds op de bank tegen Mark aankruip om te verzuchten: "Aah, ik heb toch zúlke lekkere kriebels in mijn buik, ik zou best eens met hem de koffer in willen duiken."

Zaterdag 1 december ☾

Vandaag heb ik Marijn uitgelegd wat polyamorie is. Hij dacht eerst dat het hetzelfde was als polygamie. Maar volgens mij is het juist het verschil tussen polyamorie en polygamie waar het om gaat. Bij polygamie ligt de nadruk op de echtelijke verbintenis. Bij polyamorie op de liefde.

> ⓘ **Polygamie**
> Echtelijke verbintenis van één man met meerdere vrouwen tegelijk of van één vrouw met meerdere mannen tegelijk.

Dat het woord polygamie uitgevonden werd ten tijde van het patriarchalisme lijkt mij logisch gezien het synoniem "veelwijverij". Marijn, mijn beste broeder, zou Marijn niet zijn als hij niet vervolgens een synoniem bedacht voor polyamorie. Hij noemt het "meerventerij".
Klinkt best goed.

Maandag 3 december

Monogamie is bedacht, het is niet natuurlijk. In ieder geval gaat het tegen mijn natuur in. Ik heb niet vrijwillig gekozen voor monogamie. Ik wilde wel samen met Mark oud worden. En ik wilde graag kinderen samen met hem. Ik dacht dat er geen andere keuze was dan monogaam te leven. En op het moment dat ik mijn ja-woord gaf, heb ik voor mijn gevoel niet alleen "ja" gezegd op de vraag of ik met Mark een verbintenis wilde aangaan. Voor mijn gevoel ben ik toen ook gedwongen om "ja" te zeggen tegen het opgeven van mijn eigen keuzevrijheid. "Ja" te zeggen tegen een huwelijk van exclusiviteit en monogamie. Ik realiseerde mij dat toen nog niet. Maar in de loop der jaren ben ik de verloren vrijheid om zelf te mogen kiezen als steeds benauwender gaan ervaren. Ik heb mijn natuurlijke behoeften en gevoelens onderdrukt omdat zij zo bedreigend leken voor het leven dat ik leidde. Maar het keurslijf is steeds strakker gaan zitten. En het knelt totdat het barst. En als ik zo om mij heen kijk, dan denk ik niet dat ik de enige ben wie dit gebeurt.
Monogamie is niet van deze tijd. *Mono*gamie hoort bij het

*mono*theïsme. Monogamie is van het christendom, het jodendom en de islam. En mogelijk hebben die hun langste tijd gehad.
Mensen zijn op zoek naar een ander geloof. Je kunt de tv niet meer aanzetten of er predikt een helderziende paragnost. Je kunt geen tijdschrift meer openslaan of sjamanen en andere goeroes vertellen over hun verlichting. Termen als zingeving, spiritualiteit en geestelijke vrijheid vliegen je om de oren.
Mensen zijn zoekende. En het aanbod is groot. De nieuwe religies lijken gemeen te hebben dat zij minder dogmatisch zijn dan de religies die wij tot op heden kenden. Ik vind dat hoopgevend. Er is behoefte aan manieren van samenleven waarin liefdesrelaties tussen meer dan één man en één vrouw mogelijk zijn. En met de komst van nieuwe geloofsovertuigingen kan de weg naar andere samenlevingsvormen open komen te staan.
Hiermee is het verband tussen mijn "bekering" tot het heidendom en het verliefd worden op de piloot ineens zo helder als glas.

Woensdag 5 december

Het is al heel laat. Eigenlijk is het al 6 december. Mark is net weg. We hebben pakjesavond gevierd met de kinderen. Ik heb sinterklaas zelf altijd zo'n leuk feest gevonden. Dat wilde ik mijn kinderen niet ontnemen. Ik zou het in mijn eentje ook gevierd hebben met de kinderen, maar ik was blij dat Mark het heel vanzelfsprekend vond dat hij vanavond naar ons zou komen. Het was een heel gezellige avond. De kinderen vonden het zó fijn dat Mark erbij was. Ik ook. En

hijzelf denk ik ook. Want toen de kinderen naar bed waren, maakte hij geen aanstalten om naar het appartement van zijn collega te gaan.
We praatten. Ik probeerde het luchtig te houden. Maar hij zei dat hij ons miste. Dat hij mij miste. Ik ving een glimp op van de Mark voor wie ik ooit als een blok gevallen ben. Maar ik vond het moeilijk om te zeggen dat ik hem ook gemist had. Ik wilde niet meteen capituleren en onze status quo opgeven. Maar de spanning tussen ons steeg voelbaar. Ik wilde een wijntje inschenken maar de fles was nog niet open. Zonder erbij na te denken gaf ik de fles aan Mark. En zonder iets te zeggen ontkurkte Mark de fles. Hij is altijd degene die dat klusje voor zijn rekening neemt. Zoals ik er ook zovelen doe, voor hem. Wij vullen elkaar goed aan. We zijn altijd een goed team geweest. En daar maakte ik een opmerking over. Mark streek mijn haar uit mijn gezicht. Ook zo'n vertrouwd gebaar dat alleen hij kan maken. Ik legde mijn hoofd tegen zijn schouder. En van het een kwam het ander. Het 6 december en ik heb zojuist als vanouds mijn schoen uitgehaald.

♫ *Underneath your clothes*
There's an endless story
There's the man I chose
There's my territory
And all the things I deserve
For being such a good girl honey ♫

(Shakira - Underneath your clothes)

Vrijdag 7 december

Gisteren heb ik de hele ochtend lopen fluiten. Tegen het middaguur begon ik eraan te twijfelen of ik er wel goed aan gedaan heb om met Mark te vrijen. Ik weet niet óf en welke consequenties er volgens hem aan verbonden zijn. Natuurlijk zou ik graag willen dat hij weer naar huis komt. Maar ik wil niet terug naar af. Ik kan niet verder samenleven op de manier waarop wij het altijd deden. Ik heb het woord "monogamie" uit mijn woordenboek geschrapt. Het is vervangen door "polyamorie". Maar ik heb er een hard hoofd in dat Mark hiermee uit de voeten kan.
Mark denkt dat het niet mogelijk is van meerdere personen tegelijk te houden. Dat was zijn antwoord op mijn vraag: 'Wat vínd jij nu eigenlijk van polyamorie?', die ik hem gisteravond voorlegde toen hij mij belde om te zeggen dat hij het sinterklaasfeest, met in het bijzonder de verrassende afloop, erg fijn had gevonden. Ik weet zeker dat het wel kan. Van meer dan één persoon tegelijk houden, bedoel ik. Ik ben er niet met Mark over in discussie gegaan. Maar je kunt toch ook van meer dan één kind houden, en van je ouders en broers en zussen en vrienden. Misschien houd je niet van iedereen evenveel. En zeker houd je van iedereen op een andere manier. Natuurlijk is dat anders dan het houden van meerdere personen waarmee je een seksuele liefdesrelatie onderhoudt. Maar ik denk dat ook dat mogelijk is. Volgens mij is dat een kwestie van de knop omzetten. Het zit tussen je oren dat je het niet kan. Hoe vaak zeggen we niet tegen onze kinderen: 'Kan ik niet, is wil ik niet? Als je iets wilt, kun je het ook!' Ik denk dat mensen vaak veel meer liefde te geven hebben dan waarvan zij zelf bewust zijn. Van liefde is er oneindig veel. Maar je moet het wel *willen* geven. En je moet het wel uit jezelf *willen* halen.

Ik denk niet dat je op meer dan één persoon tegelijk verliefd kunt zijn. Wel een beetje misschien, van die lichte kriebels, maar niet écht allesoverheersend verliefd. Dat gevoel van niet meer kunnen eten en slapen, alleen nog maar kunnen denken aan die ene, dat kan maar voor één persoon tegelijk. Ageeth Veenemans heeft het uitgezocht. Zij schrijft dat verschillende systemen in de hersenen ervoor zorgen dat lust, verliefdheid en gehechtheid onafhankelijk in het menselijk lichaam kunnen functioneren. Biologisch gezien zijn mensen in staat om seks te hebben zonder verliefd te zijn en om zich gehecht te voelen aan iemand zonder lustgevoelens te krijgen.
Ageeth schrijft ook dat een verhoogde concentratie verliefdheidsstoffen tot een verhoging van luststoffen leidt. Maar het omgekeerde geldt niet per definitie. Seks hoeft niet tot verliefdheid te leiden. Bovendien neemt verliefdheid na verloop van tijd af. Terwijl het houdenvangevoel juist kan toenemen. En op het moment dat je gaat hechten aan een persoon van wie je houdt, stijgt de concentratie gehechtheidsstoffen, hetgeen weer leidt tot een verlaging van de concentratie verliefdheidsstoffen. Ik vind het een mooi systeem. Ons lichaam maakt het ons mogelijk om steeds opnieuw verliefd te kunnen worden en desondanks te blijven houden van degene die wij al lief hadden. Waarom denken zovelen dan dat wij hiertoe geestelijk niet in staat zijn? Wie denken wij wel niet dat wij zijn? God of zo? Wat maakt dat wij denken dat wij kunnen beïnvloeden waartoe wij geestelijk al dan niet in staat zijn? Uiteindelijk verraadt ons lichaam ons toch.

Zaterdag 8 december

Overigens wil ik helemaal niet beweren dat het gemakkelijk is twee liefdesrelaties te onderhouden. Sterker nog, het lijkt mij knap lastig. Alleen al praktisch gezien zou ik in de problemen komen. Mijn agenda is altijd gevuld. Waar moet ik überhaupt de tijd vandaan halen? Echter, het gaat mij puur om het erkennen van het bestaan van polyamoristische gevoelens. Het mogen toegeven aan de mogelijkheid. Het bestaan van een bepaalde mate van vrijheid. Het kunnen maken van eigen keuzen.

Zondag 9 december ●

En inderdaad schrijft ook Ageeth Veenemans dat kiezen voor polyamorie niet de gemakkelijkste weg is. Ten eerste vergt het nogal wat werk vooraf. Polyamorie schijnt alleen mogelijk te zijn als je van jezelf hebt leren houden en je geaccepteerd hebt dat alleen jijzelf verantwoordelijk bent voor je eigen geluk. Pas daarna kun je bedenken wat het is dat je wilt en dat bespreekbaar gaan maken. En uiteindelijk moet je in staat zijn om naar aanleiding van de reactie van de ander je eigen keuzen te maken.
Dat laatste lijkt mij het moeilijkst. Niet als Mark in polyamorie ook een kans ziet om er voor zichzelf het beste uit te halen. Een kans om te veranderen, te ontwikkelen en te groeien. Want dan kunnen we gewoon afwachten wat er verder in ons gezamenlijk en individueel liefdesleven gaat gebeuren. En misschien is dat wel helemaal niets.
De keuze is ook niet moeilijk als Mark de laatste weken tot de conclusie gekomen is dat hij de rest van zijn leven hele-

maal niet meer wil delen met mij. Dan word ik voor een voldongen feit gezet. Het lijkt mij duidelijk dat scheiden dan onze enige optie is.
Maar om eerlijk te zijn, acht ik de kans het grootst dat Mark niet met mij én polyamorie in zee wil gaan. Nou ja, ik bedoel, waarschijnlijk wil hij wel het eerste (is mij), maar niet het tweede (is polyamorie). En wat ga ik dán doen? Wat moet ik kiezen als Mark zich als slachtoffer blijft gedragen en pas weer bij mij terug wil komen als ik beloof monogaam te blijven? Moet ik dan aan zijn wens gehoor geven? En daarmee in de toekomst misschien opnieuw opkomende behoeften weer onderdrukken? Of kan ik van Mark verlangen dat hij zijn behoefte aan monogamie opgeeft? Als ik wil dat Mark mij helemaal accepteert zoals ik ben, moet ik dat toch ook bij hem doen? Ik kom hier alleen niet uit.

Maandag 10 december

Gisteravond, toen Mark de kinderen na een dagje uit, weer thuisbracht, heb ik aan hem gevraagd of hij eens echt serieus met mij wil praten over polyamorie. Per slot van rekening heeft hij dit onderwerp te berde gebracht. En mij op ideeën! We hadden gepland dat hij vanavond zou komen, pas als de kinderen op bed lagen. Hij leek al zenuwachtig en opgefokt toen hij binnenkwam. Ik had allerlei punten genoteerd waarover ik mijn ideeën en gevoelens met Mark wilde bespreken. Maar ik ben aan meer dan de helft niet toegekomen.
Mark luisterde niet. Ieder punt dat ik naar voren bracht, werd in de kiem gesmoord. Bij alles wat ik inbracht, kreeg ik meteen wetenschappelijk verantwoord tegengas. Alles wat ik zei werd direct gegeneraliseerd, op Jan en alleman betrok-

ken of linea recta naar de prullenbak verbannen. Ik kwam er niet door. En mijn ideeën en gevoelens al helemaal niet. Het gesprek ging helemaal niet meer over mijn persoon. Noch over Mark. Het ging over iedereen die ik niet kende en over verklaringen die er wat mij betreft niet toe deden. Ik werd er verdrietig van. Op een gegeven moment zaten de tranen mij zo hoog, dat ik de brok in mijn keel niet meer weggeslikt kreeg. Mijn stem brak en ik ben weggelopen. Er restte Mark niets anders dan ons huis te verlaten. Kennelijk.

Dinsdag 11 december Door Mark aan Suus

Het spijt mij dat ik je verdriet heb gedaan. Jij wilde jouw gevoelens bespreken en ik stond daar niet open voor. Ik denk dat het té moeilijk voor mij is om uit jouw mond te horen hoe jij over polyamorie denkt. Ik denk dat ik niet wil horen wat ik diep van binnen al wel weet. Ik heb het boek ook gelezen en ik kan wel raden wat jou erin aanspreekt. Ik ging al in de verdediging voordat jij de kans kreeg om te zeggen wat je wilde zeggen.
Vandaag kreeg ik de ingeving dat ik een relatie zoals ik die wil, niet kan afdwingen. Ik kan er alles aan doen om de relatie die wij hebben te beschermen tegen derden, maar wanneer jij wel derden toelaat, heb ik de regie niet meer in handen. Een relatie die meer open is, zou een oplossing kunnen zijn. Rationeel weet ik dat het ook voor mij bevrijdend zou kunnen werken. Maar ik weet niet of ik hier emotioneel wel aan toe ben. Mijn angsten liggen op de loer.

Woensdag 12 december

Ik weet niet over welke angsten Mark het precies heeft. Ik kan niet in zijn kop kijken. Maar afgaande op wat ik van andere mensen hoor, in de damesbladen lees en op televisie zie, denk ik dat hij refereert aan de angst om mij aan een ander te verliezen. En aan de angst van jaloezie. Ik kan daar niet zo veel mee. Ik ken die angsten niet zo.
Ik ben allang niet meer bang om Mark te verliezen aan een ander. Niet omdat ik denk dat ik beter, mooier of leuker ben dan een ander. Maar wel omdat ik geen behoefte heb aan een man die eigenlijk bij een ander zou willen zijn. Zo'n man ben ik namelijk zelf ook liever kwijt dan rijk. Heel in het begin van onze relatie, toen wij nog niet getrouwd waren, had Mark een naar mijn zin veel te leuke collega. Toen heb ik weleens in de piepzak gezeten. Maar dat duurde niet lang. Ik zette de knop om. Ik bedacht mij dat ik zelf ook alleen maar een man wil die er bewust en uit eigen vrije beweging voor kiest om bij mij te zijn. En niet omdat ik hem voortdurend in zijn nek loop te hijgen. Niet omdat ik hem ertoe dwing. En ook niet omdat hij zich neergelegd heeft bij het feit dat hij met mij getrouwd is.
Jaloers op een andere vrouw ben ik, voor zover ik mij kan herinneren, nooit geweest. Een man vindt mij leuk, of hij vindt dat niet. Dan vindt hij misschien een ander leuk. Daar kan die ander ook niets aan doen. En ik kan die man niet dwingen om mij leuk te vinden. Ik kan hem zeker niet dwingen om alleen míj leuk te vinden. En daar heb ik ook helemaal geen zin in. Ik kan mijn energie wel ergens anders voor gebruiken. Voor mijzelf bijvoorbeeld, há! Ik voel niet de minste drang om te concurreren met andere vrouwen. En ik zie hen niet als bedreiging.
Maar misschien heb ik makkelijk praten. Mark heeft nooit in

enig opzicht zijn interesse voor een andere vrouw laten blijken. Wie weet ontpop ik mij, wanneer zich zoiets voor zal doen, ook tot een groen monster dat die ander het liefst de ogen uit haar kop wil krabben. Je weet het niet. Maar ik acht de kans groter dat ik zal proberen om te gaan met die voor mij nieuwe emotie. En dat ik zal proberen om ervan te leren in plaats van er bang voor te zijn. Angst verlamt je. Angst doet je stilstaan. Ik prefereer het in beweging te blijven. En ik houd van hardlopen.

Donderdag 13 december

Maar ik laat het na om Mark zijn angsten uit zijn hoofd te praten. Volgens mij kan dat namelijk niet. Het is zijn manier van denken. En alleen hijzelf kan dat veranderen. Het is een kwestie van een knopje omzetten. En dat moet hij zelf doen. In zijn eigen tempo. En Mark heeft een broertje dood aan hardlopen.

Vrijdag 14 december

En sommigen onder ons mogen helemaal niet hardlopen. Zij krijgen gewoon een verbod. Ik zie de piloot nooit meer in zijn strakke hardlooptenuetje de straat doorcrossen. Zijn vrouw heeft er vast de schaar in gezet. Nu zijn de broekspijpen van die hardlooppakjes natuurlijk lekker elastisch. Altijd handig als je iemand aan de tafelpoot wilt vastbinden. Of wilt knevelen. Of monddood wilt maken.

Zaterdag 15 december

Vandaag kreeg ik een ingeving. Ik bedacht mij: monddood mogen ze mij maken, maar mijn gedachten kan niemand van mij afnemen. Ik heb het opgeschreven, hier, in dit dagboek. Maar zelfs al wordt dat vernietigd, dan nog zit het in mijn hoofd. En als ik doodga, gaat het met mij mee. Terug de kosmos in. Naar daar waar ik denk dat zich ons collectieve geheugen bevindt. Daar wachten mijn gedachten tot zij opnieuw geboren zullen worden. Waarschijnlijk bij een klein meisje. Dat als zij groter groeit, zich zal herinneren. Zoals ook ik ben gaan herinneren. Want mijn gedachten zijn ook niet alleen mijn gedachten. Zij zijn deel van het vrouwelijk erfgoed.

Zondag 16 december

De Godin heeft zich vandaag weer even aan mij geopenbaard. Ik moest naar Amsterdam. Marijn was jarig. Mark en de kinderen waren ook uitgenodigd, maar toch niet allemaal van de partij. Verjaardagsfeestjes brengen Sem erg van de wijs en Mark maakte daar dankbaar gebruik van door aan te bieden bij Sem in ons huis te blijven. Zo kwam het dat ik alleen met Nonna naar mijn broer toe reed. Onderweg in de auto moest ik steeds denken aan die wonderlijke ingeving over het vrouwelijk erfgoed die gisteren uit het niets in mij opkwam. Op de verjaardag van Marijn zouden nog meer ouders met kinderen zijn. Maar uiteindelijk bleken er in totaal maar drie van die laatste lawaaierige soort. Drie meisjes. Een van hen was Nonna. De anderen heetten Meis en Eva.

Maandag 17 december ☽

Gisteren op de verjaardag van Marijn kwam ik ook mijn eigen zusje weer eens tegen. En ontkwam ik er ook niet aan om een afspraak te maken binnenkort bij haar langs te gaan. Meneer Talisman was dit keer namelijk nog thuisgebleven omdat hij nog niet aan de voltallige familie (lees: Suus) was voorgesteld. En dat moest er volgens Hannah nu toch maar eens gauw van komen, daar ik immers hun cupido geweest ben. °°°*(Ja, wrijf het er nog maar eens in.)*°°°

Dinsdag 18 december

Zondag had ik Mark uitgenodigd voor een langeafstandswandeling. Hij reageerde enthousiast. Vandaag hadden we naschoolse opvang voor de kinderen geregeld zodat we de hele dag aan onszelf hadden. En het was heerlijk. We hadden geluk met het weer. Het was fris, maar het was ook heel helder en zonnig. Ik heb genoten van de natuur. Dat er toch nog zulke mooie stukjes Nederland zijn. Weinig dorre aarde. En het was goed om echt met Mark alleen te zijn. Geen afleiding van kinderen en andere computers. Tijd genoeg om te praten. En geen ruzie te maken, want geen van tweeën ambieerde het om in de ongeschonden natuur alleen gelaten te worden. Op die manier kun je niet anders dan nader tot elkaar komen. Toen we over de helft van de route bij een picknickbankje aangekomen waren, besloten we even een pauze in te lassen. Ik dook eerst even de bosjes in om te plassen. Daar zag ik twee mooie twijgjes liggen die mij uitnodigden om hen als wichelroeden te gebruiken. Ik was benieuwd of het zou lukken om de stokjes in beweging te krijgen, dus ik nam hen mee. Gezeten op het picknickbankje vroeg ik om een "ja" en een "nee". Die kreeg ik direct. De stokjes waren moeilijker te hanteren dan de stalen wichelroeden die ik gewend ben, maar na enige oefening, lukte het wel. Ze wezen mij waar het water was en ook waar Mark zat. Daarna vestigden ze mijn aandacht op een specifiek boompje. Ik dacht eerst dat er ergens een dood diertje zou liggen, waarvan het zieltje gered moest worden of zoiets. Maar dat bleek niet het geval. Dichter bij het boompje gekomen, zag ik dat het net leek alsof de boom een gezicht had. Er waren twee noesten als ogen, twee geknotte takken als oren, ter hoogte van de neus bevond zich een uitstulping in de bast van de boom, en even daaronder was juist een stuk schors verdwenen waardoor daar een mond gezien kon worden. Ik legde mijn rechterhand tegen de stam van de boom om hem met mijn energie te laten voelen dat ik er voor hem was. Ik vroeg aan Mark of hij vond dat het boompje er ziek of doods uitzag. Maar Mark antwoordde dat hij er juist heel gezond uitzag. Op dat moment voelde ik een tinteling in mijn rechterhand. Er ging iets door mij heen. Het was alsof ik iets kreeg. Toen snapte ik het pas. De boom had helemaal niets van mij nodig. Deze keer waren de rollen omgedraaid. Mijn rechterhand werd héél licht, bijna gewichtloos. En toen ik mijn linkerhand tegen de stam legde, voelde ik ook daar de tinteling doorheen gaan. Wonderlijk hoe de natuur telkens opnieuw weet te communiceren. Haar wijsheid is oneindig.

HOOFDSTUK 8

Yule,

biedt mij ondersteuning en

daadkracht.

Donderdag 20 december

Toen ik vannacht wakker werd omdat ik moest plassen, leek het wel bijna licht buiten. Ik hoopte te weten waardoor dat kwam. En mijn vermoeden werd bevestigd toen ik uit het slaapkamerraam keek. Het licht van de bijna volle maan werd weerkaatst door de sneeuw. De tuin en de straat waren al helemaal bedekt met een fijne witte waas. Toen we vanochtend opstonden lag er een behoorlijk pak. En de lucht zag grijs. Er zat nog veel meer sneeuw aan te komen. Nadat ik de kinderen naar school had gebracht, ben ik een wandeling gaan maken. Ik vind het een geweldig gevoel om door verse sneeuw te lopen. Het kraakt zo lekker onder je voeten. De wereld ziet er heel anders uit. Licht en helder. Misschien verbeeld ik het mij, maar het lijkt ook anders te ruiken. Fris en schoon. Toen ik halverwege was, begon het weer te sneeuwen. Ik keek naar boven en opende mijn mond. De neerdwarrelende vlokjes smolten op mijn tong.

Sneeuw,
valt uit een grijze lucht.
Ik loop,
daar waar niemand is gegaan.
Winter,
hij is niet mooi
doch oogverblindend.

Vrijdag 21 december

De sneeuw is gesmolten. In Nederland duurt de winterpret meestal niet lang. Wat ervan over is, ziet eruit als een vieze bruinzwarte drab. Ik ben vandaag maar eens even een kijkje gaan nemen in mijn moestuin. Ik kom er niet veel meer nu de dagen zo kort en koud zijn. Maar ze zeggen dat boerenkool lekkerder wordt als de vorst erover is gegaan. En daar had ik op gewacht. De meeste van de kolen die ik uitgeprobeerd heb, hebben mijn geëxperimenteer niet overleefd. Maar op de paar exemplaren die wel zijn uitgegroeid tot volwaardige kolen, ben ik zuinig. Ik hoop hen te oogsten op hun moment suprême. Wat betreft de andijvie en de rucola is dat moment passé. De planten moeten er prachtig uit hebben gezien onder een laagje sneeuw. Maar nu, na de dooi, is hun blad helemaal glazig geworden. Toen ik het vastpakte, leek het wel snot. Mijn ogen zijn ook glazig. En mijn neus snotterig. Dit zijn de donkere dagen voor kerst. Vandaag is het de kortste dag van het jaar. De zon komt terug. Maar het kan nog heel lang duren voor ik haar licht en warmte weer kan voelen. Misschien red ik het niet zonder de *happypills*.

♫ *En het is zo*
stil in mij ♫

(Van dik hout - Stil in mij)

Zaterdag 22 december   Jule/Yule

Vandaag is het Jule. De dag tussen de jaren. De ene cyclus is afgerond en een andere begint. Jule is een stiltedag. Een dag om in jezelf te keren en te kijken naar het voorbijgegane en plannen te maken voor de toekomst. Maar het is ook zaterdag. En dan is Sem thuis. En hij is niet stil. Nonna trouwens ook niet. Bovendien ben ik al voldoende in mijzelf gekeerd.

Ik had niet zo'n zin in een uitgebreid ritueel. En we moesten de kerstboom nog optuigen. Er zijn veel activiteiten op de school van de kinderen geweest waarbij ik geholpen heb. En ik kan maar op een plek tegelijk zijn. Ik neem mijn petje af voor al die alleenstaande ouders. Het valt niet mee om in je up alle ballen hoog te houden. En dan werk ik niet eens meer buitenshuis. Trouwens, het lukte mij bij tijd en wijle ook al niet om alle ballen hoog te houden toen Mark gewoon hier was, há!
Maar vandaag wel. Vandaag heb ik de ballen heel hoog gehangen. In de kerstboom. En dat heb ik meteen tot Juleritueel gebombardeerd. Want onze kerstboom is een Juleboom. Bij het versieren van de Juleboom gaat het om het onderstrepen van de zich herhalende levenskracht, de cyclus van leven, dood en wedergeboorte. De boom moet groenblijvend zijn om het eeuwige leven te symboliseren. Er mogen ook kerstballen in. Liefst zijn dat zilveren kogels als symbool voor de (vrouwelijke) maan. Het (mannelijke) zonlicht wordt gesymboliseerd door gouden draden. En er kunnen rode appeltjes in gehangen worden om de levenskracht te illustreren.

ⓘ Jule

Op het hoogtepunt van de winter, rond 21 december, wordt met Jule de langste nacht van het jaar gevierd. Jule wordt daarom ook wel het midwinterfeest of de winterzonnewende genoemd. De periode van de duisternis wentelt naar de lichte tijd van het jaar. De zon wordt wedergeboren. De dagen zullen vanaf heden weer langer worden. Het is het begin van een nieuwe jaarcyclus. En een tijd van vrede. Ten tijde van de Kelten was er sprake van een twaalf dagen durende schorsing van alle conflicten, er mocht dan niet worden gevochten of ruziegemaakt. De Germanen die ook in ons land leefden vierden rond deze tijd de Joelfeesten. In Scandinavische landen heet Kerstmis nog steeds Jul. Het woord Joel komt van "joelen". Men maakte namelijk een hoop lawaai om de doden die in deze tijd van het jaar als spoken op aarde konden teugkeren, te verjagen. Jule is daarom zowel een herdenkings- als een vruchtbaarheidsfeest
Tegenwoordig vieren wij nog steeds de terugkomst van het licht. Met Kerstmis hangen wij lichtjes in de dennenbomen. Daarnaast staat men wat meer stil bij conflicten in de eigen omgeving en probeert men wat vreedzamer te leven. Op

persoonlijk vlak kan deze tijd gezien worden als het begin van een nieuwe levenscyclus. Je kunt proberen bepaalde zaken af te sluiten. En je kunt bekijken wat je het komende jaar zou willen gaan doen.

ⓘ De Godin en de God
De Godin zit nu diep in de onderwereld. De nacht is op zijn donkerst. In deze lange nacht wordt met spanning gewacht of het licht opnieuw geboren zal worden en de zon zal terugkeren. Dan baart de Godin in haar winterslaap een nieuwe God, het Zonnekind. De namen van de Godin kunnen Isis, Kybele, Gaya of Nana zijn. De God wordt Wodan, Attis of Jezus genoemd.
De christelijke kerk viert de geboorte van het Zonnekind ook.

Maandag 24 december ○

Gisteravond betrapte ik mijzelf erop dat ik ineens wel heel scherp tegen de kinderen uitviel over hun schoenen en de jassen die weer eens in de gang op de grond lagen. Terwijl ik als een dolle stier tekeer stond te gaan, kreeg ik ineens een ingeving °°°*(O ja, ik moet zeker gaan menstrueren.)*°°°
Nou, ik sta op knappen. Als ik naar beneden kijk, ben ik iedere keer verbaasd dat mijn borsten er voor het oog als vanouds uitzien. Ze voelen aan alsof ze zó groot zijn dat ik er niet overheen kan kijken. Ze doen zeer en hun huid jeukt. Mijn buik is opgeblazen, ik ben wel een kledingmaat gegroeid. Ik heb zó het gevoel dat er iets uit moet. Alsof je moet poepen maar je niet kunt. En het is niet alleen lichamelijk. Ik weet dat er nu maar íéts hoeft te gebeuren (dat mij niet zint) en ik ga ontploffen. Ik ben net een vulkaan die op het punt staat tot uitbarsting te komen. En mijn magma zal gloeiend heet zijn. Ik ben Lilith, de boze heks. En dan moet de kerst nog beginnen ...
Vanavond heeft Mark de kinderen opgehaald. Ze zullen de eerste kerstdag bij de ouders van Mark doorbrengen. Ik ben

thuis. En blijf alleen. Gezien mijn persoonlijke omstandigheden lijkt mij dat maar beter ook. Rond Mabon heb ik geleerd dat bij menstruatie rond volle maan het proces van uitzuivering als zeer intens ervaren wordt en dat alle weggestopte frustraties extra heftig naar buiten kunnen komen. Dat risico moesten we maar niet nemen. Niet onder de kerstboom van mijn schoonouders.

> ⓘ **Kerstmis/ kerstfeest**
> Wikipedia: Het woord "Kerstmis" betekent eigenlijk Christus-mis. Met kerst wordt door de christenen de geboorte van Jezus gevierd. Hij werd de Christus (de gezalfde) genoemd. Het woord "kerst" komt hieruit voort. Net zoals "kerstenen". Dat betekent "christen maken". De "mis" waarop men doelt is de christelijke eucharistieviering.
> Veel aspecten van de manier waarop kerst tegenwoordig in de westerse christelijke wereld gevierd wordt, zijn afgeleid van prechristelijke en Germaanse tradities.
> Het was keizer Constantijn de Grote die in de vierde eeuw bepaalde dat Kerstmis op 25 december moest plaatsvinden. Op deze datum werd tot dan toe de zonnegod (Ra, Helios of Sol Invictus) vereerd. En Jezus werd in Johannes 1 het Licht van de Wereld genoemd. De geboorte van Jezus werd door de christelijke kerk eigenlijk niet als een heel belangrijke datum gezien. Pasen heeft voor het christelijke geloof een wezenlijker belang. Toch is kerst heden ten dage uitgegroeid tot een voornaam feest. Het thema van het feest en de ermee samenhangende tradities spreken blijkbaar veel mensen aan.

Dinsdag 25 december   Eerste kerstdag

Ik had wel uitgekeken naar een dagje voor mijzelf. Lekker alleen thuis. Ik zag mijzelf een lange wandeling maken door een dikke laag witte sneeuw terwijl de verse vlokjes nog naar beneden zouden dwarrelen. En daarna zou ik dan met een kop warme chocomel en een goed boek bij de kachel wegkruipen. Maar het alleen zijn is minder leuk dan ik dacht. Ik probeer de hele dag te doen alsof het geen Kerstmis is. Maar toen ik ging wandelen en ik door de ramen van andere huizen naar binnen keek, zag ik overal gezinnen gezellig rond de kerstboom samen zijn. Bovendien sneeuwde het niet. Het regende. En ik liep krom van de pijn in mijn onderrug. Vanochtend ben ik gaan menstrueren. En Lilith is met de noorderzon vertrokken. Vandaag wilde ik alleen maar huilen. De chocomel smaakte me niet en ik kon mij niet concentreren op mijn boek. Op televisie zijn alleen maar familiefilms. Films voor families. Maar de mijne is er niet. Ik mis de kinderen. En ik mis Mark.

♫ *Nothing but your kiss*
Nothing but your arms
I don't need nothing at all
But somebody to love ♫

(Nelly Furtado - Somebody to love)

Woensdag 26 december Tweede kerstdag

Aan het einde van de ochtend bracht Mark de kinderen weer thuis. Ze hadden het leuk gehad bij opa en oma. Mark had het ook fijn gevonden om hen wat langer bij zich te hebben. Het appartement waar hij zit, is zo clean en steriel dat hij Sem er niet langer dan een uur durft te laten verblijven. Ik merkte dat Mark er moeite mee had om weer afscheid te nemen en weg te gaan. Daar kon ik mij ook wel iets bij voorstellen. Het leek mij bepaald geen aantrekkelijk idee om alleen in het kille appartement van een vage vriend je tweede kerstdag te moeten slijten. En zeker niet als je die sores niet zelf geheel vrijwillig opgezocht had. Dus ik vroeg Mark met mij en de kinderen naar het bos te gaan. Hij nam mijn aanbod dankbaar aan. Met

de kinderen om ons heen, kwamen we niet tot een serieuze conversatie. Maar dat was juist wel goed. Om gewoon bij elkaar te zijn. En het niet moeilijker te maken dan het is. Weer thuis ging ik warme chocomel maken. Toen ik uit de keuken kwam, zat Mark op zijn favoriete plek op de bank de krant te lezen. De kinderen keken tv. En ik pakte mijn boek om bij de kachel weg te kruipen.
Aan het einde van de middag, toen de kinderen op hun kamers hun eigen ding aan het doen waren, vroeg ik Mark wat hij van plan was te gaan eten als hij weer terug zou zijn in zijn appartement. Hij antwoordde geen idee te hebben. En geen honger ook, bij de gedachte naar zijn verblijfadres terug te moeten gaan. Alhoewel ik zoiets al vermoedde, was ik aangedaan. Ik vond het dapper dat hij zichzelf blootgaf. En ik voelde een enorme spijt. Niet als in berouw. Maar als in jammer dat alles wat wij samen hadden, er niet meer leek te zijn. En voor het eerst sinds Mark bij ons is weggegaan, zei ik: 'Het spijt me zo.' En dat trof Mark. Dat kon ik aan het glanzen van zijn ogen zien.
Mark stelde voor om chinees te gaan halen. Na het eten rekten we het moment van afscheid nemen door met de kinderen gezelschapsspelletjes te doen. Maar toen zij, veel te laat, op bed lagen, konden we geen smoesjes meer verzinnen. 'Nou, dan ga ik maar', zei Mark.
Maar omdat Lilith ook al de kuierlatten had genomen, huilde ik. Tranen met tuiten. Ineens kwam alles eruit. Ik zei dat ik hem meer gemist had dan ik zelf had verwacht. En ik snikte dat ik banger was dat hij nooit meer terug zou komen dan ik voor mij zelf eigenlijk had willen toegeven. Mark was in één stap bij me om zijn armen om mij heen te slaan. 'Het komt wel goed, nu ben ik hier', fluisterde hij in mijn haar. Ik kon horen dat hij ook huilde. We zijn in bed gekropen en dicht tegen elkaar aan in slaap gevallen.

♬ *And if you want to talk about what will be,*
Come and sit with me, and cry on my shoulder,
I'm a friend. ♬

(James Blunt - Cry)

Vrijdag 28 december

De gemoederen zijn een beetje tot rust gekomen. Mark is gisterochtend na het ontbijt van ons huis vandaan naar zijn werk vertrokken. Hij had een aantal afspraken waar hij niet onderuit kon. Voor hij vertrok vroeg hij of hij 's avonds weer bij ons kon komen eten. Liever had ik gehad dat hij gevraagd had wat ik ervan zou vinden als hij weer gewoon thuis zou komen wonen. Maar ik begrijp ook wel dat hij niet over één nacht ijs gaat. Ik wil hem niet overhalen weer naar huis te komen. Die beslissing moet helemaal uit hemzelf komen.

♬ *I'll wait for you until you finish your fight*
I'll wait for you until the timing is right ♬

(Nelly Furtado - Wait for you)

Zondag 30 december

Ook Sem begint een beetje tot rust te komen. De vakantie doet hem zichtbaar goed. Hij was enorm overprikkeld de laatste tijd. Natuurlijk had dat voor een groot deel te maken met het feit dat zijn vader elders vertoeft. Sem is autistisch.

Maar hij is niet gek. Ook al heeft hij er met geen woord over gerept, hij had heus wel in de gaten dat er stront aan de knikker was. En ook al heeft hij niet gepraat over zijn gevoelens, dat wil niet zeggen dat hij ze niet heeft. Natuurlijk heb ik geprobeerd met hem te praten. Net zo goed als met Nonna. Maar met gesprekken kom je bij Sem niet zo ver. Je weet nooit precies wat er zich in zijn hoofd afspeelt, hoe daar de verbindingen gelegd worden. Dat merk je meer aan zijn daden. En de laatste maand was hij behoorlijk druk.
Maar ik geef mijzelf en Mark niet alle schuld. Op school gaat het al lange tijd niet goed meer. Eigenlijk kan hij vanaf de zomervakantie al niet goed meer meekomen. Ook al krijgt hij bijna dagelijks extra begeleiding. En ook al bleek uit het intelligentieonderzoek dat hij moest ondergaan, dat hij bovengemiddeld intelligent is.
Overigens twijfelde de klinisch psychologe die de test afnam er hevig aan of Sem überhaupt wel een autistische stoornis en/of ADHD had. Zo lief en rustig als hij daar in het ziekenhuis naast mij op de bank zat. Ik vond dat niet zo verwonderlijk gezien het feit dat Sem voor het eerst in zijn leven in een ziekenhuis was waar hij iets ging doen wat hij nog nooit gedaan had en hij bovendien net zijn dagelijkse dosis ritalin door zijn strot had. Ik heb de klinisch psychologe gevraagd of zij 's middags op Sem wilde komen passen. Nadat de ritalin uitgewerkt zou zijn en hij de spanning en inspanning van de test zou afreageren in zijn eigen veilige omgeving.
Sem heeft eigenlijk voortdurend een een op een begeleiding nodig. Hij is te snel afgeleid en werkt te ongeconcentreerd. Maar zijn juf heeft een klas vol kinderen die wachten op haar hulp om verder te kunnen met hun lesje. Sem kan niet wachten, hij heeft een korte spanningsboog. En dus doet hij alles om de aandacht van de juf te trekken. De orthopedagoge die Sem hiertoe observeerde, zei na afloop dat zij Sem dingen

had zien doen die zij héél vreemd vond. Dat doet mij pijn, ik heb geen vreemd kind. Ik heb een zoon. En ik ben zijn moeder.

Maandag 31 december Oudjaar ☾

Het afgelopen weekend is Mark veel thuis geweest. Zaterdag na de voetbalwedstrijd van Sem bood hij aan om bij hem te blijven zodat ik met Nonna naar de stad kon. Gisteren kwam hij de kinderen halen voor een bezoekje aan zijn zus. Toen ze terugkwamen, gingen de kinderen meteen hun eigen ding doen. En Mark bleef weer hangen. Vanavond na zijn werk heeft hij hier gegeten en hij heeft de kinderen beloofd te blijven totdat het nieuwe jaar is ingeluid.

ⓘ Oudjaar/Nieuwjaar
Wikipedia: Oudejaarsavond en Nieuwjaarsdag zijn christelijke feesten. Voor het christendom zijn intrede deed werd het nieuwe jaar veelal gevierd rondom het begin van de lente als de natuur weer tot leven kwam en de dagen langer werden. Het christendom wilde een einde maken aan de heidense gebruiken rond deze nieuwjaarsvieringen. Daarom werd 1 januari uitgeroepen tot bid- en boetedag om de besnijdenis van Jezus (zeven dagen na zijn geboorte) te vieren. In 1575 werd deze datum door de Spaanse landvoogd Requeses officieel gemaakt. Bij de Romeinen begon het nieuwe jaar al sinds 44 voor Christus op 1 januari. Toen werd door Julius Ceasar de juliaanse kalender ingevoerd.
De Germaanse oud- en nieuwjaarsvieringen werden wel in de winter gevierd. Hun Joelfeest begon op 25 december en duurde tot 6 januari.

Dinsdag 1 januari Nieuwjaar

Ik kom de piloot niet veel meer tegen deze dagen. Ik ben minder buiten. Hij mijdt deze kant van de straat. En áls ik

hem al tegenkom dan durft hij mij sinds ik zijn vrouw mijn excuses aangeboden heb, amper meer aan te kijken. Slechts een schuchter, bijna geluidloos 'Hallo', komt er over zijn lippen. Ik heb mij wel afgevraagd wat zijn vrouw hem verteld heeft. Heeft zij mijn excuses zo verdraaid dat ik weer lelijk uit de verf kom en zegt hij daarom niks meer? Is hij bang voor mij? Heeft hij een hekel aan mij? Of schaamt hij zich omdat hij zich niet aan zijn woord heeft gehouden en wel die enorme muur tussen ons gebouwd heeft?
Maar vannacht zag ik hem. In onze buurt is het gebruikelijk dat iedereen net na middernacht naar buiten komt om elkaar een gelukkig nieuwjaar te wensen. Het zou raar zijn als Mark en ik binnen bleven. Veel buurtgenoten weten niet eens dat hij eigenlijk niet thuis woont. En het zou ook raar zijn als de piloot en zijn vrouw binnen bleven. Ze liepen langs ons huis, maar hebben ons geen hand gegeven. Even heb ik overwogen om dat juist wel te doen. Maar waarschijnlijk zouden zij mijn gebaar hebben afgewezen. En eerlijk gezegd zouden mijn beste wensen niet oprecht geweest zijn.

Woensdag 2 januari

Mark en ik hebben gisteravond lang gepraat. Niet over onze situatie. Maar over Sem. Om een lang verhaal kort te maken, hebben we besloten dat Sem na de kerstvakantie naar het speciaal onderwijs zal gaan. We stonden al een poosje op de wachtlijst, voor het geval dat ... En vlak voor de vakantie is ons een plekje voor Sem aangeboden. Met gemengde gevoelens nemen we het aanbod aan. We vinden het moeilijk om Sem uit zijn vertrouwde omgeving te halen. Maar we

hebben er vertrouwen in dat hij op zijn nieuwe school beter op zijn plek zal zijn. Alle inspanningen van zijn lieve juf ten spijt, kan men hem op de reguliere basisschool niet bieden wat hij wel nodig heeft. Daarentegen krijgt hij er een heleboel van wat hij absoluut niet kan gebruiken. Prikkels! Een heleboel prikkels. Maar eerlijk is eerlijk, welk kind vaart wel bij de hoeveelheid prikkels die er tegenwoordig in november en december op hem wordt afgevuurd?
Als je geluk hebt, begint het feest pas met de aankomst van St.-Nicolaas. Maar met een beetje pech woon je in een gedeelte van het land waar ook het feest van St.-Maarten gevierd wordt. In dat geval zit je al begin november lampionnen in elkaar te knutselen. En beginnen de kinderen al lang voor de elfde van de elfde met het ontplooien van hun muzikale zangtalenten. En met het zeuren over snoep. Want wat moet er dit jaar bij de deur aan de andere nachtegaaltjes geschonken worden? (Lees: door mij gekocht en uitgedeeld). Hoeveel snoep zullen ze zelf weten op te halen? Plastic tassen vol, is mijn ervaring. Want probeer daar maar eens paal en perk aan te stellen als het zo makkelijk verkrijgbaar is. Een half uurtje blèren aan verschillende voordeuren levert toch al gauw meer snoep op dan je normaal gesproken in een week nog niet van je eigen moeder krijgt. Tenminste in het geval van Nonna en Sem. En die komen heus niets te kort.
En de ene goedheilig man heeft zijn hielen nog niet gelicht, of de volgende zit alweer op zijn stoomboot onderweg naar ons land. Overigens lagen de pepernoten dit jaar reeds in september in de winkel. Onze bruingebrande lijven waren net teruggekeerd van vakantie, maar met onze hoofden zaten we nog op de camping. Misschien wilde meneer Bolletje ons het vakantiegevoel laten vasthouden door ons direct na de zomervakantie op zijn kruidige Spaanse nootjes te vergasten. Maar ik vermoed dat zijn beweegredenen commerciëler

van aard waren. 'Ah mam, lekker pepernoten, zullen we die kopen?' En vanaf die tijd wordt de spanning langzaam opgebouwd.
Want ook al geloven kinderen niet meer in het bestaan van Sinterklaas, toch worden ze meegesleept in de hele circus erom heen. Op sommige televisiezenders zijn al vanaf begin november filmpjes te zien over de sint die dan zogenaamd nog in Spanje is. Op die manier kunnen we zijn hele reis naar Nederland meemaken. Maar ook op de niet-commerciële zender begint het sinterklaasjournaal al vóór de intocht. En dan duurt het meestal nog zo ongeveer drie weken voor het 5 december is. In die periode wordt de druk pas goed opgevoerd. Sint komt bij de voetbalvereniging, hij is op de hobbyclub en in het winkelcentrum kom je hem tegen. In de supermarkt mag je de schoen komen zetten en er is vast een sinterklaasmiddag op het werk van tenminste een van je ouders. Met de komst van sint op school is het hoogtepunt van de sinterklaasgekte bijna bereikt. Meestal is het dan al 5 december. En als je kinderen dan helemaal murw en misselijk thuiskomen, is er alleen nog maar pakjesavond. Thuis, bij opa en oma, of bij een tante. Of bij allemaal, dat kan natuurlijk ook.

Vrijdag 4 januari

Dit jaar waren de kinderen van de school van Nonna en Sem uitgenodigd voor een theatervoorstelling. Het ging over kerst. En het was 6 december. We konden de kont van het paard nog zien! °°°*(Doe eens normaal. Dan ben ík al gek genoeg!)*°°°
In de week na de theatervoorstelling begonnen de kerstworkshops. Door de hele school waren "kraampjes" opgesteld waaraan de kinderen activiteiten als kerstkaarten maken, pan-

nenkoeken bakken en dansoefeningen konden doen. Wat die laatste met kerst te maken hebben, is mij ontgaan. Wel heb ik opgemerkt dat de kraampjes voor een groot deel bemand werden door de moeders van de kinderen, mijzelf incluis.
Ergens in de periode na de kerstworkshops kwam er ook nog een clown op school. Ik heb mij niet meer verdiept in de redenen hiervan. Ik was alleen maar bezig met Sem die op zijn zachtst gezegd niet zo gecharmeerd is van clowns. Hij was met geen paard naar school te krijgen op de dag dat de clown zou komen. En het duurde dagen voor hij er weer een beetje vertrouwen in kreeg dat die clown echt niet meer terug zou komen.
Tegen die tijd was Nonna al druk met het maken van kerstkaarten. Het is deze gecommercialiseerde miljoenenbusiness gelukt om door te dringen tot de basisschoolkinderen. Zij delen nu ook in groten getale kerstkaarten uit. Leuk als ze de kaarten echt zelf maken, liefst zonder hulp van moeders. Maar vaak zijn het kant en klare kaarten met een voorgedrukte tekst. Naar mijn mening schieten die hun doel (te weten stil te staan bij een ander en zeggen wat je hem of haar gunt) voorbij. Ik ken niemand die het leuk vindt om kerstkaarten te schrijven. Soms denk ik echt dat ik de geur van frustratie kan ruiken als er weer zo'n bende kaartjes op de deurmat ligt. Zeker is het dat die emotie van ongenoegen van de afzender zich aan veel kaartjes laat aflezen.
En toen kwam het kerstdiner. Het kerstfeest op de school van Nonna en Sem wordt in de avonduren gevierd. De kinderen mogen die dag tussen de middag naar huis om iets lekkers voor hun klasgenoten te maken. Ik heb nog steeds niet begrepen waarom een schoolfeest 's avonds moet plaatsvinden. Het stoort mij dat van ouders verwacht wordt dat zij in deze toch al drukke tijden een middag in de keuken doorbrengen. Ik vind het raar dat de kinderen een middag vrij zijn terwijl er

een lange vakantie op stapel staat. En ik vraag mij echt af of de kinderen eigenlijk nog wel iets leren in de decembermaand. In ieder geval is dat niets over de reden, de oorsprong of de rituele gebruiken rondom het kerstfeest.
Toen ik tijdens het kerstdiner langs de klassen van Nonna en Sem liep, kwam het feest op mij over als een overvloedig vreetfestijn. Volgens mij was de enige kerstgedachte die de kinderen daar hadden, de volgende: Kerstmis is een feest waarbij iedereen er mooi uitziet, je heel veel mag eten en drinken en je alles wat je niet meer lust mag laten staan of weggooien. Naar mijn mening had de kerstviering op school niet zoveel te maken met naastenliefde. Ik geloof niet dat er een juf is geweest die de moeite genomen heeft te vertellen dat er op onze aardkloot veel kinderen zijn die geen eten hebben, laat staan mooie kleren. En er is ook niet gemeld dat er veel leeftijdgenootjes zijn die geen familie meer hebben, laat staan een reden om het kerstfeest te vieren.
Mijn gevoelens werden door een aantal voorvallen in en om de levende kerststal pijnlijk geïllustreerd. Maria en Jozef werden bij de deuren van de klaslokalen geweerd. Ze zouden de kinderen maar te veel storen onder hun eten. Er was geen plaats in de herberg. Dat dit geheel in overeenstemming met hun historie was, berustte helaas op louter toeval. Evenals het feit dat zij met hun herders en drie koningen niets te eten aangeboden kregen. Zelfs niet een beetje erwtensoep van het kraampje dat nota bene pal naast hen stond. En toen de vrijwillige acteurs eindelijk in de gelegenheid waren zelf hun honger te gaan stillen, vonden zij de hond in de pot. Terwijl de koorleden werden voorzien van hapjes en drankjes deden Maria en Jozef hun lot pijnlijk ironisch eer aan door wederom te worden overgeslagen.
Het stemde mij triest dat Kerstmis lijkt te zijn uitgehold tot een leeg feest zonder enige achterliggende liefdevolle gedachte.

Dit lijkt mij vrij eenvoudig op te lossen door bijvoorbeeld ook voedsel te doneren aan het Leger des Heils of de Voedselbank. Of door de tijdens de workshop gemaakte kaarten uit te delen in een bejaardenhuis. Of door de kinderen lootjes te laten trekken met de namen van hun klasgenootjes én met de opdracht een dag lang aardig te zijn voor degene wiens naam op het getrokken lootje staat.
Er zou ook uitgelegd kunnen worden dat het kerstfeest eigenlijk afstamt van Joel, dat zowel een herdenkingsfeest als een vruchtbaarheidsfeest is. Met kerst vieren wij de wedergeboorte van het licht op aarde of, zo het christendom wil, de geboorte van het kindje Jezus. Licht of kind. Maakt het wat uit? Beide zouden kunnen refereren aan de komst van liefde. Misschien maakt het niet zoveel uit wát wij onze kinderen in deze moderne tijden vertellen. Mits wij maar blijven vertellen. Over het waarom. En over de boodschap.

Zaterdag 5 januari

En als klap op de vuurpijl was er ook natuurlijk ook nog oudejaarsavond. Maar dat was misschien maar goed ook. Want daarna was Sem zo total loss dat zelfs hij eindelijk niet anders meer kon dan op de bank hangen in plaats van erop te springen.
Het is toch geen wonder dat onze kinderen overprikkeld raken. Het aanbod is zo groot. Veel te groot. En kinderen kunnen niet kiezen. Dat geldt niet alleen voor de autisten onder hen. Eigenlijk hebben ouders de taak om te kiezen voor hun kinderen. Maar ja, die hebben het vaak al moeilijk genoeg met het maken van hun eigen keuzen.
In een artikel uit een tijdschrift heb ik eens gelezen dat baby's

de wereld om hen heen als een soepje ervaren. Zij kunnen geen onderscheid maken tussen wat bij henzelf hoort of bij een ander. Ook jonge kinderen ervaren de wereld nog steeds alsof zij één zijn met het geheel. Zij hebben nog niet het vermogen om hun ervaringen te ordenen omdat zij hun hersenen nog niet bewust kunnen gebruiken. Als een kind in een onrustige omgeving verblijft zal het meegaan in die onrust, omdat het zelf nog niet die mogelijkheden heeft zich hiervoor bewust af te sluiten. En alle prikkels die binnenkomen moeten ook worden verwerkt. Als er te veel wordt waargenomen en hierbij het cognitieve brein niet wordt gebruikt (en dat is nou net wat jonge kinderen nog niet voldoende kunnen) dan wordt ons limbisch systeem getriggerd. Dan vindt er geen angst- en agressieregulatie meer plaats, maar wordt vanuit instinctieve reacties gereageerd. Er worden hormonen als cortisol en adrenaline aangemaakt en het bloedsuikergehalte neemt toe. Deze inwendige stressreacties zijn aan de buitenkant waar te nemen aan zweethanden, verkrampingen van rug en schouder, aan overbeweeglijkheid of woedeaanvallen.
Het artikel onderschreef ook de noodzaak om prikkels tijdig weg te nemen. Natuurlijk moeten kinderen leren om te gaan met overprikkeling en ook leren aanvoelen wanneer hun eigen overprikkeling begint. Maar in een wereld die steeds meer prikkels afgeeft moeten we als ouders (en leerkrachten) het kind ook helpen om "veel" terug te brengen tot "weinig". Aangezien het kind zelf nog niet de beste afwegingen kan maken moeten wij dit voor hen doen. Maar ja, wij zien het licht vaak zelf ook niet. En we kunnen de weg naar onze eigen stal niet eens vinden.

Zondag 6 januari   Driekoningen

In ieder geval is Mark wijs geworden. Hij heeft het licht gezien. En gisteravond vond hij de weg naar onze stal weer terug. Hij vroeg mij wat ik ervan zou vinden als hij weer gewoon thuis zou komen wonen. Mijn hart vond dat ik moest juichen. Maar mijn verstand zei dat er eerst nog wat obstakels uit de weg moeten worden geruimd. We hebben immers nog geen oplossing voor mijn latente behoefte aan polyamorie. En daar kan ík wel mee leven. Maar ik vraag mij af of Mark dat ook kan.

> **ⓘ Driekoningen**
> Wikipedia: Op 6 januari herdenkt men in het christendom de Wijzen die uit het Oosten kwamen en tot aan Bethlehem een ster volgden om Jezus te begroeten als pasgeboren koning van de Joden. Het feest is ontstaan in de vierde eeuw in het Oosterse christendom en was bedoeld om de verschijning van de vleesgeworden God op aarde te vieren. Daarbij werden meerdere tekenen van de goddelijkheid van Jezus, zoals zijn geboorte uit de Maagd Maria en het bezoek van de Wijzen uit het Oosten, herdacht. Uiteindelijk bleef alleen de aanbidding van de Wijzen over om hiermee de bekendmaking van Christus aan de wereld te vieren. In de volksverhalen zijn de Wijzen tot koningen gemaakt. En waarschijnlijk omdat er sprake is van drie geschenken, te weten goud, wierook en mirre, heeft men er ook drie koningen van gemaakt. In Nederland wordt in verschillende plaatsen nog Driekoningen gevierd. Kinderen lopen dan in groepjes van drie verkleed als koningen langs de huizen. Ze dragen lampionnen en zingen een lied. Als beloning krijgen ze snoep of geld. De lampionnen zijn een overblijfsel uit de oude heidense gewoonte om met fakkels de boze geesten (van het oude jaar) te verjagen. Het snoepgoed is een afgeleide van de heidense offermalen.

Maandag 7 januari

Sem heeft het nieuws over zijn nieuwe school, in tegenstelling tot wat wij verwachtten, goed opgepakt. Aan het begin

van de kerstvakantie hebben wij hem verteld dat er een plekje voor hem was op een andere school waar meer kinderen zijn die dezelfde problemen hebben als hij. Natuurlijk protesteerde Sem toen meteen. Na lang praten kwamen we erachter dat hij het meest bang is geen nieuwe vriendjes te kunnen maken. In een moment van wanhoop heeft Mark toen geopperd dat we voor Sem dan misschien maar een vriendje moeten gaan kopen. Een vriendje in de gedaante van een hond. 'O', zei Sem. 'Als ik een hond krijg, dan ga ik na de vakantie toch beginnen op die nieuwe school.'
De rest van de vakantie ging het meer over die hond dan over de nieuwe school. Ik heb Mark gevraagd of die collega van hem, in wiens steriele appartement hij nu woont, het wel goed vindt dat Mark gaat proberen daar een kleine puppy zindelijk te maken. Mark stotterde dat het de bedoeling was dat de hond opgroeit in het huis waar Sem opgroeit. Ik antwoordde dat het mijn bedoeling was om zelf ook te blijven wonen in het huis waar Sem opgroeit. Tegen Sem heb ik gezegd dat hij maar vast goed moest gaan oefenen omdat ik niet van plan ben in mijn eentje voor die hond te gaan zorgen. Sem zou Sem niet zijn als hij daarbij geen concrete aanwijzingen nodig had. Dus ben ik al een paar dagen nog vóór het ontbijt met Sem naar buiten gegaan om onze onzichtbare hond uit te laten. Als wij dan terugkwamen, mocht Sem zijn hond een hondenbot geven. Ik weet helemaal niet of honden iedere dag een bot krijgen, maar ik speelde het spel maar mee. Stiekem lijkt het mij trouwens geweldig leuk om een hond te hebben. We lieten de onzichtbare hond vier keer per dag een ommetje maken. Ik geloof wel dat dat aan de behoefte van een hond voldoet. In ieder geval voldeed het wel aan de mijne, want daardoor kreeg ik Sem een stuk makkelijker bij zijn computerspelletjes vandaan.

Dinsdag 8 januari ●

Vandaag moest Sem voor het eerst naar zijn nieuwe school. Hij had er zowaar zin in. We zijn er gisteren even wezen kijken en hij heeft gezien dat ze er Stratego hebben. Dat had hij gevraagd, maar niet gekregen, voor sinterklaas. Door de vakantie en de onzichtbare hond lijkt zijn oude school wat weggezakt. Maar ik weet dat het niet alleen daardoor komt dat hij er weinig moeite mee lijkt te hebben aan iets nieuwe te beginnen. Het is ook dat Sem niet overziet wat de consequenties zijn van deze verandering. Hij bevat niet dat hij nooit meer terug zal gaan naar zijn oude school.
Vanochtend hadden we eerst een kennismakingsgesprekje met de directeur van de school. Die wilde natuurlijk ook even weten wat voor vlees hij in de kuip kreeg. En volgens mij gaat het bij directeuren misschien nog wel meer om de ouders dan om de kinderen. Met de kinderen zoeken de juffen het wel uit. Maar die ouders, daar moet de directeur mee dealen. En dat kan weleens lastig zijn. De directeur vroeg aan Sem of hij broertjes en zusjes had. En huisdieren misschien? 'Ja, wel veertien', antwoordde Sem. 'We hebben vier vissen, zes kippen en vier poezen.' Bij de kippen zag ik de man al fronsen, maar bij het horen van het poezenaantal haalde hij echt zijn wenkbrauwen op. Ik haastte mij om uit te leggen dat we een nestje met kittens hadden. 'Ja', voegde Sem daaraan toe, 'eigenlijk hadden we vier kittens, maar eentje is er dood gegaan, dus die tel ik niet meer mee. Maar toch hebben we eigenlijk wel vijftien dieren, want we hebben ook nog een hond.' De directeur snapte niet hoe Sem nou een beest als een hond had kunnen vergeten. 'Omdat-ie onzichtbaar is', antwoordde Sem. Toen was de directeur pas echt gealarmeerd. Hij keek mij aan en vroeg: 'Heeft hij een onzichtbare hond verzonnen?'

Nog voor ik kon antwoorden, zei Sem: 'Nee, dat heeft mama gedaan.'

Woensdag 9 januari

Vanochtend zou Sem voor het eerst worden opgehaald door een busje van de vervoersdienst van de gemeente. En dat vond-ie stoer. Dus toen het busje kwam, was ik de enige met een brok in de keel. Sem koos een plekje bij het raam waar een Tweetiesticker opgeplakt zat. Hij trok rare bekken naar ons terwijl het busje wegreed. Ik veegde mijn ogen droog en sprong op de fiets. We hadden afgesproken dat ik naar zijn school zou komen om hem daar op te wachten zodat ik Sem zelf naar zijn nieuwe klas zou kunnen brengen. Ik fietste er een kwartier over om bij de school te komen. En daar heb ik vervolgens nog drie kwartieren op Sem moeten wachten. En hij kwam niet eens met het busje. Om de hoek van de straat is hij eruit gezet. Dat heb ik niet gezien. Ik verwachtte een busje dat voor de schoolpoort zou komen voorrijden. En er kwamen ook een heleboel busjes. Maar die hadden geen Tweetiesticker. En toen opeens kwam er een jongetje met twee grote tassen om zijn nek de hoek om. Naast al zijn proviand voor de hele dag, moest hij ook zijn gymspullen meenemen. Het jongetje was veel te klein voor zijn tassen. En hij was ook veel te ver van huis om daar alleen te lopen. Bovendien had hij veel te lang in dat busje gezeten. Hij was lijkbleek. Sem wordt altijd wagenziek. 'Nou mama, breng mij morgen zelf maar weg', zei hij. Zijn lol was eraf. En mijn moederhart gebroken. Op de terugweg naar huis regende het. Pijpenstelen. En tranen.

Donderdag 10 januari

Gisteren heb ik de hele dag pijn in mijn buik gehad. Ik kon het beeld van dat kleine bleke jongetje dat zo sip het hoekje om kwam, niet uit mijn hoofd krijgen. Het zat mij helemaal niet lekker dat ik Sem zo snel na zijn horrorreis had moeten achterlaten in een nieuwe klas. De hele dag vroeg ik mij af hoe het hem zou vergaan. Maar hij was zo ver weg. En het zou nog zo lang duren voordat hij weer door het busje zou worden thuisgebracht. En in de toekomst zou ik niet meer voor de schoolpoort op hem staan te wachten. Dan zou hij alleen zijn weg van het busje naar de klas moeten zien te vinden. Met die zware tassen. Ik geloof niet dat dát gaat lukken. Misschien kan Sem het wel. Maar ik trek dat niet.
Gisteravond heb ik besloten dat Sem niet, nooit of te nimmer meer met het busje naar school hoeft. Vandaag heb ik hem zelf gebracht. Het is voor mij toch ook maar een kwartier fietsen. Voorlopig blijf ik dat zo doen. De gedachte dat Sem niet goed in zijn vel aankomt op school en daar dan nog de hele dag mee moet rondlopen zonder dat ik het weet, is onverdraaglijk voor mij.
Ik besef dat het mijn eigen gevoelens zijn die ik op Sem projecteer. Ik voelde mijzelf vroeger altijd moederziel alleen en door God verlaten als ik naar school toe moest. Ik wilde gewoon thuis blijven, bij mijn vertrouwde spulletjes, bij mijn moeder. Ik dacht dan ook de hele dag aan thuis. Ik had voortdurend een brok in mijn keel en tranen in de ogen. Ik kon niet eten en ik hoefde niet te drinken. Ik voelde mij ziek. Totdat ik weer naar huis toe mocht. Dan was alles over. Dan had ik geen knoop meer in mijn maag. Dan deed mijn slokdarm normaal en kon ik weer praten zonder te huilen.
Sem komt wel met het busje naar huis. De chauffeur heeft dan een andere route, Sem is dan de laatste die wordt op-

gehaald bij school en de eerste die thuis wordt afgezet. Bovendien komt hij dan naar huis. Naar mij. Zijn moeder.

Zaterdag 12 januari

Sem is autistisch. Zeggen ze. Autisten hebben moeite met sociale interacties. Er is sprake van een communicatieprobleem. Ze kunnen zich niet verplaatsen in de gevoelens en gedachtegangen van anderen. Ze zijn egocentrisch. Autisten hebben veel structuur nodig en houden dwangmatig vast aan bepaalde gewoonten. Mensen met autisme denken fragmentarisch, zij zien het grote geheel niet.
Toen Sem de eerste dag thuiskwam van school, zei hij dat hij mij had gemist. Hij was ontroerd door mijn tranen. Hij vond het vervelend voor mij dat ik zo'n verdriet om hem had gehad. Hij vroeg wat ik zoal de hele dag gedaan had om de tijd door te komen. Hij wilde geen tv gaan kijken maar liever even met mij praten. Toen ik hem vroeg waarover, antwoordde hij: 'Nou, over gevoelens.' Hij stelde voor om koekjes te gaan bakken omdat hij weet dat mij dat altijd opbeurt.
Nonna kwam na schooltijd niet thuis. Ze belde wel om te zeggen dat ze was meegegaan met een vriendin. Zij heeft vriendinnetjes bij de vleet. Mijn dochter is een populaire meid. Zij is, zoals dat heet, sociaal zeer vaardig. Toen zij thuiskwam van haar speelafspraak heeft zij niet aan Sem gevraagd hoe hij zijn eerste schooldag geweest was. En toen Sem haar er attent op maakte dat ik erg verdrietig geweest was vanwege zijn busjesavontuur, haalde ze haar schouders op. Ze reageerde pas op het moment toen wij haar vertelden dat zij voortaan alleen naar school mag lo-

pen omdat ik Sem dan aan het wegbrengen ben. 'En wie moet dan mijn tas dragen?', vroeg ze.
In onze maatschappij zijn er veel mensen sociaal zeer vaardig.

ⓘ Autisme

Autisme komt van het Griekse woord "autos". Dat betekent "zelf". Het woord autisme verwijst naar de in zichzelf gekeerde indruk die mensen met autisme kunnen maken. Onder de noemer "autisme" of "autistische stoornis" vallen verschillende aandoeningen. Daarom spreekt men ook wel van een stoornis uit het autismespectrum of Autisme SpectrumStoornis (ASS).
Dit spectrum valt voor te stellen als een soort van waaier. Een waaier kan zich uitvouwen, maar ook kunnen bepaalde delen elkaar overlappen. Aan de ene uiterste zijde kan bijvoorbeeld het klassiek autisme, zoals we dat kennen van de film *Rain Man*, geplaatst worden. Terwijl zich aan de andere zijde bijvoorbeeld de stoornis van Asperger bevindt. Ergens daartussen liggen bijvoorbeeld PDD-NOS en McDD. En ook aanverwante stoornissen zoals Gilles de la Tourette, ADHD en dyslexie kunnen een plekje krijgen op de waaier. De verschillende stoornissen zijn vaak niet duidelijk van elkaar te onderscheiden. Maar bij alle gaat het om een pervasieve ontwikkelingsstoornis waarvan de oorzaak neurologisch is. De verwerking van informatie uit de omgeving en uit het eigen lichaam door de hersenen verloopt anders. De hiermee gepaard gaande problematiek kan worden opgevat als een informatieverwerkingsstoornis. De problemen doen zich dan ook met name voor in situaties waarin veel informatie moet worden verwerkt; in sociale contacten, op school of tijdens werk. Er is vaak sprake van "botsingen" met de omgeving. Er wordt niet, of slechts op een vreemde manier, contact gemaakt. Gedragsregels zijn niet vanzelfsprekend. En veranderingen, onoverzichtelijkheid en vage begrippen zijn moeizaam te behappen. Maar ook het contact met de eigen binnenwereld kan problematisch verlopen. De emotionele regulatie is anders, stemmingen kunnen vlot wisselen, vaak ontbreekt relativeringsvermogen en automatisering van gedrag en handelingen verloopt niet vanzelfsprekend.
Autismespectrumstoornissen zijn in hoge mate erfelijk. In veel families komen bij meerdere personen verschillende stoornissen uit het spectrum voor. ASS is aangeboren. Het tot uiting komen, wordt mede bepaald door omgevingsfactoren, gezinssituatie, school, temperament, geslacht en intelligentie. De stoornis is geen gevolg van opvoedingsstijl, maar bepaalt juist in sterke mate de manier van opvoeden. De verschijnselen van ASS zijn wisselend per persoon. Daarnaast kan het beeld van één individu door de jaren heen een grillig verloop vertonen. Dit alles maakt het lastig om een juiste diagnose te stellen.
De diagnostische criteria voor autisme zijn vastgelegd in de DSM-IV, het handboek van de psychiatrie (Diagnostic en Statistical manual of Mental Disorders, vierde editie).
1 Volgens deze criteria vertonen autisten in totaal zes of meer eigenschappen uit

drie verschillende categorieën.
A De eerste categorie betreft een kwalitatief gebrek in de sociale omgang. Hierbij kan sprake zijn van een tekortkoming in non-verbale gedragingen. Sommige autisten maken geen oogcontact en begrijpen gezichtsuitdrukkingen van anderen niet. Het kan moeilijk zijn om gelijkwaardige relaties te onderhouden.
Spontaniteit ontbreekt, interesse in de ander ontbreekt en er is geen emotionele wisselwerking.
B De tweede categorie betreft een kwalitatief gebrek in de communicatie. Er kan sprake zijn van een vertraging in de ontwikkeling van gesproken taal. Als dat niet het geval is, dan is er vaak sprake van tekortkomingen om gesprekken met anderen te voeren of bezigt men eigenaardig taalgebruik.
C De derde categorie betreft herhalend en stereotiep gedrag, interesses en activiteiten. Autisten hebben vaak sterke voorkeur voor een bepaald thema, waar zij vaak en veel mee bezig zijn. Daarnaast komen obsessies voor voorwerpen voor en ook het maken van herhalende motorische handelingen.
2 Volgens de DSM-IV moet bovendien al voor het derde levensjaar sprake zijn van een achterstand of abnormaal functioneren op het gebied van sociale omgang met anderen, taalvaardigheden, en symbolische denkbeeldige spellen.
3 Ten slotte mag de afwijking niet gediagnosticeerd kunnen worden als zijnde Rett's Disorder, hetgeen een desintegratiestoornis is.

Zondag 13 januari

Sem is autistisch. Zeggen ze. Ik vind het best. Zolang hij dat etiketje draagt, krijgen wij alle hulp die wij nodig hebben. De psychiater die Sem gediagnosticeerd heeft, maakte ons erop attent dat iedere professional een andere opvatting heeft over autisme. In zijn diagnostisch rapport betreffende Sem schreef hij dat kennis over autisme, vooral over de hoger functionerende vormen, pas recent wijder verspreid is. Zelfs heden zijn er nog psychiaters die in het geheel niet op de hoogte zijn van het fenomeen. En onder degenen die er wel van op de hoogte zijn, bestaan er enorme meningsverschillen over hoe de diagnostische criteria moeten worden opgevat. Daarom kan iemand die door dr. A als Asperger gediagnosticeerd wordt, van dr. B best de diagnose PDD-NOS krijgen, terwijl dr. C t/m S de problemen zouden kunnen diagnosticeren als dwangmatige neurose, burn-outklachten of voedselallergie. En dr. T t/m Z zouden waarschijnlijk ontkennen dat er überhaupt sprake is van een probleem.

Dinsdag 15 januari 2008 ☽

Sem was een lieve baby. Vrolijk ook. Toen hij vijf weken oud was kon hij al lachen. Hij kreeg borstvoeding. En als ik niet in de buurt was om hem te kunnen troosten met mijn tepel dan gebruikte hij zijn eigen duimpje. Toen hij een half jaar oud was, raakte hij besmet met het RS-virus. Maandenlang heeft hij heel veel overgegeven. Ook leek hij astmatisch en daarvoor kreeg hij een babyinhaler.
Zijn motoriek ontwikkelde zich snel. Rollen, zitten, kruipen, staan en lopen volgden elkaar in razend tempo op. Nog vóór hij één jaar was, bezocht hij al zelfstandig zijn even oude buurjongetje. Hij liet zich daarbij niet ontmoedigen door de twee meter hoge schutting die onze huizen scheidden. Met zijn motoriek ontwikkelde zich ook zijn temperament. Hij was nog maar een half jaar toen hij voor het eerst zó boos werd, dat hij zichzelf "achter zijn adem huilde" waardoor hij bewusteloos raakte.
De juf van de kleutergymnastiek noemde Sem bewegingsintelligent omdat hij een goede beheersing had over zijn motoriek. Dat had hij ook. Zolang hij nadacht bij wat hij deed. En dat was nou net wat hij vergat zo gauw hij niet meer op de gymles was. Ik noemde Sem mijn kleine brokkenpiloot. Toen hij zes tanden in zijn mond had, was er van vier al een stukje af. En in de vijfde zat een barst. Voortdurend struikelde hij over zijn eigen voeten. En iedere dag gingen al zijn bekers drinken om. Soms viel hij zelf ook zomaar van zijn stoel. En stilzitten heeft hij nog steeds niet geleerd.

Toen hij nog heel klein was, maakten we hem, om grote ongelukken te voorkomen, met een tuigje vast aan zijn triptrapstoel. Totdat hij op een onbewaakt ogenblik zichzelf met zijn voeten had afgezet tegen de tafelrand en met stoel en al achterover op het parket was gekletst. Hij was toen anderhalf. Met de box ging hij ervandoor toen hij twee was. En ook in zijn bed bleef Sem niet liggen. Daarom trokken wij hem een trappelzakje aan. Hij bleef in zijn bed totdat hij ontdekt had hoe hij in trappelzakje zijn bed uit kon klimmen. En de trap af kon komen! Wij dachten niet voor één gat gevangen te zitten en haalden een riem door de armsgaten van het trappelzakje en bonden Sem vast aan zijn matrasje. Ik zal nooit zijn triomfantelijke gezicht vergeten toen hij plotsklaps toch beneden stond. In zijn trappelzakje. Met het matras op zijn rug!

Woensdag 16 januari

Nog iedere dag neemt Sem risico's waar een ander zijn leven niet voor waagt. Maar Sem ziet geen gevaar, omdat hij oorzaak en gevolg niet verbinden kan. Bovendien heeft hij een hoge pijngrens. Hij kan zijn vingers in een brandende kaarsvlam steken zonder de pijn van de hitte te voelen. Als hij ziek is, dan klaagt hij niet. Hij moet er wel bijna dood bij neervallen voordat hij zelf voelt dat hij niet helemaal in orde is. Toch is hij heel kleinzerig. Vooral waar het zijn hoofd betreft. Haren knippen doet hem pijn. En gel mag er niet in. Dat is vies. Maar zijn haren wassen wil hij ook niet. Evenmin als tanden poetsen. Zijn mond is gevoelig. Daarom wil hij bepaalde dingen pertinent niet eten. Het gaat dan niet eens zozeer om de smaak, als wel om de substantie. Een perenijsje is lekker, maar met een peer maak je hem niet blij. En mij ook

niet toen ik het van de muur kon afschrapen nadat ik hem zijn eerste peertjesprakje had gegeven.
Toch stopte Sem altijd alles in zijn mond. En dat doet hij nog steeds met dingen die hij niet kent. Maar hij wil ook altijd alles voelen en aanraken met zijn handen. In de supermarkt is dat nog maar een klein probleem. Het wordt vervelender wanneer hij wil weten hoe het rimpelige velletje van een oud dametje aanvoelt. En erg onaangenaam was het toen hij wilde onderzoeken of de donkere huid van een vervaarlijk uitziende Surinamer ook kon afgeven.
Sem is nooit eenkennig geweest. Die fase heeft hij overgeslagen. Hij is juist heel open. Tegen iedereen. Een paar maanden geleden vertelde hij in de bus dat zijn moeder die ochtend zo'n harde scheet had gelaten dat hij hem door de slaapkamermuur had kunnen horen. Sem is een allemansvriendje. Kinderlokkers hebben aan hem een makkie. Sem is het type dat zelf het eerste contact zou leggen.
Sem kon altijd goed praten. Zijn taalontwikkeling verliep normaal. Maar zijn stemgeluid is dat nooit geweest. Hij schreeuwde altijd. Lange tijd heb ik gedacht dat hij doof was. Maar als ik dat testte door heel zacht 'Wil je een snoepje?' te fluisteren, dan bleken zijn oren prima in orde. Overigens had ik dat, als ik beter had opgelet, ook wel kunnen merken aan de manier waarop hij op de stofzuiger of de afzuigkap reageerde. Maar het duurde lang voordat tot mij doordrong dat het die zoemende geluiden waren waarvan hij zo hyper werd. Op een gegeven moment viel mij op dat ik maar een knopje hoefde om te zetten van willekeurig welk huishoudelijk apparaat of Sem begon onder het gillen van indianenkreten op de bank te springen. Ook op geuren kan hij extreem reageren. Het parfum van het kassameisje van de buurtsuper doet hem kokhalzen. Maar ik weet niet zeker of dat aan Sem ligt ...
Sem heeft tics. Sommigen zijn geweest en weer verdwenen.

Zoals het keel schrapen, neus ophalen, met de handen fladderen en op de tenen heen en weer dribbelen bij opwinding. Sommige tics blijven. Zoals het teennagels bijten. En de tics voor bepaalde onderwerpen. Vele en vreemde interesses (om niet te schrijven obsessies) passeerden de revue: dinosauriërs, dood, skeletten, Jezus, bloed en het heelal. Daarentegen is hij weer als de dood voor vogels en speelgoedautootjes.
Sem heeft nooit met autootjes willen spelen. Maar eigenlijk wilde hij überhaupt niet spelen. Of misschien wilde hij het wel, maar wist hij gewoon niet hoe. Terwijl Nonna zich uren kon vermaken met de blokken en ander kinderspeelgoed, leek Sem nooit te weten wat hij ermee moest doen. Behalve het kapot te maken. Dat deed hij niet expres. Het leek al uit elkaar te vallen als hij er maar naar keek. En hij vond het zelf ook veel leuker om dingen uit elkaar te halen. Lange tijd heeft hij niet met Lego willen spelen, want dat moet je eerst in elkaar bouwen. Zolang ik Sem voordeed wat hij met zijn speelgoed kon doen of samen met hem speelde, ging het goed. Maar als ik moe werd van het animeermeisje spelen en hem voorstelde even alleen te gaan spelen, raakte hij helemaal in paniek. 'Ik weet niet wat ik moet doen', riep hij dan. Als ik geen tijd of zin heb, was Nonna een goed surrogaat. Maar het samenspel verliep meestal niet soepel. In doen-alsofspelletjes wil Sem altijd de baas zijn. Hij bepaalt wat er gebeurt en anderen moeten doen wat hij wil. Als iets niet gaat zoals hij het wil dan wordt hij heel driftig.
Sem kan niet tegen onverwachte gebeurtenissen. Hij is bang de controle en daarmee het overzicht te verliezen. Vroeger kon de deurbel niet gaan of Sem begon al te rennen. De trap op. En weer af. Net zolang tot het onverwachte bezoek weer weg was.
En dingen die iedere dag hetzelfde zijn, beklijven niet. Sem is nu negen jaar en nog steeds lijkt hij 's ochtends niet te weten

waarom hij in de gang staat voordat wij naar school toe gaan. Als ik er niets van zeg, komt het niet bij hem op dat hij misschien zijn jas en schoenen moet aantrekken.
Sem is anders. Sem lijkt alles, wat ik niet ben.

Zaterdag 19 januari

Als kind was ik extreem verlegen. Sem maakt juist veel contact met andere mensen. Hij is extravert, ik introvert. Sem is een durfal. Ik was bangelijk. Sem houdt van lawaai, van kermis en circus. Ik dook al onder de tafel als de fanfare de straat in kwam. Sem gaat graag logeren. Ik had altijd heimwee. Sem gaat uit van zichzelf. Ik paste mij heel erg aan aan mijn omgeving. Sems fijne motoriek is niet voldoende ontwikkeld, ik hield juist van dat priegelwerk als tekenen, handwerken en knutselen. Maar Sem daarentegen is goed in de grove motoriek, terwijl ik heel stijf en houterig bewoog en slecht was in sport. Sem kan zich moeilijk concentreren, ik heb daar nooit moeite mee gehad. Sem houdt daarom ook niet zo van lezen, terwijl ik mij helemaal kon verliezen in een mooi boek. Sem vindt strips wel leuk, maar ik werd misselijk van de vele kleurige plaatjes. Sem is impulsief. Ik denk juist te veel na voor ik doe.

Zondag 20 januari

Er woedt een storm in mij. Ik ben zo druk vanbinnen. Alles gaat mis. Ik laat alles uit mijn handen vallen. Ik hoef maar naar iets te kijken of het gaat al kapot. Ik laat het eten aan-

branden. Ik ben het overzicht verloren. Ik ben ook een beetje kwaad op Mark. Hij laat mij wel heel veel in mijn eentje regelen. Terwijl hij ondertussen steeds vaker mooi hier aan tafel aanschuift. Hij kletst nog steeds over weer thuis komen wonen. Maar daarbij geeft hij mij telkens het gevoel dat áls ik daar "ja" tegen zeg, ik wat hem betreft ook definitief kies voor monogamie. En wat mij betreft is dat niet het geval. Ik wil en kan die belofte niet nog eens doen. Ik heb het gedaan toen wij gingen trouwen en dat is mij achteraf niet goed bevallen. Ik weet niet welke verrassingen de toekomst voor mij nog in petto heeft. En dat wil ik ook helemaal niet weten. Want ik weet op dit moment al even geen raad met mijzelf. En met de hormonen die door mijn lichaam razen.
Vanmiddag liep ik naar de kelder om de aardappelen te pakken, maar omdat ik in de bijkeuken zag dat de wasmachine klaar was, wilde ik die eerst leeghalen. Daarbij stootte ik een pak waspoeder van de plank boven de droger. Alle poeder stoof door de bijkeuken. Dat kon ik zo niet laten liggen. Dus daarom haalde ik de stofzuiger. Onderweg zag ik dat de postbode het pad op liep. En in plaats van naar de stofzuiger, ging ik naar de brievenbus. Er zat een factuur bij van een abonnement op een tijdschrift dat wij allang niet meer ontvangen. Dat wilde ik meteen maar even rechtzetten. Maar mijn computer staat boven op mijn bureau. En op mijn bureau lagen nog veel meer paperassen waar wat mee moest gebeuren. Het gevolg was dat ik de rest van de tijd achter de pc en de telefoon gezeten heb om allerlei instanties achter hun broek te zitten. Ik heb niet eens geregistreerd dat het busje van Sem de straat kwam in rijden. Ik merkte hem pas op toen hij ineens boven voor mijn neus stond. Met waspoeder aan zijn voeten. En zijn voetstappen stonden overal. Van de slaapkamer tot aan de bijkeuken. °°°*(Oh ja, eigenlijk was ik aan het koken.)*°°° Het was al bijna etenstijd en ik had

de piepers nog steeds niet geschild. En ik moest ook de was nog ophangen en het hele huis stofzuigen. Maar in welke volgorde? Ik ben de kluts even helemaal kwijt. Misschien is de appel toch dichter bij de boom gevallen dan ik dacht.

Maandag 21 januari

Ach, ik weet wel dat naast de verschillen tussen Sem en mij er ook vele overeenkomsten zijn. De gelijkenissen zijn mij pijnlijk duidelijk geworden toen Sems diagnose werd gesteld. Ik heb in die tijd zoveel gelezen over autisme dat ik in ieder mens wel een aantal autistische eigenschappen kon vinden. En wat mijzelf betreft hoefde ik niet zo hard te zoeken.
Ook ik viel vroeger altijd van mijn stoel en gooide iedere dag mijn beker van tafel. Ook ik reageerde extreem op prikkels uit mijn omgeving en vanuit mijn eigen lichaam. Ook ik had grote problemen met kledingstukken die niet "lekker" zaten. Ook ik had problemen in de sociale omgang met andere mensen. Ook ik had een grote chaos in mijn hoofd. Maar ik groeide op in een rustigere omgeving in een toen nog prikkelarmere maatschappij. En naarmate ik ouder werd, lukte het mij steeds beter om mijzelf de structuur te bieden die ik nodig had. Ik ben heel goed geworden in lijstjes maken, schema's opstellen en plannen.
Bovendien viel ik niet zo op. Terwijl Sem zijn gevoeligheden en overprikkeling laat zien door heel druk te gaan doen, deed ik dat door mij in mijzelf terug te trekken. Ik was een stil meisje. Sem is een druk jongetje. Maar het verschil zit 'm niet zozeer in onze manier van doen. Aan mijn teruggetrokkenheid en zijn drukte zou best dezelfde oorzaak ten grondslag kunnen liggen. Het verschil zit vooral in het feit

dat ik een vrouw ben en hij een jongen. Het ligt meer in de aard van meisjes om te compenseren en camoufleren.

Dinsdag 22 januari ○

Mijn menstruatie is weer keurig op tijd deze maand. En het is ook meteen weer een stuk rustiger in mijn hoofd. Toch denk ik erover om weer te beginnen met de prozac. Ik heb het gevoel dat ik de laatste tijd meer aan het overleven ben in plaats van aan het leven. Ik ben moe. Iedere avond ben ik blijer als ik eindelijk naar bed toe mag. En iedere ochtend vind ik het moeilijker om mijn bed uit te komen. Natuurlijk heeft dat te maken met de tijd van het jaar. En natuurlijk speelt het feit dat ik veel alleen moet doen ook een rol. Maar toch ... De lente lijkt nog zover weg.
Ik zou mijzelf niet willen omschrijven als een depressieve vrouw. Toch heb ik jarenlang antidepressiva geslikt. En sluit ik niet uit dat ik voorlopig nog steeds niet zonder medicatie kan. De laatste maanden heb ik gemerkt hoe het ook alweer is om zo onderhevig aan stemmingswisselingen te zijn. Die zijn grotendeels hormonaal bepaald, dat weet ik wel. En als ik alleen maar voor mijzelf hoefde te zorgen dan zou ik ermee kunnen leven. Dat heb ik immers ook jarenlang gedaan. Maar tegenover mijn kinderen kan ik het niet maken om de helft van de maand alleen maar met mijzelf bezig te willen zijn. De premenstruele fase maakt mij niet zozeer chagrijnig of verdrietig. Het maakt wel dat ik veel gevoeliger ben voor allerlei prikkels. Nog gevoeliger. Net-over-het-randje-gevoeliger. Net niet meer te hanteren. Ik heb dan zoveel tijd nodig om al die prikkels te verwerken dat ik er niet voldoende kan zijn voor Nonna en Sem. Dat vind ik. Dat ik dan tekortschiet.

Mijn gevoeligheid schijnt te scharen te zijn onder de noemer "hoogsensiviteit".

> **ⓘ Hoogsensiviteit**
> Het begrip 'hoogsensiviteit' werd voor het eerst in 1997 beschreven door Elaine N. Aron, een Amerikaans psychologe. Volgens haar kenmerkt hoogsensiviteit zich door het hebben van een grote gevoeligheid voor externe en interne prikkels. Mensen die hoogsensitief zijn, merken veel details en subtiliteiten op. Het verwerken van al die prikkels kost hen veel energie en doet hen zich soms zelfs onttrekken aan henzelf. Vaak zijn zij gevoelig voor geluid, licht en aanraking. Hoogsensitieve mensen zijn vaak perfectionistisch, behoedzaam en denken diep na alvorens te handelen. Ze maken zich snel zorgen, voelen stemmingen van anderen goed aan, hebben een rijke innerlijke belevingswereld, hebben moeite met veranderingen, stellen zichzelf en anderen diepzinnige vragen, hebben moeite met automatiseren en hebben snel last van stressverschijnselen als buikpijn en nervositeit. Veel gedragskenmerken van hoogsensitiviteit lijken op of komen ook voor bij leer- of ontwikkelingsstoornissen als NLD, Asperger, PDD-NOS, ADHD.

Donderdag 24 januari

Autismespectrumstoornissen, depressiviteit, overspannenheid, burn-out, hoogsensiviteit, ADHD, dyslexie, hoogbegaafdheid, voedselintolerantie, RSI en alles wat ik hier nog meer vergeten ben, zijn van de laatste tijd. Toen ik klein was hadden we van al deze ziekten nog nooit gehoord. Bestonden ze toen niet? Is het een trend van deze tijd? Zijn het modeziekten?
Er zijn mensen die denken dat deze ziektebeelden horen bij de ontwikkelingsfase waarin ons bewustzijn nu verkeert. Volgens hen bevindt de mensheid zich in een evolutiesprong en zij zien de huidige ziektebeelden als signalen van een wezenlijke verandering die op komst is. Zij zeggen dat er sinds een aantal jaren steeds meer kinderen geboren worden met

andere kernkwaliteiten, met een ander karma of met een ander trillingspatroon. Deze kinderen behoren tot de nieuwetijdsgeneratie.

> ⓘ **Nieuwetijdskinderen**
> De term nieuwetijdskinderen wordt ook wel vervangen door indigokinderen of sterrenkinderen.
> Volgens www.platovist.com zijn de kenmerken van deze kinderen dat zij als baby vaak huilen, wijze uitspraken doen voor hun leeftijd, alles vanuit emotie benaderen, gevoelig zijn voor sfeer en stemmingen van anderen, een sterk rechtvaardigheidsgevoel kennen, druk zijn of juist erg teruggetrokken, dromerig zijn, soms paranormale ervaringen hebben, dyslectisch kunnen zijn, voedselintolerantie vertonen, een sterke binding met de natuur vertonen, astmatisch kunnen zijn of huidaandoeningen kunnen vertonen en vaak verschil in motorische, intellectuele en sociale vaardigheden vertonen. Deze lijst geeft slechts een indruk van kenmerken die mogelijk kunnen voorkomen. De lijst is niet compleet en er is een grote overlap met de lijsten van kenmerken van ADHD, dyslexie en hoogsensiviteit.

Vrijdag 25 januari

Autismespectrumstoornissen, depressiviteit, overspannenheid, burn-out, hoogsensiviteit, ADHD, dyslexie, hoogbegaafdheid, voedselintolerantie, RSI en alles wat ik hier nog meer vergeten ben, ik kom er nog steeds niet goed uit.
Dertig jaren geleden kwam ik er nog mee weg gewoon een heel verlegen meisje te zijn. Maar tegenwoordig lijkt dat niet meer te volstaan. Er is behoefte aan een label. Echter, hierbij rijst het probleem dat er bij veel kinderen, en ook bij volwassenen, opvallend vaak sprake lijkt te zijn van kenmerken van meerdere labels tegelijk. Afwijkend emotioneel en geestelijk gedrag wordt door onze cultuur graag ingekaderd. We dreigen te verzanden in een overdaad aan diagnoses. En iedere nieuwe diagnose onderstreept een nieuwe tekortkoming of

beperking. De term “nieuwetijdskinderen” is niet door de exacte wetenschap erkend en pretendeert misschien ook geen nieuw label te zijn, maar zelfs uit de kenmerkenlijst van deze spiritualistische stroming haal ik een heel aantal eigenschappen die door velen niet als positief ervaren worden.
In onze maatschappij leren wij niet om onze eigen en elkaars kwaliteiten te zien, in te zetten en vorm te geven. In ons huidige onderwijssysteem leren wij allemaal te spreken in de taal die iedereen moet kennen. Ook al is die taal niet je moerstaal, je moet je aanpassen. Dat aanpassen heeft als gevolg dat je voortdurend wordt geconfronteerd met je eigen tekortkomingen en beperkingen. En het leert ons om anderen af te rekenen op hun tekortkomingen en beperkingen. En het is juist dat aanpassen dat velen niet meer lukt. Wij leven in een informatiemaatschappij. De hele dag ontvangen wij zo ontzettend veel informatie, er zijn zo ontzettend veel prikkels. Je moet welhaast een schildpad zijn of geharnast komen, wil je je daarvoor nog kunnen afsluiten. Bovendien is in onze huidige maatschappij de sociale controle groot en de bewegingsvrijheid klein. Waar vroeger een druk jongetje de wei werd in gestuurd om de koeien op te drijven voor het melken, moet dat jongetje tegenwoordig minimaal vijfentwintig uur per week stilzitten in een overvolle klas. Met een juf. Want meesters lijken van een uitgestorven ras. En juf heeft niet zoveel met dat typische jongensgedrag. Juf wil dat het jongetje stil zit en rustig is. En veel jongetjes past dat niet.

Zondag 27 januari

Het is niet alleen de mens die autistischer geworden is, het is ook de tijd en de maatschappij waarin wij leven. En misschien beginnen daarom steeds meer mensen vast te lopen. Want het betreft niet alleen kinderen die aanpassingsproblemen vertonen. Het betreft ook vele volwassenen. De moderne westerse ziektebeelden komen op zo'n grote schaal voor, dat ik mij afvraag of er hier eigenlijk wel sprake is van pathologie. Misschien is het wel gewoon een nieuwe variatie mens.
Daarmee doel ik niet op het nieuwetijdsspiritualisme, maar op de evolutietheorie van Darwin. Dat er een nieuwe variatie mens ontstaat, is dan geen oorzaak meer, maar meer een gevolg. Misschien worden er niet steeds meer andere mensen van een andere soort geboren om ons iets te komen leren. Misschien is het ontstaan van een andere mens wel een noodzaak voor het in stand houden van ons ras. Misschien is de mensheid zich gewoon aan het diversifiëren om te bekijken welke mensenvariant in de maatschappij van de toekomst de grootste overlevingskans heeft. Ik ben benieuwd. Zowel naar de toekomst, als naar de uitkomst.
Volgens de "sociologische basiswet" van Rudolf Steiner (de grondlegger van de antroposofie) wordt bij culturele ontwikkeling het belang van het individu opgeofferd aan het gemeenschappelijk belang. Steiner is van mening dat bij verdere culturele ontwikkeling het individu zich uit de gemeenschappelijke belangen zal bevrijden en tot zelfontplooiing gaat komen. Deze theorie wordt ook beschreven in het boek "Het elastiek tussen lichaam en ziel" waarvan Hans Lemmens de auteur is.
Hij schrijft dat de westerse cultuur is gebaseerd op het materialisme. Materialisme gaat uit van het bestaan van vaste

stoffen. Materie is dood en heeft geen energetische waarde. De wereld is uit dode dingen gaan bestaan in plaats van uit leven. Hierdoor is de mens afgescheiden geraakt van zijn omgeving van de natuur, de kosmos, het goddelijke. Het zou kunnen dat dit afscheidingsproces nodig is geweest voor de mens juist óm zich te kunnen ontwikkelen. Want afscheiding maakte het de mens mogelijk om zichzelf als een individu te beschouwen die de eigen richting kiest. In het afscheidingsproces zijn ratio en observatie steeds belangrijker geworden. Maar daarin lijkt de mens een beetje vastgelopen te zijn. En velen protesteren hiertegen. Dat zijn de hoger sensitieven. Zij zouden onze vastgelopen cultuur weer kunnen openbreken. Misschien ook is de mens pas nu voldoende individu geworden, om sensitiviteit en betrokkenheid (weer) tot zijn mogelijkheden te laten behoren. Hans Lemmens zegt hierover dat "individu worden" geleid heeft tot eenzaamheid, maar ook tot vrijheid. Vanuit vrijheid is liefde mogelijk. En de keuze tot het zich opnieuw verbinden met andere mensen of met het goddelijke. De individuele mens beweegt zich naar collectiviteit.
De wereld van de materialistische wetenschap is overigens zelf ook al op zijn kop gezet door de theorie van de kwantumfysica. De algemeen aanvaarde natuurwetten van Newton blijken volgens de kwantumfysica niet te gelden. Met nieuwe meetapparatuur heeft men kunnen zien dat de kleinste deeltjes van materie, dus ook de kernen van atomen, voor het grootste deel uit lege ruimten bestaan. Hetgeen dan nog overblijft, gedraagt zich onder bepaalde omstandigheden niet als materie maar als golven energie. Daaruit valt af te leiden dat alle materie die wij waarnemen gewoon een vastere vorm is van energie. Ook heeft men ontdekt dat de waarneming van deze kleinste deeltjes te allen tijde subjectief is. De intentie van de waarnemer beïnvloedt de

waarneming. De begrippen tijd en ruimte krijgen door deze bevindingen een andere lading. Materie kan dan tegelijkertijd op verschillende plaatsen zijn. Met behulp van kwantumfysica kunnen verschijnselen verklaard worden waar de gewone natuurkunde in gebreke bleef. Materie kan ontstaan zijn uit energie. Het bewustzijn heeft invloed op de materie. Verleden, heden en toekomst zijn één.
Deze ontdekkingen moeten de spiritueler ingestelde mens als muziek in de oren klinken. Kwantumfysica zou een wetenschappelijke verklaring kunnen bieden voor hetgeen religie altijd al predikte: er is meer tussen hemel en aarde. Ik ben geen wetenschapper dus ik weet niet of het mogelijk is, maar ik vind het een prettig idee te denken dat kwantumfysica een brug kan slaan tussen het geloof in de schepping en het geloof in evolutie. Het een hoeft het ander niet langer uit te sluiten. Wellicht kan kwantumfysica ooit een soort van legitiem verenigd koninkrijk worden van het christendom, de natuurreligie, de islam, het jodendom en de evolutietheorie.

Maandag 28 januari

Maar ik dwaal af. Want het boek van de heer Lemmens gaat helemaal niet over kwantumfysica. Het heet natuurlijk niet voor niets “Het elastiek tussen lichaam en ziel”. De heer Lemmens stelt namelijk voor dat de mens een wezen is dat een lichaam hééft. En niet een wezen dat een lichaam ís. En in het lichaam woont een ziel. Maar de ziel kan het lichaam ook verlaten. Want tussen het lichaam en de ziel zit een elastiek dat kan uitrekken en samentrekken.
Hierdoor bezit de mens de mogelijkheid om stevig in zijn

eigen lijf te zitten. De mens ervaart het lichaam dan als materieel en compact en de aandacht is bij zijn eigen persoon. Met andere woorden zou je kunnen zeggen dat deze mens "goed geïncarneerd" is (incarneren komt van het Latijn waar het "in het vlees komen" betekent). Maar de mens heeft dus ook de mogelijkheid om in meer of mindere mate uit zijn lichaam weg te trekken. In die situatie ervaart de mens zijn eigen lichaam minder of zelfs helemaal niet meer en gaat de mens meer op in zijn omgeving. Met andere woorden zou je kunnen zeggen dat deze mens "meer geëxcarneerd" is (excarneren komt uit het Latijn waar het "uit het vlees wegtrekken" betekent).

Er zullen ongetwijfeld een heleboel mensen zijn die het niet met de heer Lemmens eens zijn. Maar persoonlijk kan ik mij in zijn voorstelling, van een lichaam en een ziel met daartussen een elastiek, helemaal vinden. Het lijkt erop dat er tegenwoordig steeds meer mensen zijn bij wie ten opzichte van de rest van de mensheid het elastiek een stuk elastischer is geworden. Hun zielen dalen niet helemaal meer af in hun lichamen. De voeten blijven onbezield, het hoofd is overgevoelig en er is geen directe verbinding tussen het geestelijke en het lichamelijke. Zij zijn minder of zelfs niet "geaard". De voeten zijn koud en het hoofd is heet. Mijn elastiek is, zeg maar, nogal uitgelubberd.

Licht geïncarneerde mensen zijn dus losser met hun eigen lijf verbonden. Voor hen geldt de oorzaak-gevolggedachte niet meer. Tijd is niet langer lineair. Tijd is dan een totaalbeeld en het is ruimte. Voor iemand die excarneert is de afstand tot het eigen lichaam groter. En iemand die excarneert heeft geen lichaam meer dat als buffer kan fungeren tussen de omgeving en zichzelf. Hierdoor kunnen mensen die losser met hun lijf verbonden zijn, een veranderd tijdsbesef vertonen waardoor te verklaren is dat het soms lijkt alsof men geen

benul heeft van de tijd. Ook laten deze mensen zien een onduidelijk lichaamsbesef te hebben, waardoor motorische problemen te verklaren zouden kunnen zijn. Daarnaast valt waar te nemen dat bij deze mensen gegevens uit de omgeving ongefilterd en ongedempt binnenkomen. Dat zou kunnen verklaren waarom concentratieproblemen ontstaan, er (dwangmatig) gezocht wordt naar vaste patronen. En ten slotte voelen licht geïncarneerde mensen geen duidelijke grens tussen zichzelf en de wereld. Zij zijn al gedeeltelijk úít hun lichaam en daardoor los ín de wereld. Daarbij ervaren zij wel dat het moeilijk is om bij zichzelf te blijven en daaruit zou de behoefte zichzelf af te sluiten te verklaren kunnen zijn. °°°*(Hé, waren dat niet ook de kenmerken van autisme, hooggevoeligheid, burn-out, ADHD...)*°°°
De heer Lemmens ziet autisme als een extreme vorm van hooggevoeligheid. Toch maakt hij in zijn boek wel een onderscheid tussen hooggevoeligen en autisten. Volgens hem ontwikkelen kinderen die hooggevoelig zijn, zich aanvankelijk normaal. Pas op kleuterschoolleeftijd geven deze kinderen blijk van lichte incarnatie. Bij kinderen met autisme blijkt hun lichte incarnatie vaak al bij de geboorte.

Dinsdag 29 januari

Het is duidelijk dat het steeds moeilijker wordt een scherpe grens te trekken tussen autisme en hooggevoeligheid. Maar misschien is dat ook helemaal niet nodig. Misschien moeten we gewoon accepteren dat er heden veel verschillende mensvarianten bestaan. Sommigen staan heel erg met beide voeten vast op de grond. Anderen wat minder. Bij de een zit het elastiek wat losser dan bij de ander. En dan zijn er ook

nog bij wie niet alleen het elastiek wat losser zit, maar ook nog een steekje. Há!
Misschien wordt het tijd dat we eens meer gaan kijken naar de voordelen die het ons kan opleveren dat er meerdere menstypen lijken te bestaan. Misschien wordt het tijd op te houden met het denken in termen van tekortkomingen en beperkingen. Misschien wordt het tijd om anderen te beoordelen in termen van kwaliteiten en talenten. Misschien krijgen we dan meer begrip voor elkaar. Misschien wordt het tijd om naar onszelf te kijken in termen van kwaliteiten en talenten. Misschien kunnen we dan leren onszelf te accepteren zoals we zijn.

Woensdag 30 januari ☾

Ik neem mijn medicijnen weer. Het voelt goed. Niet dat de medicatie al werkt. Dat kan bijna niet. Maar in ieder geval voelt het niet als falen. Daar was ik wel bang voor. In het begin wilde ik mijzelf natuurlijk bewijzen ten opzichte van Mark, mijn moeder, de psychiater en al die andere mensen die mij destijds de medicatie opgedrongen hebben. Maar op een gegeven moment was het geen kwestie meer van bewijzen of van falen. Volgens mij heb ik wel bewezen dat ik zonder prozac ook blijf leven. Maar het ging wel over de kwaliteit van dat leven. En over de kwaliteit van het leven van mijn kinderen. Die wil ik hoog houden. Dáár kies ik voor. En dit keer kies ik zelf! (Dat scheelt ook natuurlijk).

Donderdag 31 januari

Hoop gloort aan de horizon. Gisteravond vroeg Mark mij waarom ik de boot zo afhield sinds ik met kerst toch heb laten merken dat ik hem miste. Het lukte mij eindelijk om goed onder woorden te brengen waarvoor ik bang ben. Ik ben bang om in dezelfde valkuilen te trappen. Ik ben bang dat hij denkt dat ik akkoord ga met zijn ideeën over monogamie. Ik ben bang dat mijn stilzwijgen toestemmen zal betekenen in een levensstijl, die ik niet wil. Want ik ben bang dat ik mij daardoor weer gevangen zal gaan voelen.
Maar ik heb ook gezegd dat ik het wel fijn zou vinden als hij weer thuis komt wonen. Want ondanks het feit dat ik niet opnieuw absolute monogamie wil beloven, heb ik wél degelijk de intentie om bij Mark te blijven tot de dood ons scheidt. Mark zei dat hij ook wel graag weer terug wil komen. Hij heeft natuurlijk ook nooit iets anders gewild dan tot zijn dood bij mij te blijven. Maar hij heeft wel behoefte aan afspraken. En daar denken we nu over na.

♫ *...Hope is on the horizon*
With a reason to stay
A living for a brand new day
This war is over now
I feel I'm coming home again to you ♫

(Sarah Brightman - The war is over)

HOOFDSTUK 9

Imbolg,

lucht uit het oosten.

Vrijdag 1 februari

Het is kraakhelder. De zon schijnt. Maar de lucht is ijl. Het ruikt fris. En het is stervenskoud. De wind waait uit het oosten. Er ligt ijs op de sloot achter ons huis. Soms ineens betrekt de lucht. Dan wordt het helemaal grijs en dwarrelt een verdwaald sneeuwvlokje naar beneden. Liever zou ik schrijven dat het de eerste afvallige bloesems van de leiperen waren. Maar de lente heeft nog geen teken gegeven. Oh, ik weet wel dat zij eraan komt. De zaden en de bloembollen in de grond slapen al niet meer. Binnenkort zullen zij hun eerste sprietjes uit de aarde doen komen. En de vogels zijn nu nog druk met het zoeken naar eten, maar het duurt niet lang meer voor zij meer tijd krijgen om te fluiten. De knoppen aan de bomen zijn nog helemaal gesloten, maar met een paar dagen zon en een beetje warmte zullen zij zich openen. De natuur maakt zich klaar. En zo doe ik.

Zaterdag 2 februari   Imbolg

Vandaag heb ik met de kinderen koekjes gebakken. Het is Imbolg, en het begin van de lente mag gevierd worden. Maar voor mij komt het nog wat te vroeg. Ik voelde nog niet de lucht en de ruimte om een serieus ritueel te bedenken en uit te voeren. Het maken van die afspraken waar Mark behoefte aan heeft, drukt nog op mijn borst. Ik wil eerst maar eens zien hoe het zaad, dat door Mark en mij gezaaid is, gaat ontkiemen.
Ik had wel zin om koekjes te maken. Sem vindt het altijd fijn om met zijn handen in het deeg te zitten. En vandaag deed ook Nonna weer eens vrolijk mee. Ze heeft het erg druk

met volwassen worden. Te druk om aldoor goedgehumeurd door het leven te gaan. Stiekem denk ik dat zij het af en toe heel hard nodig heeft om even lekker kind te zijn. En met mama koekjes te bakken. En in het kader van Imbolg vond ik het wel toepasselijk om roze en witte muisjes door het deeg te roeren. Anijszaadjes staan immers symbool voor geboorte, voor nieuw leven. We maakten er ook een drankje bij. Elfenwijn. Dat wordt gemaakt van warme melk met honing en kaneel. De melk staat symbool voor de maagdelijke Godin en voor het nieuwe witte licht.

ⓘ Imbolg/Imbolc

Vanaf de vooravond van 1 februari wordt Imbolg gevierd. Het is een lichtfeest. Men viert het langer worden van de dagen en de wedergeboorte van de natuur. Daar maakt de winterstilte langzaam plaats voor de eerste groei. Er ontluiken bloemetjes en sommige bomen krijgen al nieuwe blaadjes. In deze tijd worden ook de eerste lammetjes geboren. Imbolg betekent in het Iers "in de buik" en daarbij doelt men op de drachtigheid van de ooien. Imbolg is ook de Keltische naam voor "lente". Het is niet alleen een tijd van vernieuwing, maar ook van reiniging en zuivering. De grote schoonmaak dateert uit vroeger tijden. Het vuil van de donkere winterperiode werd door onze voorouders met water weggewassen en met berkentakken weggeveegd om geest en lichaam voor te bereiden op een wederopstand. Nog steeds wordt veel grondoppervlak in deze tijd letterlijk schoongespoeld en verfrist doordat rivieren en beken buiten hun oevers treden door het smelten van ijswater. De restanten van de plantengroei van vorig jaar zijn weggerot, zodat de bodem klaar is voor nieuwe begroeiing. Voor de moderne mens zou dit de tijd kunnen zijn van het maken van nieuwe ideeën en plannen. Je kunt nadenken over oude gewoonten die je samen met de winter achter je wilt laten. En meer nog kun je bedenken met welke dingen je een nieuwe start zou willen maken. In stilte kan je de zaden voor het komende jaar planten. Hier is nog geen haast om te groeien en wellicht zullen ook niet alle plannen het levenslicht aanschouwen, net zoals niet elk zaadje zal ontkiemen.

ⓘ **De Godin en de God**
De Godin staat op uit de diepte van de onderwereld waar zij tijdens de winter verbleef. Zij verschijnt in de gedaante van jonkvrouw. Ze is een jong meisje, een maagd, bekoorlijk, zuiver en rein. Ze staat aan het begin van haar leven. Ze heeft dromen, plannen, inspiratie en ideeën. Ze brengt licht en nieuw leven. Ze laat de levenssappen van bomen en planten weer stromen en brengt zaden tot ontkieming. De vruchtbaarheidsgodin Brigid geeft de levenskracht van dit feest goed weer. Andere namen voor de Godin in deze fase zijn Artemis, Diana of Selene.
Ook de jonge God herrijst uit de onderwereld. Hij komt als een beer uit zijn hol, waar hij een winterslaap heeft gehouden. In potentie is hij al de zonnegod maar zijn krachten liggen nog verborgen onder zijn berenvel. Hij is nog jong en wild en begeert de Godin. Hij maakt haar het hof en hun lichamen én geesten verenigen zich. Daardoor kan nieuw leven ontstaan, groei en bloei. De namen van de God in deze fase zijn Apollo of Odin.

Zondag 3 februari

Mark heeft de kinderen opgehaald voor een bezoekje aan zijn ouders. Ik ben alleen thuis en ik verveel me. Ik heb wel zin om in de moestuin bezig te gaan, maar ik kan er nog niks beginnen. Zelfs spitten gaat niet lukken want de grond is keihard door de vorst. Ook met het voorzaaien onder glas wacht ik nog even. Vorig jaar ben ik daar te vroeg mee begonnen. Op een gegeven moment stond het op zolder zó vol met jonge plantjes dat ik sommige te vroeg buiten ben gaan zetten. Het gevolg was dat zij ondanks hun goede start toch nog het loodje legden. Eerlijk gezegd heb ik ook nog geen tuinplan gemaakt. Eigenlijk zou ik vandaag daar mijn tijd weleens aan kunnen gaan besteden. Want nu weet ik nog niet eens precies welke gewassen ik wil gaan telen.
Ik denk erover om dit jaar biologisch-dynamisch te gaan werken in mijn moestuin. Biologisch tuinieren deed ik natuurlijk al. Ik gebruik geen kunstmest en pesticiden. Maar in de biologisch-dynamische landbouw wordt daarnaast ook

nauwkeurig met het natuurlijke ritme samengewerkt. Er wordt rekening gehouden met het natuurlijke tempo van planten, dieren en planeten. De kringloop wordt zo gesloten mogelijk gehouden. En dat spreekt mij aan.
Door te gaan leven met het ritme van de seizoenen ben ik dichter bij mijzelf gekomen. Ik heb gemerkt dat ik er in de winter meer behoefte aan heb mijzelf terug te trekken. Ik ben gaan accepteren dat ik dan niet zo sociaal kan zijn als ik misschien wel zou willen. Als de lente komt, kruip ik mijn hol wel weer uit. En de zomer vier ik. Buiten en met anderen. Ik ben niet constant, ik kan dat niet zijn en ik wil dat ook niet meer zijn. Voor mij werkt het beter cyclisch te leven. En ik denk dat het voor meer personen zou kunnen werken om weer in harmonie met de natuur te zijn.
In onze maatschappij lijken veel mensen de weg kwijt te zijn. Vooral de weg naar zichzelf. Ik vermoed dat het komt omdat we in onze 24 uurseconomie geen gevoel meer hebben voor het natuurlijke ritme. We zijn niet alleen het contact met de natuur uit onze omgeving verloren, maar ook met onze eigen innerlijke natuur.
Het goede nieuws is dat het voor iedereen mogelijk moet zijn om de weg terug weer te vinden. En daarvoor hoef je je echt niet te bekeren tot het heksendom. Diep in ons hart herinneren wij ons allemaal waar we vandaan komen. Meer naar buiten gaan, zou al kunnen helpen. Daar te zien wat er door het jaar heen in de natuur verandert en dat op jezelf betrekken kan waardevol zijn. Kinderen vinden het vaak ook heel leuk om daadwerkelijk dingen van buiten mee naar binnen te nemen. Je zou hen een seizoenstafeltje kunnen laten aankleden. Het is ook leuk om zelf in je eigen interieur "te spelen" met kleuren en materialen van het seizoen.
Ook een moestuin beginnen is een idee, daarbij krijg je echt gevoel voor de cyclus van ontkieming, groei, bloei, verster-

ving en wedergeboorte. Maar wanneer je vingers niet groen genoeg zijn, kun je door middel van het kopen van de juiste voedingsmiddelen in het juiste seizoen al meer gevoel krijgen voor het jaargetijde waarin je je bevindt. Veel kinderen weten tegenwoordig niet meer dat aardbeien in de winter niet buiten kunnen groeien. Want in de reguliere supermarkten kun je ook dan aardbeien kopen. Dat deze aardbeien nergens naar smaken, lijkt de consument niet te deren. Velen zijn immers al lang vergeten hoe de smaak behoorde te zijn. In Amerika schijnen zelfs al fabrieken te zijn waar aardbeien worden geïnjecteerd met kunstmatig aardbeiaroma om ze smaak te geven. Eigenlijk zijn het namelijk waterbolletjes. Net als de tomaten van Nederlandse bodem voor een aantal decennia terug. "*Holländische Wasserbombe*" werden die door de Duitsers genoemd. Die zij vervolgens ook niet langer wensten af te nemen. Maar de Nederlandse consument heeft deze waterige onnatuurlijk rode ballen zonder smaak jaren geslikt.

Dinsdag 5 februari

Seizoenen gelden niet alleen voor fruit en groenten. Ook wild en vis kennen de seizoenen. Zalm is in de paaitijd zo mager dat hij niet meer smakelijk is. En kaas hoort, omdat hij afhankelijk is van het gras of hooi dat door de koe gegeten wordt, ook niet het hele jaar hetzelfde te smaken.
Veel mensen lijken zich tegenwoordig niet zo druk te maken over waar hun eten naar smaakt. Net zo min als het hen lijkt uit te maken waar hun eten vandaan komt. Velen weten het misschien niet eens meer. Ik herinner mij dat Nonna eens vertelde dat een aantal kinderen uit haar klas dacht dat melk in de fabriek wordt gemaakt. (Wat overigens misschien ook

wel zo is.) Maar ook volwassenen zijn geneigd te denken dat voeding iets is wat in een fabriek vervaardigd is. Als we aan melk denken zien ook wij vaker een blauwgekleurd tetrapak voor ons dan een ouderwetse glazen fles. Laat staan dat we denken aan een melkbus. En de koe? Tja wat doet die ook alweer in het verhaal? We zijn helemaal vergeten dat dit dier met zijn vier magen door het eten van puur plantaardig materiaal een hoogwaardig eiwitrijk product kan maken.
In werkelijkheid komt al ons voedsel natuurlijk van de aarde en niet uit een fabriek. Door ons te voeden met de gewassen die op de aarde verbouwd worden kan ons lichaam groeien en zich ontwikkelen. Wij krijgen energie, brandstof, door het eten van planten. Ik weet wel dat mensen omnivoren zijn. De meesten eten ook vlees. Dat maakt mij niet uit. De dieren die door de mens gegeten worden, hebben namelijk ook kunnen groeien en zich ontwikkelen omdat zíj planten gegeten hebben. Aan het einde van iedere voedselketen, woont een planteneter. Dat geldt zelfs voor roofdieren.
Als je er echt over nadenkt dan is dat wel bijzonder. Dan moeten planten wel heel bijzonder zijn. En zo is het ook. Planten kunnen een kunstje waartoe geen mens of dier in staat is. Die truc heet fotosynthese. "Foto" komt van "fot", dat weer van het Griekse woord "phös" afstamt. Het betekent "licht". "Synthese" komt van het Griekse "sunthesis" dat "verbinding van afzonderlijke elementen tot één geheel" betekent. Bij het proces van fotosynthese worden koolzuur en water door planten onder invloed van het *licht verbonden* tot koolhydraten. Planten zijn dus in staat de energie van de zon in zichzelf op te slaan. Omdat wij ons voeden met planten, eten wij eigenlijk zon. Alle levensprocessen in mensen, dieren en planten werken gewoon op zonne-energie.
Natuurlijk bevatten planten ook andere voedingstoffen. Ik weet best dat er koolhydraten, eiwitten, vetten, vitaminen,

mineralen, antioxidanten en water in groenten en fruit zitten. Maar met deze nutriënten alleen kom je er niet. Alleen hiermee kun je je lichaam niet voeden. Ook al gooi ik precies de juiste hoeveelheden koolhydraten, eiwitten, vitaminen en antioxidanten bij elkaar, dan krijg ik nog geen appel. Inhoudsstoffen bevatten geen levenskracht. Een appel wel. Gelukkig is er bij mijn weten ook niemand die vrijwillig puur en alleen nutriënten nuttigt. Sondevoeding is niet lekker. Toch is dat wel precies datgene dat wij heel zieke patiënten geven om in leven te blijven. En gek genoeg is het aantal koolhydraten, eiwitten en vetten, die de calorische waarde van voedingsmiddelen bepalen, het enige waarin wij geïnteresseerd zijn als wij op dieet zijn. Mensen houden van meetbaar, microscopisch en analyseerbaar. Maar gezondheid is niet meetbaar. Gezondheid hangt namelijk af van levenskracht. Levenskracht is moeilijk waar te nemen. Het is mij nog nooit gelukt een plantje daadwerkelijk te zien groeien. Ik zie wel dat een plant *gegroeid is*. Ik neem de verschillende groeistadia van een plant waar. Maar dat zijn momentopnamen. Het echte groeien, en hoe een plant dat doet, heb ik nog nooit gezien. Door deze levenskracht onderscheiden planten zich van dingen. Planten zijn geen dingen. Planten kunnen leven. Zij kunnen ontkiemen en groeien. Zij kennen ontwikkeling. En zij kunnen sterven.

Donderdag 7 februari ●

In de gangbare landbouw denkt men vaak in termen van meetbaar. Om een gewas goed te laten groeien, wordt er gekeken naar wat de behoeften van de plant zijn. Men vraagt zich af wat een plant nodig heeft om tot een goede oogst te

leiden. Er wordt gekeken naar wat er al in een plant zit, en wat zij te kort komt. Men stelt vast in welke behoeften van de plant de bodem kan voorzien. Hetgeen wat aan de bodem ontbreekt, wordt aangevuld. In de gangbare handel draait het om een zo hoog mogelijke productie tegen zo laag mogelijke kosten. De natuur, de aarde, de bodem worden hierbij gezien als verbruiksartikel.
Om een zo hoog mogelijke productie te verkrijgen is het handiger om monoculturen te verbouwen. Wanneer je maar een of een paar gewassen op je land hebt, heet dat arbeidsdeling en efficiency. In de gangbare landbouw is geen sprake van een uitgebreide vruchtwisseling. Soms kent deze slechts een roulatie van drie gewassen. Op één stuk land worden dan in drie opeenvolgende jaren afwisselend aardappelen, voederbieten en graan verbouwd. Het vervelende is dat aardappelen en bieten er wel ruim vier jaar over kunnen doen om helemaal uit de bodem verdwenen te zijn. Vandaag bevindt zich nog steeds organisch materiaal van de pieperplant waarvan ik drie jaar geleden gegeten heb in de bodem. Als ik daar deze zomer opnieuw aardappelen wil gaan poten, dan weet ik nu al dat ik naar mijn piepers kan piepen. De kans dat zij bezoek krijgen van *Phytophthora* is dan heel groot. *Phytophthora* mag klinken als een lieftallig meisje, maar in wezen is zij een mededogenloze moordenares, een schimmel die de aardappelziekte veroorzaakt. Door te kort op elkaar dezelfde gewassen op eenzelfde stuk grond te verbouwen, raken bepaalde stoffen die nodig zijn voor de groei van dat specifieke gewas eerder uitgeput. Om die reden wordt in de gangbare landbouw gebruik gemaakt van kunstmest. Kunstmest bevat mineralen. Mineralen zijn elementen die van oorsprong in gesteenten zitten en die een plant nodig heeft om te kunnen groeien. Door middel van het aanbieden van mineralen in een vorm die voor de plant het mak-

kelijkst op te nemen is, kan de plant sneller groeien. De makkelijkste vorm is in oplosbare toestand. Dat noemen we hydrocultuur.
In kunstmest zit onder andere kalk. Dat trekt de humus uit elkaar waardoor de stikstof in de grond voor de plant vrijkomt. Met behulp van hydrocultuur kan de plant de stikstof nog beter opnemen en groeit daardoor goed. Echter, het gebruik van kunstmest en hydrocultuur voeden weliswaar de plant, maar niet de bodem. De humus werd immers uit elkaar getrokken. Ik vond het nogal paradoxaal schokkend toen ik erachter kwam dat ik door het geven van kunstmest eigenlijk roofbouw pleegde op mijn eigen moestuingrond.
Door het gebruik van kunstmest en hydrocultuur én als gevolg van een te enge vruchtwisseling putten we de bodem uit. Een plant wordt daar niet vrolijk van. Haar levenskracht, haar energie, neemt af. En vaak gebeurt dat al voordat zij het moment van bloei heeft bereikt. Plantenziekten krijgen hierdoor meer kans. Wanneer een plant te zwak is, is ze vatbaarder voor bacteriën, aaltjes en schimmeltjes. Normaal gesproken komen die pas buurten als een gezonde plant het stadium van verwelking heeft bereikt. In een gezonde cyclus van groei en bloei komt de afstervingsfase pas ná de rijping. Geen boer is er blij mee als zijn gewassen verwelken vóór zij rijp voor de oogst waren. Gelukkig mogen er in de gangbare landbouw bestrijdingsmiddelen gebruikt worden om ziekten en plagen bij de verzwakte planten vandaan te houden. Dankzij de bestrijdingsmiddelen worden de gewassen in leven gehouden en gered van een aftocht naar de composthoop. Als de aaltjes en schimmeltjes in de bodem dan een andere bezoekregeling voor de patiënt hebben weten te treffen en haar met nieuwe ziekten komen verrassen, gooit de boer er gewoon weer een ander bestrijdingsmiddel tegenaan.

We vergeten dat deze plant eigenlijk zelf wel klaar was voor de composthoop. We vergeten dat zij kunstmatig in leven werd gehouden. We vergeten dat zij eigenlijk zelf geen levenskracht meer had. En wij eten haar gewoon op. In de veronderstelling dat wij daar héél gezond van worden.

Zaterdag 9 februari

Wij denken ook dat wij gezond eten als we kiezen voor volkorenbrood in plaats van wit. We voelen ons verstandig als we een mueslireep met vruchten nemen in plaats van een chocoladereep. Maar ik vraag mij af wat we nou écht hebben aan een mueslireep die gemaakt is van granen die opgefokt zijn door de kunstmest. Wat hebben we aan vruchten die door kunstlicht opgejaagd zijn om snel groot te groeien waardoor ze niet de kans hebben gekregen om te rijpen?
Er wordt ons verteld dat het beter is om vlees eens te vervangen door vis of een ei. En het voorlichtingsbureau van de voeding raadt ons aan aardappelen af te wisselen met rijst of pasta.
Maar wat is er beter aan vis die opgekweekt wordt in een onnatuurlijke omgeving? Wat is er smakelijker aan een ei van de legbatterij? Waarom is een aardappel die is bespoten met pesticiden gezonder dan rijst of granen? We vergeten dat al deze zogenaamd gezonde alternatieven weleens vervaardigd zouden kunnen zijn uit gewassen die door Moeder Natuur niet bedoeld waren er te zijn.
En dan vinden we het gek dat we allerlei rare vermoeidheidsziekten krijgen. Of allergieën. En dat we massaal dikker worden. Mij lijkt dat alleen maar een logisch gevolg van het eten van voedsel zonder levenskracht. Echt gezonde

voeding behoort te *voeden*. Het woord zegt het zelf. Maar de compostkwaliteit van wat er in de gangbare handel op de schappen ligt, verzadigt niet. Net zo min als dat wij er gezondheid aan kunnen ontlenen.
De biologisch-dynamische wijze van landbouw bedrijven spreekt mij met name aan omdat deze manier van land verbouwen erkent dat alle leven cyclisch is. Hierbij laat men zich er een hoop aan gelegen liggen de levenskrachten van gewassen te verzorgen. Daarom zijn biologische producten duurder. Ik betreur degenen die niet de portemonnee hebben om biologisch (dynamisch) in te kopen. Gelukkig heeft in ons welvarende land het merendeel van de consumenten wel de mogelijkheid tot kiezen. Want het is nog altijd zo dat het gedrag van de consument het productieproces bepaalt. En wanneer wij blijven kiezen voor goedkoop, dan is dat ook wat voor ons geproduceerd wordt. En zullen wij "goedkoop" ook op ons bordje krijgen.
Daarnaast moet je je afvragen of hier geen sprake is van verkeerde zuinigheid. Zolang we massaal kiwi's blijven kopen die uit Australië ingevlogen zijn, dragen we niet wezenlijk bij aan een kostenbesparing. Indirect draait de consument toch ook op voor de kosten van het vervoer en de opslag. Als de route van het product naar de consument korter gehouden wordt, kan dat een daling in de kosten betekenen. Het is mooi meegenomen dat lokale producten vaak ook seizoenproducten zijn. En mooi meegenomen is het ook dat met het kopen van seizoenproducten die laatste paar boeren in ons eigen land misschien kunnen blijven boeren.

Zondag 10 februari

Vorige week zondagmiddag, toen Mark de kinderen kwam terugbrengen, wilden zij hem de elfenwijn laten proeven. Hij kreeg er ook hun laatste anijskoekjes bij. Én het hele verhaal over zaadjes die nu gaan ontkiemen en de plannen die je kunt gaan maken. Sem wist alles wat ik hem en Nonna hierover tijdens het bakken verteld had tot op de letter te reproduceren. Kennelijk hadden mijn woorden indruk op hem gemaakt. En vandaag kwam ik erachter dat zij dat ook hadden gedaan op Mark.
Toen de kinderen langs mij heen naar binnen liepen, trok Mark mij naar buiten. Hij mompelde iets over kijken naar de nieuwe knoppen aan de bomen. 'Wat gaan jullie doen?', vroeg Sem. 'Heb je niks mee te maken!', riep Mark terug. En tegen mij zei dat hij de hele week aan de anijskoekjes en het maken van een nieuwe start had gedacht. Het was koud buiten. Ik huiverde zelfs in mijn wollen trui. Voor het raam stond Sem allemaal gekke bekken naar ons trekken en met iets in zijn hand naar ons te zwaaien. Ik gebaarde dat hij wel even op de computer mocht. Dat hielp. Hij stopte meteen met aandacht trekken om naar boven te rennen. Mark zei dat hij wilde terugkomen op zijn verzoek aan mij om nieuwe afspraken te maken omtrent eventuele buitenechtelijke relaties. Hij had wel begrepen dat ik niet weet welke afspraken ik kán maken. En hij moest bekennen dat hij het zelf eigenlijk ook niet weet. Het is moeilijk om vast te leggen wat precies wel en wat niet mag als je het over een hypothetische toekomst hebt die misschien nooit realiteit zal worden.
Terwijl we terug naar de deur liepen, vroeg ik Mark of wij dan niet de afspraak konden maken om voorlopig nergens meer afspraken over te maken. Dat vond Mark wel een

goeie. Op die manier dwing ik hem niet tot het aanvaarden van polyamorie. En hij verlangt van mij geen belofte tot monogamie. Misschien lost de tijd onze status quo vanzelf wel op. Misschien ook niet. 'Maar we hoeven toch pas met dat bijltje te gaan hakken als de boom echt dood is?' Daar kon Mark wel om lachen.
Ik hoefde niet zo hard te lachen. Ik kreeg de deur niet open en snapte toen ook ineens waarom Sem zo'n lol had gehad. Hij had alle deuren op slot gedaan en naar ons staan zwaaien met de sleutels. En ik had hem naar boven gestuurd. Daar zat hij nu met de koptelefoon op een computerspelletje te spelen. Roepen had weinig zin. Ook niet wat Nonna betrof. Haar radio klonk zelfs buiten een paar decibellen te luid. We hebben het wel geprobeerd. Ook door steentjes tegen hun slaapkamerramen te gooien. Maar ze hoorden niets. En ze zagen niets.
Uiteindelijk heeft Mark mij een pootje moeten geven, zodat ik met mijn handen net de onderkant van de spijlen van het balkonhek voor de slaapkamer van Sem kon vastgrijpen. Met een hoop geduw van Mark, lukte het mij om mijzelf omhoog te trekken en over het balkonhek te klimmen. Toen heb ik nog een hele poos tegen het slaapkamerraam van Sem moeten aanbonken voordat hij mij hoorde. Of heen en weer zag springen. Zo ongeveer als een stier die een rode doek ziet. Toen Sem de balkondeur opendeed, zei hij heel verbaasd: 'Waarom ben jij nou op het balkon?' Hij was gewoon vergeten dat hij alle deuren op slot gedaan had!
Nonna lag in een deuk. Het was lang geleden dat ik dat kind zo hard heb zien lachen. Alleen dat was het 't avontuur wel waard geweest. Maar het beste komt nog. Toen Mark had verteld hoe hij mij naar boven had geduwd eindigde hij zijn verhaal met: 'Wij zijn wel een goed team, hoor, je moeder en ik.' 'Dan begrijp ik eigenlijk niet waarom zij hier woont

en jij daar?', zei Nonna. 'Dat begrijp ik eigenlijk ook niet', zei ik. 'Ik ga mijn spullen ophalen', zei Mark.

Maandag 11 februari

Vanochtend tijdens een hardlooprondje kwam ik de moeder van een vriendinnetje van Nonna tegen. Zij was ook aan het hardlopen. We liepen samen een eindje op. We renden door de velden naar de dijk. Er lag rijp in de weiden en een dun laagje ijs op de plassen. Op de dijk zag het er sprookjesachtig uit, er hing een lichte nevel boven de velden maar de zon scheen volop.
Mijn hardloopmaatje wees mij op de eerste sneeuwklokjes in de berm. Verderop in een weiland zagen we er nog meer. Toen we dichterbij kwamen zagen we dat de bloemen in letters gegroepeerd stonden. Een boer die waarschijnlijk ook tegen de winter had opgezien, had kennelijk even de geest gekregen toen hij zijn bloembollen in de grond stopte. De pas uitgekomen sneeuwklokjes vormden samen het woord "LENTE".
Toen ik thuiskwam ben ik meteen in onze eigen tuin gaan kijken en heb er zowaar ook een sneeuwklokje gevonden. Ik ben op de fiets naar de stad gereden en heb daar een grote bos wilgenkatjes en kersenbloesemtakken gekocht. Het is voorjaar!

De dagen lengen.
Het wordt lichter
in mijn hoofd.
Gelijk het licht,
komt de lucht.

Dinsdag 12 februari

Ik heb mijn zusje Hannah gebeld en een afspraak met haar gemaakt. Ik geloof dat ik een ontmoeting met die meneer Talisman van haar nu wel aankan. Het zal er wel mee te maken hebben dat Mark en ik weer bij elkaar zijn. Best flauw van mijzelf. Ik ben nog steeds niet enthousiast over de gescheiden, arbeidsongeschikte stratenmaker. Maar ik weet ook wel dat mijn oordeel berust op enorme vooroordelen. En ik vind dat ik niet mag veroordelen alvorens de man in kwestie op zijn minst zelf ontmoet te hebben. Bovendien hebben we hem te danken aan míjn knutselwerkje. Ík ben degene die geknoeid heeft met de krachten van de kosmos.

Woensdag 13 februari ☽

Vanochtend toen ik naar de buurtsuper fietste zag ik voor het eerst de toekomstige bewoners van het kleine vervallen huisje waar in de herfst "de oude mensjes" nog woonden. Het huisje is niet langer vervallen meer. Het wordt totaal gerenoveerd. Het ziet er nu al heel schattig uit, maar het echtpaar dat er gaat wonen heeft nog meer leuke plannen met het huis. Het allerleukst echter, vind ik dat zij de ouderwetse karakteristieke elementen proberen te behouden. Ze doen heel veel zelf. Hij is heel handig. En zij is hoogzwanger. Binnenkort zal er in dat huisje nieuw leven geboren worden.

Donderdag 14 februari Valentijnsdag

Vorig jaar schreef ik:
...En vandaag rennen velen weer naar de winkel. Om een cadeautje te kopen voor hun geliefde. Zij zijn aardig en volle goede bedoelingen. En hun geliefden zullen vast ook blij zijn met het feit dat aan hen gedacht is. Dat is ook niet verkeerd. En daar is ook niets op tegen.
Het is alleen dat ik mij niet aan de indruk kan onttrekken dat iedereen maar weer doorrent. Zonder stil te staan. Zonder in zichzelf te kijken. Zonder liefde voor zichzelf.
En hoe denken wij een ander liefde te kunnen geven, als wij niet eerst leren onszelf lief te hebben?...
Dit jaar denk ik: nieuwe ronde, nieuwe kansen?
Toch vind ik wel dat ik de afgelopen tijd veel geleerd heb. Het voelt wel alsof een cirkel weer rond is. Vorig jaar in deze periode werd het zaad van een nieuw leerproces gelegd. Het ontkiemde in de lente, groeide in de zomer, bereikte zijn hoogtepunt, verstierf in de herfst, en vond de dood in de winter. Maar dat wil niet zeggen dat het eindpunt nu bereikt is. Ik ben er nog lang niet. Het leven is als een spiraal. De cyclus ontkieming, groei, bloei, versterf, dood en wedergeboorte herhaalt zich telkens opnieuw. Soms lijkt het dan alsof je weer terug bij af bent. Maar als je verder gaat, zul je merken dat je je in een volgende cyclus bevindt, die zich een treetje hoger afspeelt dan de cyclus die reeds achter je ligt. Ik denk dat dit spirituele groei genoemd mag worden.
Op dit moment wordt het zaad van een volgend leerproces gelegd. Ik weet nog niet welk. Ik weet nog niet wat ik zal tegenkomen, wat ik moet gaan leren. Ik weet niet hoe het mij verder zal vergaan. Maar ik weet wel dat ik de kans benutten ga. Spiritualiteit is voor mij overgave vanuit volledig vertrouwen in datgene wat het leven op je pad laat komen.

Wat mij betreft heeft spiritualiteit niet zoveel te maken met gelovig zijn. Je kunt de hele dag wel in de kerk gaan zitten bidden, maar als je bij het verlaten daarvan de bedelaar die om een aalmoes vraagt een rotschop verkoopt, dan kun je toch niet zeggen dat je spiritueel bezig bent. Spiritueel bezig zijn betekent volgens mij de theorie in praktijk brengen. Van mij mag iedereen bidden en de hele dag bijbels, korans of talmoeds lezen. Maar als je in het dagelijks leven niets doet met je verworven geloofskennis dan vraag ik mij af waarom je bidt en leest.
Dit geldt niet alleen voor het christendom, het jodendom en de islam. Het geldt net zo goed voor al degenen die zichzelf heksen, wicca's, moderne pagans of zelfs natuurfilosofen noemen. Het heeft geen zin om de oude jaarfeesten te vieren op exact dezelfde wijze zoals onze voorouders dat deden. Dan worden het net zulke inhoudsloze riten als veel traditionele gebruiken rond Kerstmis geworden zijn. Het heeft geen zin ons te willen houden aan voorgeschreven theorieen, als die er voor natuurfilosofen al zouden zijn. Wij leven nu eenmaal in een andere tijd. Wij moeten onszelf blijven in de wereld waarin we leven. We moeten de kennis die we hebben vertalen naar de tijd en de wereld waarin we leven. Wij kunnen de oude geloofsovertuigingen interpreteren met alle kennis die we hebben van psychologie, feminisme, milieukunde, kwantumfysica, parapsychologie en wat er nog meer bestaat. En we moeten ernaar handelen. Volgens mij betekent spiritualiteit het integreren van geloofsovertuigingen en kennis in het dagelijks leven.
Daarom vind ik dat spiritualiteit vooral met bewustzijn te maken heeft. En met zelfreflectie en intuïtie. Althans zo denk ik daar nu over. Maar hé, ik ben pas 43, dus wat weet ik er nou van!

ⓘ Spirituele intelligentie
De schrijvers Dana Zohar en Ian Marshall introduceerden het begrip "spirituele intelligentie". In hun boek beschrijven zij op toegankelijke wijze het door de wetenschap ontdekte spirituele quotiënt. Hiermee doelt men op de intelligentie waarmee problemen van zingeving en waarde aangepakt en opgelost worden. Het gaat om de intelligentie waarmee onze daden ons bestaan in een ruime vruchtbare zuivere context plaatsen. Het is de intelligentie waarmee we bepalen dat de ene handelswijze of levensweg zinvoller is dan de andere. Hierbij staan zelfontplooiing en zingeving centraal. Daarvoor is het wenselijk om regelmatig stilte te creëren om naar binnen te kijken, om open te staan voor signalen van de buitenwereld en niet oordelen maar te luisteren.

Zondag 17 februari

Naar mijn mening leent natuurfilosofie zich bij uitstek voor een spiritueel intelligente levenswijze. Ik beleef natuurfilosofie als een voortdurend leerproces van zelfreflectie, persoonlijke groei, levenswijsheid, mededogen, tolerantie, leven zonder vooroordeel en zonder oordeel, met liefde voor al het Leven, door zelfliefde.
Natuurfilosofie geeft mij gelegenheid om te worden wie ik ben. Door geregeld stil te staan en aandacht te hebben voor mijn eigen innerlijke belevingswereld, leer ik mijzelf kennen. En lukt het mij beter om in het Nu te blijven. Tijd is een menselijke uitvinding. Wij hebben zelf maar bedacht dat er een verleden is. En een toekomst. En we hebben daar vaak genoeg veel last van. Van de pijn en het verdriet over dingen die ons vroeger zijn gebeurd. En van de zorgen over de toekomst. Dat belemmert ons. We kunnen daardoor vaak maar moeilijk genieten van het moment. We vinden het moeilijk om ons compleet gelukkig te voelen. Want we zijn altijd bezig met andere dingen dan enkel het moment.
Voor dieren ligt dat anders. Die leven altijd in het Nu. Zij zijn altijd in hun waarneming, één met hun omgeving. Ik

probeer een voorbeeld te nemen aan Poes, die in het zonnetje op de vensterbank lekker ligt te spinnen. Het is nog niet zo heel lang geleden dat een van haar kittens met zijn nekje tussen de deur heeft gezeten. Maar Poes is het kittentje vergeten, ze geniet van het moment van behaaglijkheid van het voorjaarszonnetje. Ze maakt zich er ook geen zorgen over of eventuele andere kittens het wel zullen redden. Als het je lukt om meer in het Nu te zijn, hoef je geen last meer te hebben van pijn en verdriet uit het verleden. Ik hoef mij niet meer druk te maken over dingen die mogelijk in de toekomst kunnen gebeuren. Dan *ben* ik er gewoon. Dan voel ik dat anderen er gewoon *zijn*. Dat mijn omgeving er gewoon *is*. En wij allen één zijn. Dat alles één is en dat één alles is. Door gewoon te *zijn* wordt het leven een stuk simpeler. En andere mensen beter te pruimen.

Yesterday is history. Tomorrow a mystery.
Today is a gift. That is why we call it the present.

(Eleanor Roosevelt)

Maandag 18 februari

Zo ook Nonna.

♫ *Meisjes van dertien, niet zo gelukkig*
Meisje van dertien d'r net tussenin ♫

(Paul van Vliet - Meisjes van dertien)

Dinsdag 19 februari

Het is fijn om weer alle dagen naast Mark wakker te worden. Het voelt goed. Het is natuurlijk ook heel vertrouwd. Maar toch is het anders dan voorheen. Het vanzelfsprekende is ervan af. En dat bevalt mij goed.

♫ *Free*
When you're near me
Yeah I'm free
All the time ♫

(Simon Webbe - Free)

Woensdag 20 februari

Wat de pilotenfamilie betreft, denk ik niet dat het ooit nog goed gaat komen. Ik geloof niet dat mijn relatie met hen nog hersteld kan worden. Dat vind ik jammer. Maar het hoogst haalbare lijkt elkaar te groeten. Tenminste wat de piloot betreft. Zijn vrouw weigert nog altijd zelfs maar oogcontact te maken. Dat vind ik jammer. Ook voor hen.

Donderdag 21 februari ○

Ik ben weer gaan menstrueren. Dat gaat ook maar gewoon door. Dit maal heb ik het helemaal niet voelen aankomen. Geen last van gespannen borsten, krampen in mijn buik en pijn in mijn onderrug. Komt dat door Mark? Is het de prozac? Of de lente? Ik weet het niet en het maakt ook niet uit. Nonna daarentegen gedraagt zich de laatste week alsof zíj degene is die heftige PMS heeft. Ze menstrueert nog niet, maar ze gedraagt zich precies zo als een vrouw in haar periode. Ze is heel afwezig, met haar gedachten er niet bij. Als ik daar iets van zeg, dan is ze meteen vreselijk in haar wiek geschoten. Dan kan ze toch tekeergaan tegen mij. Maar als ik haar dan pittig van repliek dien, is het weer janken geblazen. Ze is moe en klaagt over buikpijn. Misschien wordt ze ziek.

Vrijdag 22 februari

Vandaag ben ik naar mijn zusje Hannah gereisd. Of eigenlijk ging ik naar het huis van haar meneer Talisman. Mijn zusje is een paar weken geleden bij hem ingetrokken. Tijdens de autoreis naar hen toe merkte ik dat ik mij op de ontmoeting verheugde. Vreemd, omdat ik al die maanden zo'n afstand gehouden heb. Maar de laatste weken is er iets veranderd. Ik heb mij verzoend met het idee dat mijn kleine zusje in haar leven haar eigen keuzen maakt. Welke talisman ik ook voor haar maak. Zij bewandelt haar eigen levenspad. Het pad zoals dat voor haar is weggelegd.
En vandaag bleek dat mijn zusje wonderwel in staat is om op moeilijke kruispunten de goede afslag te kiezen. De stratenmaker bleek een lekker ding. En een toffe peer. Hij is helemaal niet arbeidsongeschikt. Dat heb ik niet goed begrepen. °°°*(is Eufemisme voor niet goed geluisterd.)*°°° Hij is wél overspannen. Burn-out. Of hoe je dat ook noemen wil. °°°*(Maakt niet uit, ik weet er alles van.)*°°° En dat is ook geen wonder. Een paar jaar geleden is zijn vrouw met de noorderzon vertrokken. Ze was verliefd geworden op een andere

man. °°°*(Tja, het kan verkeren ...)*°°° Maar er waren wel drie kinderen waarvoor gezorgd moest worden. Pubers weliswaar. Die hebben geen schone luiers meer nodig. Maar wel een heleboel andere dingen. En ook zorg, dat net zo goed. En dan moest er natuurlijk ook nog brood op de plank. De stratenmaker, Geert heet hij, heeft hard zijn best gedaan om al die ballen in zijn upje hoog te houden. Maar uiteindelijk is hij toch bij zijn enkels afgeknapt.
Geert is een zorgzame vader. Ik heb zijn prachtige dochters en knappe zoon ook ontmoet en gezien hoe zij met elkaar en hun vader omgingen. Ik was onder de indruk van het wederzijdse respect dat zij elkaar gaven. En ik was aangenaam verrast door hun zusterlijke en broederlijke gedrag jegens Siep. Siep is het zoontje van Hannah. Hij is zes. En hij straalde van plezier.
Het was duidelijk dat hij zich helemaal op zijn gemak voelde te midden van zijn nieuw verworven familieleden. Net als Hannah. En een blinde vink kon zien hoe goed Geert is voor mijn zusje.
Hannah blijkt uiteindelijk alles te hebben gekregen wat zij wenste. Een goede man, een ander huis en een nieuw gezin. Bovendien heeft zij een nieuwe baan. Ze is pas verhuisd toen haar financiële situatie in kannen en kruiken was. Wijsheid komt met de jaren. En vast niet alleen bij mijn zusje.
Ik vraag mij wel af in hoeverre ik de krachten van de kosmos nu onderschat heb. Heeft mijn zusje haar geluk gevonden als gevolg van de talisman? Is het echt de magie van het kaartje geweest die Geert en haar bij elkaar gebracht heeft? Was dat al voorbestemd? Of hebben zij elkaar gevonden omdat mijn zusje het heft in eigen handen genomen heeft door mij te vragen een talisman te maken? Was het haar vraag die maakte dat zij open ging staan voor het nemen van de juiste afslag op een cruciaal kruispunt in haar leven?

Tegenwoordig geloven veel mensen dat iedereen zijn lot in meer of mindere mate in eigen handen heeft. Door positieve gedachten zou je geluk kunnen aantrekken. Maar wanneer je zelf twijfelt aan de haalbaarheid van je wensen dan zouden je verlangens ook nooit werkelijkheid worden. Wanneer je diep in je hart denkt dat je het eigenlijk niet verdient om bijvoorbeeld gelukkig te zijn, dan zou dat ook niet gebeuren.

ⓘ The Secret:
The Secret is gebaseerd op de wet van de aantrekkingskracht (LOA: Law Of Attraction). Volgens deze wet zouden mensen in hun leven dingen kunnen aantrekken door zich daarop te focussen met hun gedachten, gevoelens en bedoelingen. Hierbij kan het gaan om goede, maar ook om slechte dingen. En ook gaat het om zaken die binnen het menselijk bereik liggen, een mens zal nooit kunnen vliegen. Het komt erop neer dat je hele leven in het teken moet staan van wat je graag wilt. Je moet leven naar je wensen. Van cruciaal belang is het hierbij om daadwerkelijk te weten wat je wilt. Het schijnt dat veel mensen dat niet écht weten. Om je werkelijke wensen te ontdekken, dien je je individueel én spiritueel te ontwikkelen.
De LOA zegt dat mensen ook negativiteit kunnen aantrekken. Dat heeft te maken met de manier waarop je heden in het leven staat. En hoe je je hebt opgesteld in het verleden. Als je het type bent dat altijd bang is een ernstige ziekte te krijgen dan zal je dat waarschijnlijk ook gebeuren. In het leven komt iedereen problemen tegen. Het gaat erom hoe je met tegenslagen omgaat. Je hebt de keuze om bij de pakken neer te zitten of om je tegenslag te zien als een uitdaging die overwonnen moet worden. *The Secret* zegt dat je, door bewuster met je keuzemogelijkheden om te gaan, beter in het leven komt te staan en je meer kans van slagen hebt bij het verwezenlijken van je dromen.

Zaterdag 23 februari

Ik weet niet of het zo werkt. Maar eigenlijk denk ik niet dat dát de magie van het leven is. Er gebeuren immers ook zo veel dingen in je leven waar je niet om gevraagd hebt. Dingen waar je ook lang niet altijd iets aan hebt kunnen doen om ze te voorkomen. En dan moet je er toch ook maar het beste van maken. En vaak lukt dat ook. Verdriet, pijn, ellende en andere overspannenheden lijken vaak donkere tunnels. Pas achteraf kun je dan zeggen dat de tunnels bruggen bleken naar een lichter leven. En daar is het denk ik, waar de magie van het leven schuilt.

Zondag 24 februari

Vandaag is mijn dochter jarig. Nonna is veertien jaar geworden. Vandaag heeft mijn dochter weer een stapje gezet op haar weg naar de oude wijze vrouw, zoals haar naam immers in het Italiaans betekent. Het onbevangen kind was er al lang niet meer. En het meisje wordt een vrouw. Ooh, soms gedraagt zij zich nog graag als een klein meisje. Maar haar lichaam verraadt haar. Borstjes zijn ontloken. En ik kan al zien hoe haar ogen zullen lonken. Ik vier mijn veertiende moederdag.

Maandag 25 februari

Vandaag heb ik een cadeautje gekregen. Het was lente! Hier had ik nog lang niet op gerekend, helemaal niet op durven hopen. Over zes weken is het pas 21 maart, en dan nog kan het weken regenen en flink koud zijn. Een paar jaar geleden hebben we nog een berg sneeuw en een sneeuwstorm gehad in maart. En nu zomaar opeens is het al lente geworden.
Vanochtend heb ik een duurloop gedaan. Ik kon nu al een kuitbroek aan en één T-shirt was voldoende. Ongekend dat ik in februari de winterkleding al weer in de kast kon laten.

Het was heerlijk om zo in het zonnetje te lopen. Ik had energie voor een marathon.
Voor ons huis in het zonnetje haalde het kwik 22,6 °C. De vogeltjes floten de hele dag en ik ook. De kinderen wilden ijs en ik ben zonder jas naar de buurtsuper gefietst. Het is wel een rare gewaarwording, hoor. Die temperatuurverschillen. 's Nachts vriest het nog.
Aan het eind van de middag heb ik zonder jas, maar met Mark, op het balkon gezeten en genoten van de zon. Heerlijk! Het zonlicht doet mij zó ontzettend goed. Prozac helpt, maar de zon is echt het beste medicijn.
Ik kreeg trouwens nog een cadeautje vandaag. Sem kwam heel vrolijk thuis. Kort geleden is er een ander nieuw jongetje in zijn klas bijgekomen. De juf had Sem toen de belangrijke taak gegeven het jongetje een beetje wegwijs te maken op school. Kennelijk klikte het zo goed tussen hen dat Sem en het andere kereltje vandaag maar hadden afgesproken dat zij voortaan vrienden zouden zijn. Sem was zichtbaar content met deze duidelijke afspraak. En ik ook. Vooral met het feit dat hij het nooit meer heeft over zijn oude school en hij zich in korte tijd zo goed heeft aangepast aan een nieuwe situatie.

♫ *Here I am with eight more lives*
I'm ready for the good times
Ready to get it on ♫

(Shakira - Ready for the good times)

Dinsdag 26 februari

Vandaag is Nonna gaan menstrueren. Dat zat er dik in natuurlijk. Je hoeft bepaald niet over paranormale gaven te beschikken om dat te hebben voelen aankomen. Vanmiddag om 13.00 uur zag ik haar met de fiets in haar hand het grintpad langs ons huis op komen lopen. Het was veel vroeger dan dat ze gezegd dat had haar laatste lesuur afgelopen zou zijn. En ze zag zo wit als een doek. Heel even dacht ik dat ze ziek geworden was. Maar toen ze door het raam naar binnen keek en schaapachtig naar mij grijnsde, wist ik dat dat niet het geval was.
En zo ervoer ze haar eerste menstruatie gelukkig zelf ook niet. Alhoewel ze wel behoorlijk pijn in haar buik had. Daarom was ze op school naar het toilet gegaan. Ze dacht misschien buikgriep te hebben. Maar op het toilet bleek ze alleen maar te hoeven plassen. Pas toen ze het toilet wilde doortrekken, zag ze het bloed. Ze had nog getwijfeld of het wel van haar was. Maar toen ze in haar slipje keek, wist ze dat ze niet langer op school hoefde te blijven. Ooit hebben wij namelijk de afspraak gemaakt dat ze op het moment dat ze waar ze ook zou zijn ten tijde van haar eerste menstruatie ze meteen naar huis mocht komen. En dus had ze haar tas uit de klas gehaald en tegen de leraar gezegd dat ze "wegens periodieke vrouwelijke omstandigheden" linea recta naar huis toe moest.
Nonna vond het een rare gewaarwording om echt te kunnen bloeden zonder een zichtbare wond te hebben. De buikpijn zat haar dwars. En het maandverband ook. Maar ze was toch blij en trots. En ik ook. Ik heb Nonna met een kruikje op de bank gelegd. En ben naar de bakker gefietst om gebakjes te kopen.

ⓘ **First Blood Ritual:**
Door Starhawk: Volgens de meeste aardegerichte stromingen is seksualiteit iets heiligs. Evenals het vrouwelijke lichaam. Dat moet geëerd worden. Door haar lichaam kan nieuw leven geboren worden. Door het bedrijven van de liefde kunnen man en vrouw vruchtbaarheid eren en tegelijk ook vieren. Want uit hun vereniging ontstaat schepping. Zo blijft de cirkel rond: geboorte, groei, dood en wedergeboorte. Zo wentelt het jaarwiel.
De vrouwelijke menstruatie is een teken van vruchtbaarheid. Wanneer een meisje voor het eerst gaat menstrueren, wentelt haar jaarwiel. In de natuurreligie is dat reden tot viering. Het vieren van een eerste menstruatie maakt deze gebeurtenis tot een krachtige en vrolijke herinnering. Dat kan met gebakjes, met een glaasje advocaat met slagroom of met een First Blood Ritual Vroeger werden tijdens zo'n Eerste Bloed Ritueel de handen van het meisje en haar moeder met een rood koord, dat hun bloedband illustreerde, aan elkaar gebonden. Beide vrouwen werden door alle andere vrouwen van de gemeenschap meegenomen naar een plaats buiten in de natuur. Daar mochten moeder en dochter rennen tot zij niet meer konden. Als zij weer terugkwamen bij de andere vrouwen, dan vertelden deze het meisje hun eigen eerste menstruatieverhalen. Daarbij of daarna werd rood fruit gegeten. En dan werden ook de mannen die een belangrijke rol speelden in het leven van het meisje uitgenodigd om haar vrouwelijkheid te eren en te vieren.

Donderdag 28 februari

Voor het eerstebloedritueel van Nonna heb ik al maanden een scenario klaar liggen. Ongeveer een half jaar geleden heb ik alle vrouwen die belangrijk zijn of zijn geweest voor Nonna gevraagd hun eerste menstruatieverhaal op te schrijven.
En vanavond kwamen zij. De vrouwen. Mijn moeder, en de moeder van Mark. Hannah. Bride en Jule, mijn vriendinnen. Lise en Lotte, de vriendinnen van Nonna. De moeder van Lise, die voor Nonna een soort surrogaatmoeder is geweest de laatste jaren. De twee meisjes die op Nonna gepast hebben sinds zij een baby was. Al deze vrouwen brachten Nonna hun verhaal. En een kraal. De verhalen heb ik gebundeld in een boekje dat ik speciaal hiervoor in elkaar geknutseld heb.

Een mapje van handgeschept papier dat dichtgeknoopt kan worden met een lint. Het papier heeft de witte kleur van maagdelijkheid. En het lint is rood.
Van de kralen is een armband geregen. Daarvoor zijn alle vrouwen in een kring gaan staan. Alleen de meisjes die nog niet menstrueerden bleven daarbuiten. Zij waren de eersten die Nonna hun kraal mochten geven. En daarmee ook een wens, een spreuk of een gedachte die zij Nonna mee wilde geven voor haar verdere leven. De andere vrouwen gaven elkaar een hand. Mijn moeder en ik ook. Maar wij hieven onze armen zodat een boogje ontstond waaronder Nonna de kring binnen kon lopen. Ik gaf haar een koordje dat ik van mijn oma gekregen had toen ik om iets speciaals voor Nonna gevraagd had. Ook al was mijn oma niet in levende lijve aanwezig omdat haar lichaam dat niet meer wil, toch is zij de sterkste. Haar jaren maken haar tot de Oude Wijze Vrouw. Zij is het koord waardoor er geregen kan worden.
Ik maakte één deel van het sluitinkje vast aan het koord. Ik was de vruchtbare vrouw. Ik heb de poort naar het leven van Nonna geopend. Daarna gaven mijn moeder en Nonna's andere oma hun kralen aan Nonna. En hun woorden. En toen alle andere vrouwen. Een voor een reeg Nonna de kralen aan het koord. Na de laatste kraal kreeg zij van mij het andere deel van het sluitinkje. Het slot. Nonna is de vruchtbare vrouw. Nu is het in haar macht de poorten naar het leven te openen of te sluiten.
De bedoeling van de armband is ook dat Nonna er kracht uit kan putten wanneer zij dat nodig heeft. Door ernaar te kijken. En door zich onze woorden te herinneren. Want deze woorden waren speciaal voor Nonna. Zij werden haar gegund door al deze vrouwen die voor haar belangrijk zijn maar wellicht niet lijfelijk aanwezig zullen zijn op de momenten dat zij hen het hardste nodig heeft. Bijvoorbeeld bij

Nonna's eigen bevalling. Op het moment waarop zij een dierbare geliefde zal verliezen. Het leven kent veel van zulke momenten. Het zijn de momenten van geboorte, groei, dood en wedergeboorte. Maar de armband is rond. De kralen zitten aan elkaar. En samen zijn wij sterk.

Voor Nonna.
En voor alle vrouwen in de wereld, te allen tijde en van alle leeftijden.

Be free, be strong, be yourself.
Be lucky, be proud to be a woman,
beloved and loving.
May your body be always a blessing to you,
a temple of love and pleasure.
May your womb bare fruit at your desire.
May you always remember
that your power to create is off the body
but not bound by the body.
May you bear many different kinds of fruit.
Honour your blood that waxes and wanes with the moon
for this is the living presence of the Goddess.
May your blood flow gently without pain,
reminding you that within your life is a circle
of birth, growth, death and rebirth.
Yours is the power to open and close the gates of life.
And yours is the responsibility to be a conscious guardian.
Open to embrace of love when you choose.
And when you not choose may you be inviolable.
Care for your body as you would for a sacred growth.
And care for those you love.
May your life be rich with many forms of love;
passion, affection, devotion, compassion,

humour and playfulness, with wild adventures
and a safe heart to come home to.
May you find lovers, partners and companions
those who will nurture you
and those whom you will nurture.
Know that you are unique and precious
that no one can take your place.
Be blessed.

(Starhawk - First Blood Blessing).

Wees vrij, wees sterk, wees jezelf.
Wees gelukkig en wees trots een vrouw te zijn,
van wie gehouden wordt en die kan liefhebben.
Moge je lichaam altijd een zegen voor je zijn,
een tempel van liefde en plezier.
Moge je baarmoeder vrucht dragen naar jouw believen.
Moge je altijd onthouden
dat het jouw kracht is te scheppen door je lichaam
maar dat scheppingskracht niet gebonden is aan het lichaam.
Moge je vele verschillende vruchten dragen.
Eer jouw bloed dat toe- en afneemt met de maan
want dat is de levende aanwezigheid van de Godin.
Moge je bloed zachtjes en zonder pijn vloeien
En je eraan herinneren dat in jouw leven de cirkel is
van geboorte, groei, dood en wedergeboorte.
Het is in jouw macht de poort naar het leven te openen
en te sluiten.
En het is jouw verantwoordelijkheid om deze weloverwogen
te bewaken.
Open je om de liefde te omhelzen als je daarvoor kiest.
En als je daar niet voor kiest, moge je onschendbaar zijn.

Zorg voor je lichaam zoals je dat zou doen voor een heilig wasdom.
En zorg voor degene die je liefhebt.
Moge jouw leven vele vormen van liefde kennen;
passie, affectie, toewijding, compassie,
humor en vrolijkheid, met wilde avonturen,
en een veilige haven om naar terug te keren.
Moge je minnaars vinden, partners en vrienden
Die jou zullen koesteren
En die jij koestert.
Weet dat jij uniek en kostbaar bent
en dat niemand jou kan vervangen.
Wees gezegend.

(Starhawk - First Blood Blessing, vrije vertaling Saskia Berris).

EPILOOG

Vrijdag 29 februari

Drie maanden is Mark weggeweest. En het is zes maanden geleden dat ik de piloot mijn brief geschreven heb. Ruim een jaar geleden begon ik met schrijven omdat ik voor mijzelf een aantal zaken op een rijtje probeerde te krijgen.
Toen begonnen zich in mijn leven, in mijn gedachtewereld twee ingrijpende veranderingen te manifesteren.
De eerste verandering is het directe gevolg van een beslissing die ik zelf genomen heb. Daar had ik invloed op. Dat zal iedereen met mij eens zijn.
De tweede verandering betreft een ontdekking die ik over mijzelf gedaan heb. Hier heb ik zelf de mate van mijn eigen invloed als zeer beperkt ervaren. Maar daarover kunnen de meningen verschillen.
Evenals dat er geredetwist mag worden over het feit of er een verband bestaat tussen beide veranderingen:

Ik ben een heks.
En ik heb een minnaar.

♫ *Now that I've found you*
I'll call off the search ♫

(Katie Melua - Call off the search)

WOORD VAN DANK

Allereerst dank ik mijn levenspartner voor zijn niet aflatende liefde en steun gedurende mijn hele schrijfproces.

Ik dank mijn moeder, een magicienne pur sang.
Ik dank mijn vader, die vast ooit een druïde geweest moet zijn en dat daar, waar hij nu is, misschien wel weer is.
Ik dank mijn eigen kinderen, mijn oppasdochter, mijn nichtjes en neefje en alle andere kinderen in mijn leven, omdat zij nog kunnen zijn wie zij in wezen zijn.
Ik dank M.K., mijn eigen Tita Tovenaar, die mij heeft gewezen op en onderwezen heeft over het pad van de natuurfilosofie.
Ik dank B.T. en J.K., mijn studiegroepgenoten, vanwege hun enthousiasme voor mijn project.
Ik dank L.d.Q., die mijn manuscript al in een vroeg stadium heeft willen lezen om het te voorzien van commentaar.
Ik dank mijn liefste nichtje M.V., en mijn zusje H.R. voor hun interesse in mijn project.
Ik dank M7, in mijn ogen een "kindred spirit" van wie ik hoop dat hij ooit ook een boek zal schrijven.
Ik dank Tanja Hilgers die mij met haar Juleagenda en persoonlijke ontmoetingen enorm geïnspireerd en gemotiveerd heeft.
Ik dank mijn teken(taal)juf P.T.-R. voor haar fijne lessen en de bijzondere vruchten die ik van het tekenen heb mogen plukken.
Ik dank mijn docenten van het Kraaybeekerhof te Driebergen voor alle inspiratie die zij mij met hun wijze lessen gegeven hebben.

En natuurlijk dank ik al mijn klasgenoten Natuurvoedingskunde (anno 2010 klas 2A). Zij laten zien wat ik geloof: elke vrouw is bijzonder en uniek, in alle fasen van haar leven.
Ik dank al mijn medevolkstuinders voor het uitstralen van het plezier dat zij beleven aan het werken in en met de natuur.

Ik dank Jitske Kingma, mijn uitgeefster, voor haar hulp mijn boek het licht écht te laten zien.

En natuurlijk dank ik ook alle "piloten" in mijn leven. Als zij niet waren overgevlogen, was dit boek er nooit gekomen.

BRONVERMELDING

Geschreven woord:

-
- De Jule-agenda 2007 en 2008, almanak van de natuurlijke tijd. Tanja Hilgers. Uitgeverij Koppenhol. ISBN 978-90-8508-068-8.
- De wijsheid van de heks, spreuken & spiritualiteit, mysterie & magie. Rae Beth. Uitgeverij M. ISBN 90-225-3586-X.
- Brieven van een heks, over natuur & mystiek, relatie & religie. Rae Beth. Uitgeveij M. ISBN 90-225-3247-X.
- De twaalf wilde zwanen, een reis naar de sferen van spiritualiteit en magie. Starhawk en Hilary Valentine. Uitgeverij de Kern. ISBN 90-325-0831-8.
- De heks in elke vrouw, een handboek, gezondheid& geluk, seksualiteit&erotiek, Laurie Cabot & Jean Mills. Uitgeverij Meulenhoff. ISBN 90-290-5883-8.
- De natuurlijke heks. Laurie Cabot & Tom Convan. Uitgeverij Meulenhoff. ISBN 90-290-7001-3.
- Meer magie, ontdek de kracht van magische spreuken en tovermiddelen. Marian Green. Uitgeverij Librero. ISBN 90-5764-543-2.
- Magie op eigen kracht. Marian Green. Uitgeverij Bres B.V. ISBN 90-6229-022-1.
- De kracht van de aarde. Scott Cunningham. Uitgeverij Akasha. ISBN 90-77247-55-6.
- Kunnen heksen heksen? Kathleen Vereecken. Uitgeverij Querido. ISBN 90-451-0271-4.

- Heksenvademecum. Gilly Sergiev. Uitgeverij Altamira-Becht. ISBN 90-6963-618-2.
- Wat is magie? Michael Howard. Uitgeverij de Driehoek. ISBN 90-6030-394-6.
- Wegwijs in Wicca. Scott Cunningham. Uitgeverij Altamira-Becht. ISBN 90-6963-572-0.
- Heksen en heidenen. Rufus C. Camphausen. Uitgeverij Schors. ISBN 90-6378-582-8.
- Van moedergodin tot heks. A.D.Brouwer. Uitgeverij World Art Foundation. ISBN 90-806237-1-7.
- En de man zal heersen, kerkelijke beelden over vrouw en seksualiteit. Jacob Slavenburg. BF Uitgeverij ISBN 978-90-76277-42-4.
- Dochters van de maan. De menstruatie in mythen en in de moderne maatschappij. Annemarie Peters. ISBN 90-6963-647-6.
- Ik hou van twee mannen. Polyamorie, liefhebben zonder grenzen. Ageeth Veenemans. ISBN 978-90-55992-12-6.
- Het jaar dat de paarden kwamen. Mary Mackey. Uitgeverij de Boekerij. ISBN 90-225-1807-8.
- De paarden voor de poort. Mary Mackey. Uitgeverij de Boekerij. ISBN 90-225-2109-5.
- Paarden in de storm. Mary Mackey. Uitgeverij de Boekerij. ISBN 90-225-2474-4.
- Nevelen van Avalon. Marion Bradley. Uitgeverij M. ISBN 90-225-4240-8.
- Het huis in het woud. Marion Bradley. Uitgeverij Zwarte Beertjes. ISBN 90-461-2030-9.
- Vrouwe van Avalon. Marion Bradley. Uitgeverij ?. ISBN ?

Priesteres van Avalon. Marion Bradley. Uitgeverij de Boekerij. ISBN 90-225-3003-5.

- Juniper. Monica Furlong. Uitgeverij Lemniscaat. ISBN 90-6069-822-3.
- Heksenkind. Monica Furlong. Uitgeverij Lemniscaat. ISBN 90-6069-690-5.
- Colman. Monica Furlong. Uitgeverij Lemniscaat. ISBN 90-563705890-X.
- De Kinderen van Moeder Aarde. Thea Beckman. Uitgeverij Lemiscaat. ISBN 90-5637-895-3.
- Hoog Senstieve Personen. Elaine N. Aron. Uitgeverij Archipel. ISBN 90-6305-100-X.
- Hooggevoeligheid. Susan Marletta-Hart. Uitgeverij Ten Have. ISBN 90-259-5344-1.
- Het elastiek tussen lichaam en ziel. Hans Lemmens. Uitgeverij Andromeda. ISBN 978-905599237-9.
- Het is ADHD. Paternotte & Buitelaar. Uitgeverij Balans. ISBN 90-313-4564-4.
- Geef me de 5. Colette de Bruin. Uitgeverij MEE. ISBN 90-75129-64-5.
- Luisteren naar kinderen. Dr. Thomas Gordon. Uitgeverij Tirion. ISBN 90-4390-758-8.
- Nieuwetijdskinderen. Carla Muijsert-van Blitterswijk. Uitgeverij Ankh-Hermes. ISBN 90-202-8236-0.
- Brein bedriegt, als autisme niet op autisme lijkt. Peter Vermeulen. Uitgeverij Epo. ISBN 90-6445-127-3.
- Doen alsof je normaal bent. Liane Holliday Willey. Uitgeverij Nieuwezijds. ISBN 90-5712172-7.
- Een echt mens. Gunilla Gerland. Uitgeverij Pandora. ISBN 90-467-0332-0.
- Meisjes en vrouwen met Asperger. Tony Attwood, Temple Grandin e.a. Uitgeverij Pica. ISBN 9789077671221.
- Gewoon een jongen met autisme. Chris Lauwers. Uitgeverij Epo. ISBN 90-6445-343-8.

- Spirituele Intelligentie, de kwaliteit die grenzen verlegt. Dana Zohar en Ian Marshall. Kosmos-Z&K Uitgevers. ISBN 90-215-3209-3.
- Komt een vrouw bij de dokter. Kluun. Uitgeverij Podium. ISBN 978-90-5759-391-8.
- De weduwnaar. Kluun. Uitgeverij Podium. ISBN 978-90-5759-291-1.
- Stout. Heleen van Rooyen en Marlies Dekkers. Uitgeverij HvR. ISBN 978-90-499-5036-1.
- De cirkel. Laura Day. Uitgeverij BZZTôH. ISBN 90-417-6051-2.
- Leven met de seizoenen, zomer, herfst, winter, lente. Patricia F. Wessels. Weleda.
- Anders omgaan met de aarde, Willy Schilthuis. Uitgeverij Christofoor. ISBN 90-6238-499-4.
- Biologisch-dynamisch tuinieren in de praktijk. Willy Schilthuis. Uitgeverij Christofoor. ISBN 90-6238-7993.
- Antroposofie, een kennismaking. Henk van Oort. Uitgeverij Christofoor. ISBN 90-6038-378-8.
- Biologisch (dynamische) Landbouw. Ir. M.R. Rietveld. Kraaybeekerhof 2004.
- Colleges Medische Basiskennis, M. Chavanne.
- Leven in je leven. Young en Klosko. Uitgeverij Swets & Zeitlinger. ISBN 90-265-1569-3.
- Lof der hindernissen. Jaap van de Weg. Uitgeverij Vrij geestesleven. ISBN 90-603-8391-5.
- En dan opeens verandert alles. Gerrie Berris-Grisel. In eigen beheer uitgegeven. ISBN 9090146709.
- Mandalasymboolkaarten, Greetje Molenaar. Uitgeverij Akasha. ISBN 90-73798-55-8.
- Mind Magazine.
- Happinez.
- Elsevier.

Gezongen en gesproken woord:

- Starhawk. Wiccan Rituals&Blessings. Sounds True.
- Katie Melua. Piece by piece. Dramatico.
- Katie Melua. Call off the search. Dramatico.
- Pussycat Dolls, PCD.
- Sarah Brigthman. Harem. Nemo Studios, angel records.
- Nelly Furtado. Whoa.Nelly! Dreamworksrecords.
- Shakira. Oral Fixation vol2. Sony BMG.
- Shakira. Laundry Service. Sony Music Entertainment.
- Madonna, confessions on a dance floor. Warner Bros Records Inc.
- Jennifer Paige, it's just a little crush.
- Christina Aquilera. Stripped. BMG Music.
- Kylie Minogue. Ultimate Kylie. Emi.music.
- Céline Dion. D'eux. Sony Music entertainment.
- Ilse de Lange. Here I'am. Warner Music.
- Maria Mena. White turns blue. Sony Music Entertainment.
- Nelly Furtado. Loose. Geffen Records.
- Katie Melua. Call off the search. Dramatico.
- Shakira. Laundry service. Sony Music Entertainment.
- Kylie Minogue. Fever. Emi Records.
- James Blunt. Chasing time: the Bedlam session. Atlantic Recording Corporation.
- Simon Webbe. Sanctuary. EMI records.

Internetsites:

www.wikipedia.nl
www.femtopia.nl
www.vrouwenaanbod.nl
www.mandalateken.nl
www.thesexacademy.com/slet-en-Godin.html
www.dirah.dds.nl